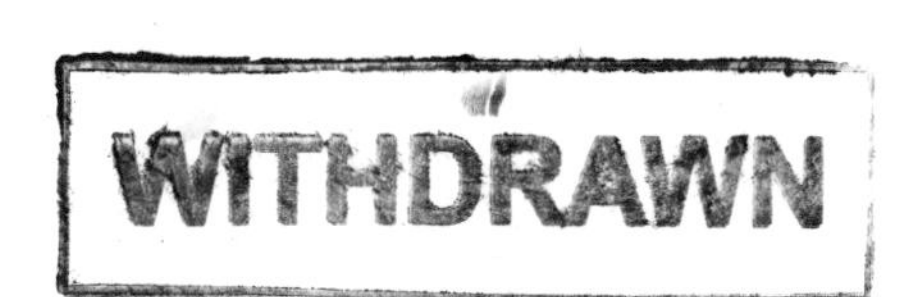

Y Beibl a Llenyddiaeth Gymraeg

RHAI AGWEDDAU AR

Y BEIBL
A
LLENYDDIAETH
GYMRAEG

Derec Llwyd Morgan

Argraffiad cyntaf—1998

ISBN 1 85902 641 9

Cyhoeddir y gyfrol hon gyda chymorth Cyngor Celfyddydau Cymru.

Argraffwyd yng Nghymru gan
Wasg Gomer, Llandysul, Ceredigion

I Jane

CYNNWYS

RHAGAIR

Llyfr dirprwyol yw hwn, llyfr yn lle llyfr arall.

Ganol yr wythdegau, fel y nesâi 1988 a Phedwarcanmlwyddiant Beibl William Morgan, tybiais y dylai rhywun fynd ati i lunio astudiaeth o ddylanwad y Beibl hwnnw ar lenyddiaeth Gymraeg fodern, a diffinio dyled ein llenorion iddo o ran meddwl, dychymyg ac ieithwedd. Buan y gwawriodd arnaf, megis y gwawriodd gynt ar Gwladys Rhys yng ngherdd enwog W. J. Gruffydd, taw enw rhwydd ar awyddfryd mewnol yw 'Rhywun,' a dechreuais ymgodymu â'r pwnc. Dechrau'n dalog (mewn mwy nag un ystyr, canys rhoddodd Coleg y Gogledd flwyddyn Sabothol imi); a gweld yn gynnar anferthedd y gwaith. Nid oes odid un rhan o lenyddiaeth y pedair canrif fodern heb rywfaint o ôl yr Ysgrythur arni. Y mae hyd yn oed yr awduron hynny sydd weithiau'n wfftio, er mor ysmala, ddylanwad yr Iddewon arnom, T. Gwynn Jones er enghraifft yn *Gwedi Brad a Gofid*, yn rhannol gaeth iddo. Darllenais lawer mewn llên, mewn beirniadaeth, mewn hanesyddiaeth, mewn diwinyddiaeth, ac o ddeutu 1988 dechreuais gyhoeddi rhai erthyglau ar y pwnc. Pan ddeuthum i Aberystwyth i'r Gadair Gymraeg lluniais gwrs arbennig ar "Y Beibl a Llenyddiaeth," yn rhannol er mwyn fy ngorfodi fy hun i roi trefn a dosbarth ar y defnyddiau a gasglaswn. Yr oedd yn y cwrs hwnnw drafodaethau ar nifer o bynciau nas ceir yn y llyfr hwn, trafodaethau ar deipoleg, ar gyfeiriadaeth, ar Sabotholrwydd, ar y pedwar Peth Diwethaf, ar lenorion megis Azariah Shadrach (y teipolegydd rhyfeddaf yn hanes ein llên), R. T. Jenkins a T. H. Parry-Williams, ac ar emynwyr y ddeunawfed ganrif, – ond trafodaethau yn llyfr nodiadau athro coleg oeddynt nid defnyddiau cyhoeddadwy. Fy mwriad oedd llunio llyfr a fyddai'n cynnwys y pethau hyn a rhagor, astudiaeth drefniedig gyfansawdd.

Ond ar ôl imi ymgymryd â Phrifathrawiaeth Prifysgol Cymru, Aberystwyth, yn anffodus nid oedd gennyf yr amser angenrheidiol i ymaflyd â'r fath dasg. Gobeithiaf ei gael eto. Yn y cyfamser, bu Dyfed Elis-Gruffydd o Wasg Gomer yn taer erfyn arnaf gasglu ynghyd yr erthyglau a'r darlithoedd a gyhoeddaswn ar y pwnc. Ymhen y rhawg cytunais i ddwyn at ei gilydd y papurau a luniaswn ar ddwy wedd arno, y dychymyg hanesyddol a phroblemau ffydd a dychymyg y bedwaredd ganrif ar bymtheg. A dyna beth a geir yn y llyfr hwn. Petrusais cyn cydsynio â chais Dyfed Elis-Gruffydd am fod yn y papurau hyn ychydig o ailadrodd, ac am fy mod ynddynt yn dadlau'r un dadleuon ac yn gwneud defnydd o'r un cyfeiriadau. Erbyn hyn ailysgrifennais rannau ohonynt. Ond erys o hyd dipyn bach o ailadrodd, ac ni allaf ond gobeithio y maddeua'r darllenydd imi am hynny.

A maddau hefyd y tinc darlithyddol, a phregethwrol yn wir, sydd yn rhai o'r darnau. Er, yn fy mhrofiad i, y mae'r tinc hwnnw'n anorfod. Mewn oes o ffasiynau beirniadol, da cofio, gyda Syr Kenneth Dover, taw cyfuniad o hanesydd a hunangofiannydd a phregethwr yw'r beirniad llenyddol: tasg yr hanesydd yw dweud pryd a sut y daeth y testun i fod a beth a'i gwnaeth yr hyn ydyw; y mae'r beirniad yn hunangofiannydd o ran ei fod yn datgelu ei ymatebion ei hun i'r testun; ac yn bregethwr o ran ei fod yn ein hargyhoeddi o berthnasedd y gwaith i'n bywyd, i'n ffordd o ymagweddu at bethau.

Yr wyf yn ddyledus i nifer o bobl. Dymunaf ddiolch i'r golygyddion hynny a gyhoeddodd y penodau hyn neu fersiynau ohonynt o'r blaen. Ymddangosodd Pennod I yn R. Geraint Gruffydd (gol.), *Y Gair ar Waith [:] Ysgrifau ar yr Etifeddiaeth Feiblaidd yng Nghymru* (Caerdydd, 1988). Ymddangosodd fersiwn o Bennod 2 yn *Taliesin*, Cyfrol 62. Argraffodd Coleg Aberystwyth amrywiad ar Bennod 3 mewn pamffledyn o'r enw *"Canys Bechan Yw" : Y Genedl Etholedig yn ein Llenyddiaeth* yn 1994. Ymddangosodd peth o ddeunydd Pennod 4 yn "Morgan Llwyd a'r Iddewon" a gyhoeddwyd yn J. E. Caerwyn Williams (gol.), *Ysgrifau Beirniadol XXI* (Dinbych, 1996). Bu Pennod 5 yn *Y Traethodydd* clii, 642, Gorffennaf 1997. Darlith oedd Pennod 6 yn wreiddiol, y cyhoeddwyd fersiwn ohoni yn *Efrydiau Athronyddol* 1995, Cyfrol LVIII. Gwelodd Pennod 7 a Phennod 9 olau dydd gyntaf yn *Llên Cymru*, cyfrolau 20 a 18, a Phennod 8 olau dydd yn *Ysgrifau Beirniadol XXII* (Dinbych, 1997) o dan y teitl "Dehongliad o *Nansi: Merch y Pregethwr Dall.*"

Y mae eraill yr wyf yn ddyledus iddynt am gefnogaeth ac am gymorth ymarferol. Awdurdodau Prifysgol Cymru, am fy ngwahodd i roi'r Ddarlith O'Donnell am 1988, ac am fy sbarduno i draethu ar y

Beibl a'n Llenyddiaeth. Awdurdodau Coleg Bangor, am fy ngwahodd i draddodi Darlith Goffa R. T. Jenkins yn 1987. Adran y Gymraeg, Caerdydd, am fy ngwahodd i draddodi Darlith G. J. Williams, 1994. A swyddogion Adrannau Athronyddol a Diwinyddol Urdd Graddedigion Prifysgol Cymru am fy ngwahodd i draddodi Darlith Goffa Richard I. Aaron yn yr un flwyddyn. Yn ogystal, hoffwn nodi fy nyled a'm diolch i staff llyfrgelloedd Coleg Bangor, Coleg Aberystwyth a Llyfrgell Genedlaethol Cymru; ac i Dafydd Ap-Thomas, Elfed ap Nefydd Roberts, Lowri Bevan, Ceri Davies, Rhidian Griffiths, y diweddar Bedwyr Lewis Jones, Beti Jones, Dafydd Glyn Jones, Gwilym H. Jones, Richard Wyn Jones, R. M. Jones, Tegwyn Jones (a luniodd y Mynegai), Richard Lewis, E. G. Millward, Nan Thomas, Huw Walters a Gruffydd Aled Williams. Yr oedd cryn swrn o'r gyfrol hon eisoes ar gyfrifiadur Beryl Jenkins cyn imi ymadael ag Adran y Gymraeg, a hi eilwaith â'i paratôdd ar gyfer y wasg, gyda'i pharodrwydd a'i rhwyddineb arferol.

Prifysgol Cymru
Aberystwyth

D.Ll.M.

I

Y BEIBL
A'N
LLENYDDIAETH . . .

I

'Y LLYFR Y CARTREFIT TI YNDDO'

Yn y gyfrol hon, trafod yr ydys agweddau ar ddyled llenyddiaeth Gymraeg i'r Beibl, a'u trafod mewn cyfnod pan ystyrir bod dylanwad y Beibl ar feddwl a dychymyg dynion ar drai go ddifrifol, oherwydd, ers tro byd, fel y gŵyr pawb, daeth y meddwl materol i'w oed. Ond ystyriaeth blwyfol yw honno, mewn gwirionedd. O edrych yn eang ar hanes deallusol y pedair canrif ddiwethaf, gwelir mai un o baradocsau mawr y gwareiddiad y perthynwn ni iddo yw'r ffaith fod y Beibl wedi bod yn eiddo i bobl Ewrop yn eu hieithoedd brodorol yn ystod yr union amser a welodd ddatblygiad Gwyddoniaeth, yr hon, yn ei hanfod ac yn herfeiddiwch ei hymlyniad wrth reswm a phrawf, a fu ac y sydd o hyd yn wrthebus i'r Datguddiad a gorfforir yn y Gair. Fel y cynyddodd gallu pobl gyffredin i ddarllen ac fel y cynyddodd eu hadnabyddiaeth o'r Ysgrythur Lân yn eu mamiaith, felly y cynyddodd bygythiad Gwyddoniaeth i'w hesboniad hi ar y byd. Erbyn hyn, cydnabyddir mai math neu fathau o wirionedd a geir yn y Beibl. Yn draddodiadol, gwerthfawrogid ef am mai ef oedd unig ffynhonnell y gwirionedd oesol am Dduw a dyn a'r cyfanfyd; yn awr, tueddir i rannu ei wirionedd yn wirionedd hanesyddol, gwirionedd diwinyddol, gwirionedd moesol, gwirionedd mytholegol, ac yn y blaen.

Yng Nghymru William Morgan nid oedd neb yn tybied y gellid amau un rhan ohono, nac yn 1620, nac yn 1630 pan gafwyd y Beibl Bach i bocedi. Ond yn ystod y ddeunawfed ganrif, rai blynyddoedd cyn i Peter Williams gyhoeddi'i Feibl ef yn rhannau i'r werin bobl Fethodistedig yr oedd Griffith Jones wedi'i dysgu i ddarllen, daeth i feddwl y Cymro deallus a adwaenai ei Bantycelyn fod 'Nifer fawr o Ddynion yn Berchen Dŷsc a Rheswm' a haerai 'nad oes Crefydd ddatguddiedig ond yn unig yn Natur'.[1] Yr oedd y ffilosoffyddion naturiol wedi cyrraedd. Er eu bod yn credu yn Nuw, sail eu ffydd hwy oedd barn resymol, barn na chydweddai â dirgeledigaethau yr Efengyl nac â'r llu o ddigwyddiadau goruwchnaturiol y sonnir amdanynt yn y Testament Newydd fel yn yr Hen. Gan eu bod yn tybied bod y

[1]William Williams, *Golwg ar Deyrnas Crist* (Bryste, 1756), sig. A2, t. iv.

cyneddfau meddyliol a roddwyd iddynt i iawn farnu yn rhoddion gan y Creawdwr, ac na fynnai'r Creawdwr Deallus ymyrryd yn Ei greadigaeth, dechreuasant amau'r adroddiadau beiblaidd a soniai am ddirgeledigaethau ac ymyraethau a gwyrthiau. O ganlyniad, agorwyd bwlch llydan rhwng syniadau'r duwiol traddodiadol am y Drefn a syniadau'r modernwyr amdani, nes dyfod o rai pobl flaengar i ystyried yn y man fod gwahaniaeth rhwng Trefn a Threfn, ac y gellid, er enghraifft, amau Trefn y Creu er dal i gredu yn Nhrefn y Cadw. Fel arfer, cysylltir enw Charles Darwin â'r mawr wahanu hwn. Ond yr oedd eisoes wedi digwydd cyn i'w *Origin of Species* ef gael ei gyhoeddi. Ac yr oedd eisoes yn bygwth ffydd pobl yn Nhrefn y Cadw ei hun, oblegid o gael nad oedd y Beibl yn dweud y gwir am un agwedd ar fywyd pa raid derbyn ei fod yn dweud y gwir am rannau eraill ohono?

Ar aelwydydd Cymru yn ail hanner y bedwaredd ganrif ar bymtheg (fel ar aelwydydd mewn gwledydd eraill) eiliwyd ganwaith ddatganiad caredig Bob Lewis wrth ei fam feiblaidd: 'Nid oes genyf ysbryd nac awydd i ymddadleu â chwi, mam'. Buasai Bob, cofier, yn athro yn yr Ysgol Sul, ac er mai yn ystod y cyfnod hwnnw y dysgodd ei syniadau newydd am frawdoliaeth dyn a chyfiawnder cymdeithasol, nid y Beibl a roddodd iddo ei ddamcaniaethau gwleidyddol ac economaidd. Er mwyn cael crap arnynt hwy dysgodd ddarllen 'Saesoneg'. Yn iaith Mari Lewis, yr hon a dyfodd i fyny 'yn hollol anwybodus o bobpeth oddigerth o bethau'r Bibl', symbol o'r pethau eraill, allfeiblaidd, y gwybodau bydol, yw'r gair 'Saesoneg'.[2] Erbyn ein dydd ni, ganrif yn ddiweddarach, ystrydeb yw dweud nad yw etifeddion yr addysg hon yn adnabod fawr ddim ar eu Beibl. I'r mwyafrif mawr seciwlar, llythyren farw ydyw, neu, ar y gorau, llythyren mewn dyfynodau. Dywedaf hynny am i mi weld yn y *Guardian* unwaith lythyr gan wraig ar y Chwith yn agor â'r geiriau '"God" knows . . .'.

Ond na synned neb na allai – neu yn hytrach na fynnai – y wraig chwithig hon ei mynegi ei hun yn wahanol, oherwydd er cymaint y dylanwadodd y meddwl gwyddonol arnom, parhaodd dylanwad y

[2]Daniel Owen, *Hunangofiant Rhys Lewis, Gweinidog Bethel* (Wrecsam, [1885]), Pennod X ar ei hyd. Buddiol nodi ymhellach yr ymdriniaeth ragorol â chydnabyddiaeth Mari Lewis â'r Beibl a geir ym Mhennod XXXV, "Marwnad Ryddiaethol" Rhys Lewis i'w fam. Yn y bennod hon, t. 210, y digwydd yr ymadrodd 'y llyfr y cartrefit ti ynddo'.

Beibl yn nerthol i'w ryfeddu drwy'r canrifoedd modern. Er nad ef biau dychymyg diwedd yr ugeinfed ganrif, dim ond ffŵl byddar a dall a wadai nad oedd ei ddylanwad arnom yn fawr iawn, ar ein ffordd o weld ac ar ein dull o ymadroddi. Yn iaith y crefyddol a'r digrefydd, Duw, o hyd, a ŵyr. Dair canrif yn ôl tybiai pob meddyliwr bron fod holl faterion yr amseroedd yn annatod glwm wrth gwestiynau diwinyddol, a bod atebion iddynt yn yr Ysgrythur. 'Iw blant ufudd . . . y mae'r Duw doeth yn adrodd ei gyfrinach', ebe Charles Edwards yn 1677, ond tueddai hyd yn oed ei ychydig 'elynion anghymmodol' i glustfeinio amdani.[3] Y gwyddonwyr cynnar yr un modd – a Christionogion oedd y mwyafrif llethol ohonynt. Adwaenent eu Beiblau gystal â neb, ac nid yw'r ffaith eu bod – Thomas Hobbes, John Toland, a'r trydydd Iarll Shaftesbury, er enghraifft, yn Lloegr, – ymhlith y dynion cyntaf i amau'r canon a thestun y Beibl, nid yw'r ffaith honno ond yn cadarnhau eu hymlyniad deallusol a theimladol wrth ei rym. Yr hyn a wna pob gwyddor, pob ffurf ar wybod, yw cynnig model neu gynllun o bethau fel y tybir y maent, ac y mae'n deg dweud bod llawer o'r schemâu a'r syniadau llywodraethol a roddwyd i ni gan y gwyddorau dynol wedi'u ffurfio yn y bôn gan y cynllun hanesyddol sydd i'r Beibl a chan syniadau diwinyddol a gafwyd ynddo. Adda yn enwi'r anifeiliaid yw tad pob swolegydd. Heb y sarff, a fyddai seicoleg? Pa mor anwybodus bynnag yw dynion y dwthwn hwn ohono, yng Ngwledydd Cred parhawn i drigo nid mewn gwagle ac nid yn noeth yn Natur ond yn hytrach mewn diwylliant a batrymwyd ac a liwiwyd gan Air Duw.[4]

Wrth hyn, golygir bod y Beibl wedi effeithio arnom nid yn unig o ran yr athrawiaeth grefyddol a geir ynddo, ond ei fod wedi effeithio arnom hefyd o ran y dylanwad llydanwedd a gafodd ei hanesion a'i ddelweddau ar ein hymdrech oesol i adnabod ein lle, ein hystyr a'n gwerth yn y byd a'r bywyd hwn. Yr ymdrech honno yw *raison d'être* pob celfyddyd – llenyddiaeth yn anad un. Gan mai etifeddion Cristionogaeth yw awduron y pedair canrif fodern, y mae'r Beibl yn llyfr a wëwyd i mewn i'w holl gyflawniadau llenyddol, – er gwaethaf twf Gwyddoniaeth, ac yn wir, yn herwydd twf Gwyddoniaeth, achos

[3]Charles Edwards, *Y Ffydd Ddi-ffuant* (Rhydychen, 1677), "At y darlleydd," t. [iii].

[4]Northrop Frye, *The Great Code [:] The Bible and Literature*, arg. Ark Paperbacks (Llundain, Melbourne a Henley, 1983), t. xvi, biau'r ymadrodd 'nid yn noeth yn Natur'.

fel y tyf ei hymosodiad hi ar Natur, â ei gwybodaeth yn fwy manwl a dosbarthiadol ac esoterig o hyd, fel nad oes ganddi ddim golwg gyfannol i'w chynnig i ddyn, sef y math o olwg a'i galluoga i ddirnad a darlunio y pethau hynny y mae a wnelont â phryderon ei fodolaeth, ei awydd am ddeall y drefn, am ystyr, ei ymwybod ag ansicrwydd a dieithrwch, ei ymdeimlad o fychander ac o fawredd ei botensial.

Hyd at y ddeunawfed ganrif, ac mewn sawl gwlad (gan gynnwys Cymru) hyd at y dydd heddiw, y Beibl oedd ac yw y fframwaith o ddirnadaeth y bu llenyddiaethau'r Gorllewin yn gweithio o'i mewn er eu hoed (neu, a bod yn fanylach, dyma'r fframwaith y buont yn gweithredu o'i mewn er dirywiad a chwymp Rhufain). Ni fynnai awdur fel Williams Pantycelyn ddim amgen na chymryd cymaint ag y gallai o'r Beibl. Y mae mawredd ei epig *Golwg ar Deyrnas Crist* yn gorwedd nid yn yr addurniadau rhetoregol a luniwyd gan ei hawdur i gynnal y naratif, eithr ym mawredd y thema'i hun, a godwyd ganddo o'i ffynhonnell yn y Gair ac a basiwyd ymlaen ganddo i'r darllenydd. Yr un fel, ond nid yr un modd, gydag Ann Griffiths. Dywedir weithiau na ddarfu iddi hi yn ei hemynau wneud dim mwy na chlytio darnau o adnodau ynghyd. Na ddyweded neb hynny'n ddilornus! Gan amled y mae'n ei gosod ei hun mewn sefyllfaoedd beiblaidd – 'O fewn ffwrneisiau sydd mor boeth', yn yr 'anialwch', ym 'mhabell y cyfarfod', ac yn y fan lle y'i gwêl Ef 'rhwng y myrtwydd',[5] – y mae'n amlwg mai dyma ddaearyddiaeth ei phrofiad, na allai synied am ei fynegi ac eithrio trwy ailadrodd geiriau 'gwreiddiol' ei wirionedd. Petasai Ann Griffiths rywdro wedi cael achos athronyddol i ystyried ei swydd fel bardd, diau y dywedasai fod ymadroddion y Beibl wedi cael eu hymddiried iddi drwy ei dawn fel pethau i'w darganfod a'u hailddatgan.

Fel y creodd y Beibl lenyddiaeth Gristionogol Ewrop, felly y cadwodd y llenyddiaeth honno ddychymyg diwylliedig Ewrop yn ddychymyg beiblaidd, gyda'i ddechreuad yn Eden, ei alltudiaeth yn yr Aifft, a'i nod yn nefoedd. Wrth gwrs, ni flinwyd Williams Pantycelyn nac Ann Griffiths gan yr amheuon a ddaeth i flino beirdd a llenorion mewn cyfnodau diweddarach. Yr oedd eu crefydd hwy yn unol â'u datganiad llenyddol ohoni. Ond y mae tri pheth pwysig yn peri bod ein

[5]Bobi Jones, *Pedwar Emynydd* (Llandybïe, 1970), tt. 33, 38, 41. Gw. ymhellach erthygl Euros Bowen yn Dyfnallt Morgan (gol.), *Y Ferch o Ddolwar Fach* (Nant Peris, 1977), tt. 57-80.

llên o hyd yn feiblaidd. Yn gyntaf, gan rymused oedd llenyddiaeth Gristionogol Cymru o'r unfed ganrif ar bymtheg i lawr, cynhaliodd llenorion echdoe draddodiad a oedd ac y sydd mor drwm fel bod llenorion ddoe a heddiw, o dan ei bwysau, yn gorfod cydymffurfio ag ef, neu ymateb iddo, hyd yn oed wrth geisio torri'n rhydd oddi wrtho. Yn ail, y mae'n llenorion diweddar, eto bron o raid, yn defnyddio iaith a ysgrythurwyd. Y mae'r doethaf a'r dyscedicaf yn gwneud yn fawr ohoni. Er mwyn cyfleu cymhlethdod cywrain ei ansicrwydd y mae T. H. Parry-Williams, fel enghraifft, o hyd yn defnyddio geiriau ac ymadroddion beiblaidd, gan hyrddio o ffon dafl ei gerddi gerrig mân a chwythwyd o Graig yr Oesoedd. Ffansïo torri ar drefn naturiol heneiddio y mae'r bardd yn "Dau Hanner," ond i gyflwyno'i ffansi ansicr defnyddia ymadrodd gwarantaidd o'r Testament Newydd, a dweud

Yn wir, yn wir meddaf i chwi,
Fe aned un hanner o'r hyn wyf i

Yn hen, a'r hanner hwnnw y sydd
Yn myned yn iau ac yn iau bob dydd.[6]

A dyma enghraifft arall. '. . . y mae efe [sef Duw] yn crogi y ddaear ar ddiddim', ebe Job 26:7. 'Beunydd y mae'r ddaiar drom fel pêl fawr yn sefyll ynghanol yr awyr, ac *ynghrôg ar ddiddim*', ebe awdur *Y Ffydd Ddi-ffuant* yr un mor edmygus. Ac ebe Parry-Williams, mewn trueni poenus,

Gwae ni ein dodi ar dipyn byd
Ynghrog mewn ehangder sy'n gam i gyd,

ac y mae'n defnyddio 'ynghrog' gan hyderu yng ngwybodaeth ysgrythurol ei ddarllenydd.[7] Yr wyf eisoes wedi crybwyll y trydydd peth sy'n peri bod ein llenyddiaeth yn parhau'n llenyddiaeth feiblaidd, sef y ffaith na roddodd Gwyddoniaeth i ni yr un fframwaith fawreddog o ddychymyg y gellid apelio ati'n wybodus wrth lenydda. Y mae llenorion o hyd yn 'gweld' mewn delweddau beiblaidd er eu bod yn 'gwybod' mai defnyddio delweddau mytholegol y maent. Y

[6]T. H. Parry-Williams, *Cerddi* (Llandysul, 1931), t. 35. Ceir astudiaeth fer o ddefnydd y bardd hwn o'r Ysgrythurau gan Huw Ethall yn "Defnydd hanner pagan o'r Beibl," *Y Faner*, 22 Gorffennaf 1988, tt. 10-11.

[7]Charles Edwards, op. cit. t. [2]36; T. H. Parry-Williams, op. cit., t. 24.

mae Pennar Davies yn cerdded yn ffin hon yn gellweirus o ystyrlon yn ei gerdd "Behemoth a Lefiathan":

> Tybia – os mynni – mai rhyw ffugfil chwedlonol
> heb ddim cysylltiad â thi
>   nac â neb na dim o bwys
> yw Behemoth.
> Fe wn i'n well.
> Mae un o'i fath yn llond fy nghroen;
> ac y mae cefnder go basgedig iddo ynot tithau.
> . . . Yr oedd y creadur yn dipyn o fwgan i'r Hebreaid.
> Gallaf ddweud yn bendant
>   nad yw'n ddihanes
>   nac yn ddarfodedig.[8]

Swm a sylwedd yr hyn a ddywedwyd hyd yma yw mai'r Beibl a ddyry i'n llenyddiaeth fodern yr undod sydd iddi. Er mwyn iawn adnabod y llenyddiaeth honno y mae gofyn i ni ddarllen a deall adeiledd y Beibl neu fe gollwn afael ar yr hyn a ffurfiodd ein dychymyg, yr hyn a barodd ein bod yr hyn ydym.

Yn hanes ein llenyddiaeth ni Beibl William Morgan sy'n nodi'r ffin rhwng traddodiad mawl yr Oesoedd Canol (a oedd yntau'n Gristionogol ei natur) a thraddodiad y llenyddiaeth Brotestannaidd fodern. Am nad oes llawer o bwynt negyddu hanes, ofer efallai yw dweud na fuasai yna lenyddiaeth Gymraeg fodern heb y Beibl hwnnw. Ond ni ellir dweud yn ddigon aml mai ef yw'r ffynhonnell encyclopaedig a roes iddi ei hysbrydiaeth, ei hystyr, ei rhethreg, a'i delweddaeth. Nid oedd Morus Cyffin mor bell â hynny o'i le pan awgrymodd yn ei ragymadrodd i *Deffynniad Ffydd Eglwys Loegr* y byddai'r cyfieithiad Cymraeg yn bwrw ymaith bob rhyw 'hen chwedl, neu goel gwrach ar gwrr y barth', canys fe fwriodd o'r naill du nifer mawr o'r chwedlau Cymreig traddodiadol a oedd yn rhan o stoc dychymyg y beirdd canoloesol.[9] Ac er bod awduron diweddar, o Theophilus Evans hyd at T. Gwynn Jones, wedi'u codi a'u defnyddio, y mae'n deg holi a oes iddynt hwy yr un dyfnder pridd yn nychymyg eu darllenwyr, hyd yn oed darllenwyr anysgrythurgar, ag y sydd i

[8]Pennar Davies, *Y Tlws yn y Lotws* (Llandybïe, 1971), t. 21.

[9]*Deffynniad Ffydd Eglwys Loegr, a gyfieithwyd i'r Gymraeg, . . . yn y flwyddyn 1595, gan Maurice Kyffin*, gol. Wm Prichard Williams (Bangor, 1908), t. [x].

hanesion a chwedlau'r Beibl. Y mae rhagor rhwng yr hyn a elwir yn fythau canonaidd a mythau apocryffaidd.

Ond rhaid sôn am un duedd feddwl fodern arall. Am ddwy o'r pedair canrif y soniwn amdanynt bu ysgolheictod beiblaidd yn astudio'r Beibl – ei destun, hanes ysgrifennu ei rannau, eu cefndir hanesyddol a diwylliannol, – yn y fath fodd ag i amodi a newid ein hagwedd at ei gynnwys. Ond y mae'n amheus a ddarfu iddo lwyddo i wneud hynny, o leiaf gyda golwg ar ei berthynas â'n dychymyg llenyddol. Er enghraifft, fe wyddys erbyn hyn fod y disgrifiad o'r Creu a geir ym mhennod gyntaf Genesis yn dod o'r olaf o'r pedair dogfen sydd 'y tu ôl i'r Pumllyfr', chwedl Gwilym H. Jones, a bod cryn wahaniaeth rhwng y disgrifiad a geir yno a'r disgrifiad a geir yn Genesis 2: 4b-25. Eto pan ddarllenwn Genesis nid amhara'r wybodaeth fod dogfennau J, E, D yn dyfod o flaen P ddim ar ein synnwyr o'i werth a'i wefr fel disgrifiad o'r dechreuad.[10] Llyfr Eseia wedyn. Y mae iddo dair rhan ar wahân. Ond wrth ddarllen Eseia gweld yr ydym ynddo yr undod y tybiai traddodiad fod iddo, sef undod thematig, Israel yn golledig, yn gaeth, ac yna'n adferedig. O ran ein hymwneud llenyddol â'r Beibl, ei undod cyfan sy'n gafael ynom, yr un undod ag a welodd Pantycelyn wrth ein tywys yn *Golwg ar Deyrnas Crist* o'r nefoedd cyn y Creu i'r nefoedd y mae'r Oen yn arwain Ei ddychweledigion iddi yn niwedd amser. Yn wir, am eu bod yn tybied bod y modd 'hanesyddol' o astudio'r Beibl a fabwysiadwyd gan ysgolheigion beiblaidd wedi agor cynifer o fylchau – rhwng yr ysgolhaig a'r darllenydd cyffredin, rhwng yr adnabyddiaeth academaidd ohono a'r traddodiad diwinyddol, a rhwng y method hanesyddol a diwinyddiaeth fodern, – y mae nifer sy'n gweithio yn y maes o'r farn nad drwg o beth yw cymell darllenwyr diwedd yr ugeinfed ganrif i ddarllen yr Ysgrythur fel llenyddiaeth. 'I think I have shown', ebe James Barr mewn darlith yn 1973, 'that there is no real contradiction between a literary reading of the Bible and the perspectives which will be perceived and made use of in the religious life.'[11]

Heb fychanu dim oll ar ysgolheictod beiblaidd, nac ar werth datguddiad dwyfol y Beibl i Gristionogion, maentumir bod hon yn

[10]Gwilym H. Jones, *Arweiniad i'r Hen Destament* (Caerdydd, 1966), t. 66.

[11]James Barr, "Reading the Bible as Literature," *Bulletin of the John Rylands University Library of Manchester*, Vol. 56, 1973-74, t. 18.

ffordd dra synhwyrol, a buddiol o ran ein darfelydd, i'w ddarllen – ei ddarllen fel ag y mae. Wrth wneud hynny'n ystyrlon a chydymdeimladol y mae modd i ni fyned i mewn i'r hyn a elwir gan Northrop Frye yn 'gyfanfyd mytholegol' y Beibl, yn yr hwn y trigai ac y gweithiai awduron y gorffennol o'u bodd a heb amheuaeth.[12] Ni ddichon i ni, wrth gwrs, anwybyddu'r newid a ddaeth ar ein ffordd o feddwl amdano, anwybyddu (dyweder) y gwahaniaeth rhwng agwedd Rowland Vaughan ac agwedd Gwyn Thomas tuag ato, ond er mwyn inni adnabod yn feirniadol berthynas ein llenyddiaeth ag ef, y mae'r darllen ystyrlon a chydymdeimladol hwn yn gwbl angenrheidiol. Oni hoffwch ddisgrifiad Frye, os tybiwch ei fod yn sawru o anghrefydd (er na ddylid meddwl hynny), trowch eto at *Rhys Lewis*, a chewch weld bod Daniel Owen gyda'i braffter anghyffredin arferol wedi nodi rhywbeth tebyg. Ym Mhennod XXVIII y mae Abel Hughes wrth drafod profiadau crefyddol gyda Rhys yn diolch i Dduw fod 'genym ni ddadguddiad', Llyfr oddi wrth Dduw sydd 'yn gallu esbonio i mi fy modolaeth, fy nhrueni, a fy nyfodol'. 'Os nid felly y mae,' ebr ef ymhellach, 'yna paham na chynnyrchid ei gyffelyb, ïe, ei well?' Yna, gan ehedeg yn uchel, dywed Abel Hughes fod y Beibl 'yn rhoddi her i unrhyw ddyn, i unrhyw genedl, ïe, i oreuon pob cenedl dan y nef gyda'u gilydd, i gynnyrchu rhywbeth tebyg iddo, heb fod yn ddyledus i'r Beibl ei hun am y drychfeddwl ac am y defnyddiau'.[13] O gymhwyso'r dweud hwn, y sôn am lyfr hollddigonol ac am ddyledion drychfeddyliol, i faes llenyddiaeth, fe welwn fod Daniel Owen yn diffinio'r dasg feirniadol sydd inni, sef y dasg o ymgyfarwyddo â'r modd y'n cyflyrwyd gan ein traddodiad i weld ac i ymadroddi yn ôl yr hyn a roddodd y Beibl i ni.

Mewn astudiaeth hir o'n dyled i'r Beibl byddai gofyn trafod natur y myrdd cyfeiriadau a geir ato. Nodir hwy ar ymyl y ddalen gan lawer o awduron yr unfed ganrif ar bymtheg a'r ail ganrif ar bymtheg, yn enwedig gan y Piwritaniaid, yn rhannol am y mynnent brofi eu hymlyniad wrth y Gair nad oedd gwella arno gan ddyfeisgarwch dynol, ac yn rhannol am fod hynny'n rhan o addysg lenyddol-

[12]Northrop Frye, op. cit., t. xvi. Ar y pwynt hwn, gweler hefyd George Steiner, "A new meaning of meaning," *Times Literary Supplement*, 8 Tachwedd 1985, a'i *Real Presences* (Llundain a Boston, 1989), passim.

[13]Daniel Owen, op. cit., t. 249.

grefyddol eu darllenwyr. Clasur Charles Edwards yw'r enghraifft odidocaf o'r gyfeiriadaeth hon. Er, y mae ei ddewis ddull ef o gyfansoddi yn peri ei fod yn gwneud llawer mwy na *chyfeirio* at rannau o'r Beibl: yn "Rhinwedd y Ffydd" y mae, nid yn annhebyg i Ann Griffiths, yn gweu tapestri o'i ymadroddion. Megis y gwna Mari Lewis yn y llythyr a ysgrifennodd Rhys drosti at Bob yn y carchar. Ar ôl brawddeg agoriadol gonfensiynol – 'Yr ydw i'n sgrifenu hyn o leinia atat ti gan obeithio dy fod yn iach fel yr ydan ninne' – y mae'n ymollwng i ddefnyddio'r unig iaith a rydd iddi huodledd:

> Mae fy ymadrodd heddyw yn chwerw – Job y drydedd bennod ar hugen a'r ail adnod. Ond pwy a ddywed y bydd dim heb i'r Arglwydd ei orchymyn – Galarnad y drydedd bennod a'r eilfed adnod ar bymtheg ar hugen.

Dweud rhywbeth am gymeriad Rhys y mae'r sylw a wna ef ar y llythyr hwn: 'Nid oes dim neillduol' yng nghynhwysiad y llythyr, ebr ef, '. . . yr hyn sydd yn ei wneyd yn werthfawr i mi ydyw y profion sydd ynddo o gydnabyddiaeth fy mam a'r Bibl'.[14] Gyda chydnabyddiaeth debyg fe allem yn ddigoncordans adnabod ffynhonnell ac arwyddocâd cyd-destunol manwl y miloedd ar filoedd o gyfeiriadau beiblaidd sydd yn britho Hen Gyflwyniadau'r Anglicaniaid a'r Anghydffurfwyr cynnar, llyfrau Morgan Llwyd ac Ellis Wynne, penillion y Ficer Prichard, emynau'r ddeunawfed ganrif, a llu o gyfansoddiadau eraill hyd at heddiw. 'Daw'r wennol yn ôl i'w nyth', ebe Waldo Williams yn ei gynghanedd seml. Da gwybod y dywedir yn Salm 84:2, 'Aderyn y to hefyd a gafodd dŷ, a'r wennol nyth iddi, lle y gesyd ei chywion', a bod y darlun yno'n ddarlun o sicrwydd a hawddgarwch perffaith. Fwy nag unwaith yn ei weithiau y mae Pennar Davies yn cymryd yr almon a welodd Jeremeia, 1:7, yn symbol o wyrth y gwanwyn a phob atgyfodiad, chwedl Elias John yn y nofel *Anadl o'r Uchelder*; lluniodd gerdd o'r enw "Cathl i'r Almonwydden" sydd ar yr un pryd yn dyfalu ei godidowgrwydd ac yn cydio wrth ei harwyddwerth atgyfodiad yr Iesu Ei Hun.[15] Job biau *Traed Mewn Cyffion* Kate Roberts, a Llyfr y Diarhebion *Bara Seguryd*

---

[14] Ibid., t. 130. Trafodir defnydd Daniel Owen o'r Beibl yn fanylach ym Mhennod 9 isod.

[15] Waldo Williams, *Dail Pren* (Llandysul, 1956), tt. 28-9; Pennar Davies, *Yr Efrydd o Lyn Cynon* (Llandybïe, 1961), tt. 9-10.

Jane Edwards, y ddau deitl yn crynhoi themâu'r ddwy nofel mewn byr eiriau bythol eu harwyddocâd.

Y mae yn y Gymraeg hefyd, fel mewn llenyddiaethau eraill wrth gwrs, draddodiad cryf o gymryd stori neu gymeriad neu le o'r Beibl, eto'n gyfeiriadol, weithiau i'w gweithio neu ei weithio o'r newydd, weithiau i'w hadrodd mewn geiriau gwahanol, weithiau i ddwyn i'r golau arwyddocâd neilltuol a wêl yr awdur ynddi neu ynddo. Nid o Sodom a'r Aifft yn syml, fel y myn y teitl, y daw'r Tri Wŷr a bortreadodd Williams Pantycelyn yn *Tri Wyr o Sodom a'r Aipht* yn 1768. Gwir iddo beri geni Afaritius 'yn nhir *Sodom*' ond y nod arno yw'r nod a oedd ar gyndad ei lwyth, Nabal y Carmeliad, 'yr hwn a ballodd ychydig fara i frenhin Israel, pan oedd ef a phedwar cant o wŷr mewn caledi mawr o eisiau lluniaeth', aralleiriad o ddarn o I Samuel 25. Am yr ail o'r tri wŷr, Prodigalus, gwnaeth Williams ef yn fab i '*Cosbi*, ferch *Sur*, tywysog *Midian*', y dywed Llyfr Numeri 25:15 iddi gael ei lladd, 'ond ei dad ef oedd *Amoriad* . . . un o'r cenhedloedd a yrrodd yr Arglwydd ymaith o flaen meibion Israel'. Ni phoenai Williams fod y tad a'r fam yn perthyn i oesau gwahanol, oblegid rhoi i Prodigalus dras gymwys i'w natur oedd ei fwriad. Am y trydydd, Amoriad oedd ei dad yntau, ond sefydlir ei ddaioni yn y cymal a'i cyflwyna: 'Ffidelius a anwyd yn nhir *Canaan*'. Byddai'r neb a ganai am 'hyfryd wleddoedd Canaan wiw' yn rhwym o'i gysylltu â chyfoeth a digonedd.[16] Yn nhraddodiad llydan y portreadwyr y mae rhai o feirdd eisteddfodol y bedwaredd ganrif ar bymtheg; Daniel Owen yn ei ddarnau ysgrifol yn ei *Offrymau Neillduaeth* ar Cain, Agar, Simon Pedr a'r Canwriad; Cynan yn *Absalom, fy Mab*; a T. Rowland Hughes gyda'i ddarlun o Joseff o Arimathea a'i deulu yn *Yr Ogof*.

Ymhlith y beirdd eisteddfodol yn oes Victoria daeth yn ffasiynol iawn i ganu awdlau a phryddestau ar bynciau beiblaidd, "Pryddestawd ar Lyfr Ruth," "Gwaredigaeth Israel o'r Aipht," "Moses," "Aberthu Isaac," "Elias y Thespiad," etc., – y mae'r rhestr yn faith. Y mae yn nifer ohonynt ddefnydd cyson o deipoleg (y caf ei drafod yn y man), ond y mae eraill nad ydynt yn ddim ond ymarferiadau mewn

[16] William Williams, *Hanes Bywyd a Marwolaeth Tri Wyr o Sodom a'r Aipht* (Caerfyrddin, 1768), tt. 6, 17, 23; Garfield H. Hughes, *Gweithiau William Williams Pantycelyn [:] Cyfrol II[.] Rhyddiaith* (Caerdydd, 1967), tt. 120, 130, 136.

aralleirio. Y mae cynifer ohonynt fel na ellir barnu pob un, na phob rhan o bob un, â'r un farn, ond y mae'n werth astudio hyd yn oed y mwyaf ymarferiadol achos y mae iddynt gryn arwyddocâd diwylliannol. Diddorol tybied mai un o'r rhesymau dros boblogrwydd pynciau ysgrythurol rhwng 1845 a 1890 oedd y dadlau mawr yn y cyfnod hwnnw am ddilysrwydd y Beibl.[17] A thybed nad yw'n bosibl fod yr amheuaeth academaidd honno yn cyfrif llawer am farweidd-dra rhai o'r gweithiau? Adrodd hanes Moses y mae Islwyn, er enghraifft, yn yr awdl o'r un enw. Pan ddaw i ymdrin â'r hanes am y sarff a luniodd Moses o'i wialen yn bwyta seirff swynwyr Pharo (Ecsodus 7:10-12), y mae'n diffygio braidd, a chlefyd ei oes yw ei glefyd:

Ni wyddom ni, braidd, ddim yn awr, – am rym
Yr hen Gelf euogfawr,
Ai rhyw rith lwydrith dan len
Ai uthr elfen gythreulfawr;
Digon in yw fod gan Ner
Derfyn ar ei du arfer, . . .[18]

Y mae i'r awdl a ysgrifennodd Eben Fardd "ar Gystuddiau, Amynedd ac Adferiad Job," fel enghraifft arall, beth rhinwedd pan wêl Job yn cynrychioli Dyn a gwraig Job yn ail Efa, ond buan y dirywia. Y mae'r cyfeillion yn ddi-ffrwt, nid oes gan Dduw Eben fawr i'w ddweud pan lefara o'r corwynt, ni sonnir am Lefiathan na Behemoth, a deuir i ddiwedd yr awdl heb fyfyrdod o gwbl ar yr ymaflyd eneidiol a deallusol sy'n harddu'r gwreiddiol. Ni cheir ond disgrifiad o ffyniant newydd Job: 'Hyd y cwm eilwaith neidiai camelod' – ac enw da Eben Fardd gyda hwy.[19]

Tuedd rhai o feirdd ein cyfnod ni yw cymryd episod o'r Beibl sydd, o'i weithio o'r newydd, yn atgyfnerthiad i egwyddorion llywodraethol eu gwaith oll. Tyst o hyn yw *Esther* Saunders Lewis, lle trafodir gwarediad cenedl trwy ddewrder anrhydeddus, thema a welir yn nifer o'i weithiau eraill. Ysgrifennodd lawer am lam ffydd, y parodrwydd i fentro, a dyna a'i denodd i ganu am y Lleidr Da:

[17]Gweler trafodaeth ar feirdd y bedwaredd ganrif ar bymtheg, Pennod 7 isod.
[18]*Gwaith Barddonol Islwyn* (Wrecsam, 1897), t. 310.
[19]*Gweithiau Barddonol, &c. Eben Fardd* (Bryngwydion, d.d.), t. 105.

ti gyntaf a welodd y coeg
Gabledd yn oracl byw,
Ti gyntaf a gredodd i'r Lladin, Hebraeg a Groeg,
Fod crocbren yn orsedd Duw.

A phwy ond y delweddwr dychlamus gan Bobi Jones, a folodd fywyd teuluol mor rheiol yn ei farddoniaeth, a fynegai yn yr union ffordd a welir yma y cysylltiad rhwng te'r teulu a'r Swper Bendigaid?

Nid iawn i ni synio am y peth fel sagrafen
Ac eto ceir newid o'r elfennau oll yn ein dwylo.
Oherwydd i ni eistedd a'u rhannu gyda'n gilydd
Mae 'na wyrth. Y mae clymau o riniau nas haeddir
Wrth y caws a chyfleir drwy'r afalau a'r llaeth
Greadigaeth newydd o fywyd, presenoldeb gwir.[20]

Y mae'r Oruwchystafell yn y gegin, y mae'r Testament Newydd yn y tŷ. Trafododd Gwyn Thomas hanes geni'r Iesu droeon, a'i gynysgaeddu gyda'r hiwmor a'r feirniadaeth gymdeithasol sy'n nodweddu ei farddoniaeth i gyd.

Enghreifftiau cymharol amlwg o'r defnyddiau cyfeiriadol a wnawd o'r Beibl a roddais yn awr. O'u hastudio hwy a'u tebyg yn iawn, gellid anelu at ddosbarthiad rhetoregol o'r mathau o gyfeiriadau ato a geir yn ein llenyddiaeth, dosbarthiad a ddywedai lawer wrthym am ddulliau cyfansoddi ein hawduron. Wrth gyflawni'r dasg honno y deuem i weld y gwahaniaeth rhyngddynt hwy a'r emynau a gyfansoddwyd yn y ddeunawfed ganrif fel aralleiriadau o rannau eraill o'r Ysgrythur. Ond ni rydd trafodaeth ar gyfeiriadaeth achlysurol a phenodol ddim golwg inni ar y dylanwad creiddiol a gafodd y Beibl fel undod ar ein llenyddiaeth.

Llyfr ydyw sy'n dechrau gyda'r Creu ac yn diweddu gyda'r Apocalyps, a rhwng y ddau begwn hyn dyry i ni arolwg o hanes dynoliaeth fel y'i cynrychiolir gan Adda a'i blant yn eu hymwneud â Duw. Drwyddo fe welir corff o ddelweddau a ddefnyddir mor aml, gardd, mynydd, dinas, afon, ffynnon, bara, priodas, defaid a nifer o rai eraill, fel ei bod yn amlwg fod iddynt egwyddor gydgysylltiol.

[20]Saunders Lewis, *Byd a Betws [:] Cerddi* (Gwasg Aberystwyth, 1941), t. 22; Bobi Jones, *Tyred Allan* (Llandybïe, 1965), t. 9.

Egwyddor eglurhaol fawr y Beibl yw bod yr Hen Destament yn gysgod o'r Testament Newydd, y naill, ys dywed William Morgan yn ei Ragymadrodd Lladin yn 1588, yn 'rhagddywediad cuddiedig o'r llall', y ddau'n 'cydglymu yn ei gilydd ac yn cyfateb mor glòs' fel dwy fron gwirionedd.[21] Mewn beirniadaeth, teipoleg yw'r enw ar y cydglymiad hwn, 'cyffelybiaeth cyfatebol' chwedl Pedr yn ei Epistol Cyntaf, 3:21. Gweledigaeth o hanes ydyw mewn gwirionedd, neu'n hytrach o'r broses hanesyddol, yn seiliedig ar y gred fod ystyr a diben i bob peth, a'r weledigaeth honno'n ein cyfeirio o hyd at y dyfodol, at ddyfodol pan gyflawnir pob gobaith. Nid rhyfedd felly fod y Beibl yn defnyddio'r un delweddau drwyddo, achos troadau ymadrodd ydynt sydd, os caf fenthyca eto oddi wrth Northrop Frye, yn symud mewn amser.[22] Y tu fewn i'r cylch a'n caria o'r Creu hyd at yr Apocalyps ceir yr ymchwil arwrol am y Meseia, o'r addewid cynnar amdano hyd at Ei ddyfod, ac yna ceir hanes Ei fywyd a'i farwolaeth a'i atgyfodiad. Ef yw'r cyflawnwr a'r cyfannwr. Ef sy'n peri bod ein genedigaeth yn ailenedigaeth, Ef sy'n newid y golled a ddaeth i'r byd drwy briodas Adda ac Efa yn fuddugoliaeth ym Mhriodas yr Oen, Ef a weddnewidia gymdeithas drwy symud gofynion y Ddeddf oddi arni drwy'i Ras. Ond y mae i'w ddyfod ddiben pellach, diweddu Amser a'n tywys at y Tad Tragwyddol mewn perffeithrwydd.

Hynt a helynt Israel sy'n llenwi'r rhan fwyaf o'r darlun o Amser yn y Beibl, y genedl fechan etholedig a fu gyhyd yng nghaethiwed yr Aifft, a ymdrechodd ddeugain mlynedd yn yr anialwch cyn dod i'w Chanaan, ac a gaethgludwyd wedyn i Fabilon cyn iddi gael ei hadfer eto i'w phriod dir. Er mwyn tanlinellu'r pwynt a wnaethpwyd am deipoleg y Beibl, cofier i'r Iesu yn faban orfod mynd i lawr i'r Aifft, iddo yntau fod ddeugain nos a deugain niwrnod yn yr anialwch, ac iddo, ar ôl gweinidogaeth ffrwythlon a pheryglus, gael ei gaethiwo dridiau yn y bedd. Ef oedd yr Israel unigol.

Gan mor ymwybodol oedd llenorion y traddodiad Cristionogol o'r cydlynedd anferth hwn (nad yw'r disgrifiad uchod ohono yn ddim ond braslun moel), gallent, fel petai, dorri i mewn iddo ar unrhyw bwynt

[21]Ceri Davies, *Rhagymadroddion a Chyflwyniadau Lladin 1551-1632* (Caerdydd, 1980), tt. 66, 68.

[22]Gweler yn arbennig y drafodaeth ardderchog ar brif droadau ymadrodd y Beibl yn Northrop Frye, op. cit., tt. 139-68.

yn y llinell a gweld y llinell i gyd. Y ffaith weledigaethol hon sy'n egluro pam y mae cyfeiriadaeth ein hemynwyr mor lluosog ac unedig yr un pryd. Gadewch inni edrych ar enghraifft seml. Egyr un o emynau Dafydd Jones o Gaeo gyda'r geiriau:

> Pererin wy'n y Bŷd,
> Ac Alltyd ar fy hynt,
> Sy'n ceisio dilyn ol y Praidd,
> Y *Tadau* Sanctaidd gynt;
> I 'mofyn Gwlâd sy well,
> Er 'mod i 'mhell yn ôl,
> Trwy gymmorth Grâs ymlaen mi âf,
> Dilynaf finneu'u Hol.

Torrodd Dafydd Jones i mewn i'r llinell yn yr anialwch y bu'r Israeliaid yn yr Hen Destament yn ei gerdded tua Gwlad eu Haddewid, ac ymdeimlodd yno â'i berthynas ysbrydol â'r Patriarchiaid o Abraham hyd at Foses. Ond nid y Ganaan ddaearol yw'r Wlad iddo ef, oherwydd trefnodd Gras, y grym a daenellwyd arno gan yr Iesu yn y Testament Newydd, wlad amgenach iddo: 'Nid yw fy Etifeddiaeth I /Rwy'n credu o'r Byd hwn', ebr ef yn y seithfed pennill. Yn hytrach, y nefoedd yw hi. Y mae yna ddwy ddelwedd arall yn y pennill. Delwedd y ffordd yw'r naill. Yn yr Hen Destament y mae'r ffordd a gymerodd Israel o'r Aifft i Ganaan yn un â'r ffordd o fyw y galwyd hi iddi yn ei chyfamod â'r Arglwydd. Yn y Testament Newydd y mae'r ffordd yn un â dysgeidiaeth Iesu Grist ('Myfi yw y ffordd': Ioan 14:6), yn yr hwn y mae gofidiau'r pererin yn peidio â bod. 'Dilyn fi', meddai Luc 9:59. 'Dilynaf finneu', ebe Dafydd Jones.[23] Yn ogystal ceir delwedd y praidd. Yn Salm 78:52, fel mewn mannau eraill, dywedir i'r Arglwydd yrru Ei bobl 'fel defaid, ac a'u harweiniodd hwynt fel praidd yn yr anialwch'. Ef yw eu Bugail. Crist ydyw yn yr Efengyl (Ioan 10:14). Dilynir y teip gan yr antiteip. Nid yw'n syndod fod y math hwn o weld cyfannol yn gyffredin iawn ymhlith emynwyr Cymru yng nghyfnod y Diwygiad Methodistaidd, a bron na ellir dweud ei bod yn naturiol i feirdd a glywsai bregethu'r Gair yn ei gyflawnder ysgrythurol gysylltu Sinai a Seion, fel yr oedd hi iddynt gysylltu brenin Cân y Caniadau a'r Brenin Iesu.

[23]Dafydd Jones, *Difyrrwch i'r Pererinion o fawl i'r Oen* (Caerfyrddin, 1763), t. 48.

Enghraifft seml o'r defnydd barddonol o deipoleg yw cerdd Dafydd Jones, fel y dywedais. Y mae Ann Griffiths yn gwneud defnydd mwy cymhleth ohono. Torrodd hi unwaith i mewn i'r llinell yn 'Bererin llesg gan rym y stormydd' (Salm 55:8; Eseia 25:4) ac yn union syth, er llesged oedd, fe gododd ei golwg fel y dywed awdur Llyfr Daniel iddo wneud, 10:5, ac uniaethu'r gŵr a welodd yn y fan honno gydag Oen Llyfr y Datguddiad, yr hwn oedd wedi'i wisgo fel y gwisgai offeiriad y deml (Ecsodus 28:34):

> Bererin llesg [gan] rym y stormydd
> Cŵyd dy olwg, gwêl yn awr
> Yr Oen yn gweini'r swydd gyfryngol
> Mewn gwisgoedd lleision hyd y llawr; . . .

Gwelai Ann Griffiths Ef wedi'i wregysu nid ag 'aur coeth' ond â ffyddlondeb, ac wrth odre'i wisg gwelai 'glychau', nid clychau 'o aur' ond clychau'n

> llawn
> O sŵn maddeuant i bechadur
> Ar gyfri yr anfeidrol iawn.[24]

Dygai'r beirdd hyn eu dychymyg drwy'r Beibl fel petai'n felin o ddelweddau cydgysylltiol, a dyna ydoedd iddynt. Y mae gogoniant emyn mawr David Charles yn gorwedd yn rhannol yn y ffaith iddo benderfynu edrych ar 'Holl daith yr anialwch i gyd' o'i arsyllfa yn ei phen draw, sef 'O fryniau Caersalem', y Gaersalem nefol, o'r lle y gwelodd *darddiad* ei orfoledd ym mhenderfyniad cynamseryddol yr Iesu i achub dyn, a lle yn awr y caiff *nofio* 'mewn cariad a hedd'.[25] Y mae'r gweld yn gyfan, ac y mae'n gyfan gwbl feiblaidd.

Prysuraf i ddweud nad y Methodistiaid yn unig a wnâi ddefnydd fel hyn o'r Beibl, na, yr oedd y math hwn o weld yn eiddo i bob Cristion diwylliedig, eithr gan yr emynwyr y ceir y defnydd cysonaf ohono. Cerdd fwyaf ysgrythurol Goronwy Owen, yn yr ystyr ehangaf o'r

[24] *Pedwar Emynydd*, t. 34.

[25] D. Llwyd Morgan, "David Charles Caerfyrddin: Portread," *Bwletin Cymdeithas Emynau Cymru*, III. 1 (1991), tt. 2-10. Ceir testun hwylus yn Goronwy P. Owen (gol.), *Ffrydiau Gorfoledd [:] Emynau'r Ddau David Charles, Caerfyrddin* (Heol Dŵr, Caerfyrddin, 1977), tt.14-15.

ansoddair, yw "Y Maen Gwerthfawr." Yn Eseciel y digwydd y geiriau hyn, 28:13, lle disgrifir dedwyddwch dyn yn Eden, gardd Duw: 'pob maen gwerthfawr a'th orchuddiai, . . . perffaith oeddit yn dy ffyrdd er y dydd y'th grewyd, hyd oni chaet ynot anwiredd'. Daeth y maen yn symbol o'r dedwyddwch hwnnw, ac y mae Goronwy Owen yn chwilio'n ofer amdano, drwy'r byd i ddechrau, ac yna mewn 'twr o lyfrau'. Yna

> Deulyfr a ddaeth i'm dwylaw,
> Llawn doeth, a dau well ni ddaw: . . .
> Sywlyfr y Brenin Selef,
> A Llyfr pur Benadur Nef.
> Deufab y brenin Dafydd,
> Dau fugail, neb ail ni bydd.

Llyfr y Pregethwr yw'r naill, a ddysg iddo 'lle nad ydoedd' y maen:

> Hyn wrth raid o ddysgeidiaeth
> I'm hangall ddeall a ddaeth
> Na chaf islaw ffurfafen
> Ddedwyddyd ym myd, em wen!

Y Testament Newydd yw'r ail lyfr, a ddywed wrth y bardd 'ym mha le yr oedd' y maen. Ni cheir y dedwyddwch a oedd gynt yn Eden tan y'i ceir yn y nefoedd.

> Fan deg, yn Nef fendigaid
> Tlws ar bob gorddrws a gaid,
> Gemau pur gloywbur a glwys
> Yw parwydydd paradwys,
> Ac yno cawn ddigonedd
> Trwy blaid ein meistriaid a'n medd.[26]

Noder bod Goronwy Owen yn gweld yr un mor gyfan â'r beirdd Methodistaidd na fyddai ganddo fawr ddim clod i'w hidiom na'u harddull, ac wrth fynd heibio noder ei fod yntau yn gweld Dafydd a Selyf fel teipiau yr oedd Crist, mab y brenin Dafydd, yn antiteip iddynt.

[26] D. Gwenallt Jones (gol.), *Blodeugerdd o'r Ddeunawfed Ganrif* (Caerdydd, 1936), tt. 49-51.

Gwelir y dylanwad beiblaidd cyfanwedd hwn yn fawr iawn ar ein llenyddiaeth. Y mae'n llenyddiaeth grefyddol i'w gwraidd ac i'w brig yn y cyfnod modern, ac nid yw'n rhyfedd fod ei phrif ddarllenwyr, a oedd eisoes yn y ddeunawfed ganrif a'r bedwaredd ganrif ar bymtheg yn grefyddwyr ysgrythurgar, yn eu gweld eu hunain fel Israeliaid ysbrydol yn trigo ym Methlehem a Charmel, boed yn sir Gaerfyrddin neu sir Gaernarfon.

A dyna godi cwr y llen ar ddylanwad rhyfeddol arall a gafodd y Beibl ar ein llên. Wrth grynhoi dilyniant thematig y Beibl gynnau dywedais mai hynt a helynt Israel sy'n llenwi'r darlun o Amser a geir ynddo. Ffaith amlwg, mi wn. Ond dod at y pwynt hwn yr wyf i. Os fel Israeliaid ysbrydol y gwelai'r diwygiedig eu hunain yng nghyfnod Howell Harris a Daniel Rowland ac yn ddiweddarach yng nghyfnodau Thomas Charles a John Elias, yr oedd eraill, gynt ac wedyn, a fynnai uniaethu Cymru ac Israel mewn ffordd fwy cymharus, bron na ddywedwn ffordd fwy diriaethol. Yn wir, y mae'n dra arwyddocaol mai llenyddiaeth y Methodistiaid cynnar, y rhai a *brofodd* dywalltiad nerthol o'r Ysbryd Glân, yw'r corff o lenyddiaeth Gymraeg sy'n sôn leiaf am achub Cymru, fel gwlad ac fel cenedl, i Dduw. Er i Bantycelyn ei henwi droeon yn ei waith, er iddo gyfeirio ati'n 'gorwedd /Mewn rhyw dywyll farwol hun' cyn dyfod o Harris i'w deffro, nid pwyslais cenedlaethol yw ei bwyslais: fe'i gwêl hi fel rhan o ddeffroad rhyng-genedlaethol. Deffroad eneidiau ei phobl sy'n mynd â'i fryd ef. Nid felly Theophilus Evans, y bu'n giwrad o dano am bwl. Yn *Drych y Prif Oesoedd* sôn am ymddygiad y genedl mewn perthynas â Duw a geir.

Os mynnwn fynd i wraidd yr ymdriniaeth hir hon rhaid troi yn ôl ddwy ganrif, i ganol ac i ddiwedd yr unfed ganrif ar bymtheg pan oedd ein hawduron blaenllaw yn ymwybodol iawn o dlodi Cymru mewn cymhariaeth â chyfoeth gwledydd eraill a brofasai o gynnwrf y Dadeni mewn dysg a chelfyddyd, ac o gynnwrf y Diwygiad Protestannaidd mewn crefydd. Gwlad ar ymylon pethau oedd Cymru iddynt hwy, gwlad wedi'i hanafu gan rai o'r tu allan iddi megis Polydore Vergil a welai hen hanes y Brytaniaid fel petai'n rhywbeth i chwerthin am ei ben a chan lawer o'i phlant dysgedig ei hun a wadai eu mamiaith a'i gwerth. Rhoddodd Beibl 1588 a'r gamp o'i gael galon newydd i amddiffynwyr a hyrwyddwyr y Gymraeg, yr hon 'wedi cael ei llethu gan wendid henaint . . . sydd yn awr, trwy Ragluniaeth Duw Hollalluog, fel petai wedi ei chodi o'r llwch ac yn adfywio'. Âi ambell amddiffynnydd mor bell â hawlio gyda Henry Salesbury fod yr iaith 'yn debycach [na'r rhelyw] o ieithoedd brodorol i'r Iaith Sanctaidd' – hynny yw, bod y Gymraeg, ar ôl cymysgfa'r ieithoedd yn Nhŵr Babel, wedi cadw mwy o nodweddion iaith gyntaf dynol ryw na'r un iaith arall. Er bod pen dysgawdwr yr iaith, ac un o'r ddau a ofalodd am Feibl 1620, sef John Davies Mallwyd, yn ddiystyriol o'r hawl honno, mynnai yntau yr haeddai'r Gymraeg gael ei meithrin 'pe na bai ond am y rheswm hwn, mai "Prydain oedd y gyntaf o'r holl daleithiau i dderbyn enw Crist yn agored",' hawl a leisiwyd yn huawdl gan Richard Davies yn yr Epistol a argraffodd wrth Destament Newydd William Salesbury yn 1567, ac a gyflawnai'r broffwydoliaeth a geir yn Genesis 10:5.[27]

Y mae'r llenyddiaeth sy'n gysylltiedig â'r gweithgarwch dyneiddiol ym maes rhethreg a gramadeg yn y cyfnod hwn y cyfryw fel ei bod yn anodd peidio â synied amdani fel adroddiad am ymdrech barhaus ei hawduron i ailsefydlu hyder y genedl yn ei hunaniaeth, a hynny pan oedd Lloegr yn adeiladu ymerodraeth iddi ei hun, a phan oedd carfanau o fewn Lloegr, yn Anglicaniaid a Phiwritaniaid, gan ddilyn John Foxe ac eraill, yn mawrygu ei safle honedig fel prif deyrnas y Ffydd Ddiwygiedig. Ymhen ychydig dros genhedlaeth daeth y ffrydiau hyn o feddwl – am ymdrech, adfywhad ac arbenigrwydd y genedl – i gymeru'n rhyfedd, ac efallai'n anochel, yn Charles Edwards. O dan ddylanwad hwyr Foxe a'i bwys ar y genedl etholedig, ac o dan ddylanwad Gildas a Richard Davies a'u triniaeth o'r Brytaniaid, gan dderbyn fel ffaith ddiymwad berthynas agos y Gymraeg a'r Hebraeg, a'r ddamcaniaeth mai'r Brytaniaid a dderbyniodd yr Efengyl gyntaf oll, heb wrthod y dybiaeth ein bod yn hanu o Noa, a chyda sicrwydd y Piwritan ysgrythurgar fod cyfamod Israel â Duw yn rhagfynegiad o'i waith achubol ymysg cenhedloedd eraill, lluniodd Charles Edwards gyfrol, *Y Ffydd Ddi-ffuant*, y mae ynddi adran nerthol sy'n hawlio i Gymru le arbennig yn Nhrefn Duw. Hon oedd weddill cenedl (Eseia 1:9 e.e.), hon oedd heb Dduw yn ddifraint, ac a fu, ebe Edwards, nid heb sylweddoli arwyddocâd y rhif,

[27]Ceri Davies, op.cit., tt. 78, 98, 118; Garfield H. Hughes (gol.), *Rhagymadroddion 1547-1659* (Caerdydd, 1951), t. 18.

'dan drais a blinder echryslon ynghylch mîl o flynyddoedd' am i'n 'henafiaid ni ddigio Duw', oni ellid ei galw gyda Jeremeia (20:3) yn Magor Missabib? Gan newid enw Jacob ynddi, y mae'n dyfynnu'r ail adnod o seithfed bennod Amos: 'Yna y gallasai un ofyn *pwy a gyfyd* Gymru, *Canys bechan yw*?' Y mae'r ateb yn dod o Salm 136:23:

> *yr Arglwydd ai cofiodd yn ei hisel radd o herwydd ei drugaredd:* a gweithiodd ei gwarediad fel un Israel . . .[28]

Dehongla Edwards hanes Cymru yn nhermau hanesyddiaeth Ecsodus a Deuteronomium, Duw'n rhybuddio, y genedl yn Ei anwybyddu ac yn cael ei rhoi o dan ormes estronol (y Rhufeiniaid oedd ein Heifftiaid ni), yna'n llefain arno ac Yntau'n trefnu ei rhyddhad, gan greu cylch o anufudd-dod ac ufudd-dod, caethiwed ac ecsodus a gwarediad ysbrydol. Ni all Edwards ddim peidio â chydnabod rhan Lloegr yn y rhyddhad a gafodd Cymru'n ddiweddar 'oddiwrth gadwynau'r tywyllwch ysbrydol' – Lloegr a ddeddfodd fod Beibl Cymraeg a Lloegr a'i printiodd, – ond buan yr ailfodela'i weledigaeth am ddyfodol Cymru ar ei ddehongliad o'i gorffennol breiniol pan oedd yn 'flaenor yr holl deyrnasoedd' a broffesai'r Efengyl, hynny yw, cyn bod Lloegr, pan oedd Cymru yn wir Israel y cenhedloedd:

> Oh nad ymegniai'n cenedl i fod mor fywiog, ac mor wresog yn y grefydd Gristnogol ac y fu rhai o'n hen deidiau ni gynt. Troesant hwy Scotiaid, a Phichtiaid, a Germaniaid, a cenhedloedd eraill at ffydd Grist, ac a esceuluswn ni hi yn ein cartref ein hunain? yr oeddent hwy yn flaenaf, ac a fyddwn ninnau *yn olaf* yn achosion teyrnas nêf? yr oeddent hwy fal eryrod yn ymgais *â Haul y Cyfiawnder*, ac a fyddwn ninnau fal tulluanod yn hoffach gennym y tywyllwch? Na ddirywiwn, eithr fel *Naboth* glynwn yn y *Winllan* efangylaidd y sydd *dreftadaeth ein henafiaid*: *a rhodiwn fel plant y goleuni*: ac ymddygwn *yn ddyladwy wrth fodd Duw, megis y mae hi yn bryd i ni bellach* . . . A chaiff y cenhedloedd o'n hamgylch wybod nad *ardal drygioni ydym, na'r bobl wrth y rhai y llidiodd yr Arglwydd yn dragywydd.* Eithr *y rhai a'n gwelant* a gydnabyddant, ein bod yr *hâd a fendithiodd yr Arglwydd.*[29]

---

[28]Charles Edwards, op. cit., t. 208.
[29]Ibid., tt. 213.

Swm hyn oll yw bod Charles Edwards yn rhoi i'w Gymru statws newydd, yn ei chynysgaeddu â rhyddid newydd ac â chyfrifoldeb newydd.

Cynysgaeddwyd yr Almaen yn amser Luther â syniad tebyg, a Lloegr ei hun (fel yr awgrymwyd) yn ystod canrif gyntaf ei Hanglicaniaeth; Lloegr Newydd hithau, y parodd llenyddiaeth y Tadau Pererin ei gweld yn Ganaan newydd o saint gweledig, gyda'r Atlantig yn Fôr Coch llydan y tu ôl iddynt. Beth a geir yma yw bywhad yr hen gyfamod rhwng Duw a'i genedl etholedig. Ac yn *Y Ffydd Ddi-ffuant*, yn yr adran orchestol "Rhinwedd y Ffydd," fe welir y dyn unigol fel aelod o'r genedl etholedig, yn wasanaethwr Duw. 'Gollwng ymaith fy mhobl,' meddai'r Arglwydd, Ecsodus 5:16, 'fel y'm gwasanaethont'. Fe wasanaetha'r Cymro ef yn "Rhinwedd Ffydd" nid trwy'r Ddeddf ond trwy Ras Crist.

Byr yw'r ymdriniaeth ag achubiaeth Cymru yn *Y Ffydd Ddi-ffuant*, eithr y mae ei llef wedi atsain yn ein llenyddiaeth yn hyglyw ryfeddol, ac wedi'i lleisio mewn mathau o lenyddiaeth y cafwyd y patrymau iddynt eto o'r Beibl, yn ddehongliadau o hanes, yn broffwydoliaethau, yn alarnadau.

Mewn rhannau o'r ymdriniaeth hon y mae Edwards yn diffinio ac yn cynnal myth 'pobl yr Arglwydd' ond y mae yr un pryd yn cwyno ac yn beirniadu. Nid yw'r genedl yn ymddwyn fel y dylai ymddwyn. Wrth foli y mae Edwards hefyd yn galarnadu. Symuda yn rhetoregol o'r disgrifiad o bethau fel yr oeddynt i weld pethau fel y maent ac yna i nodi fel y dylent fod. Pan yw Emrys yn ei araith enwog yn *Buchedd Garmon* Saunders Lewis yn cyfarch Garmon, bendefig Duw, ac yn dweud wrtho mai 'Gwinllan a roddwyd i'm gofal yw Cymru fy ngwlad' (yr un ddelwedd ag a ddefnyddiwyd gan Edwards, sylwer) y mae'n apelio at gyfrifoldeb ei bobl, 'Sefwch gyda mi yn y bwlch', ac yna y mae'n lleisio'i benderfyniad, 'Fel y cadwer i'r oesoedd a ddêl y glendid a fu.'[30] Fel yn *Y Ffydd Ddi-ffuant*, fel yn yr Hen Destament drwyddo, cysylltir y dyfodol â gogoniant y gorffennol. Gwenallt yr un modd:

> A chydiwn yn ein gwayw, a gyrru'r meirch
> Rhag cywilyddio'r tadau yn eu heirch.

[30]Saunders Lewis, *Buchedd Garmon. Mair Fadlen* (Llandysul, 1957), t. 48.

Gwenallt, heb os, yw'n prif awdur Jeremeiaidd. Nid oes yn y soned sy'n diweddu gyda'r cwpled hwn ddim sôn am Dduw a'r bywyd Cristionogol, ond o ystyried am hanner eiliad gyd-destun gwaith y bardd ni ellir amau mai galwad grefyddol yw'r alwad. Fe sonnir am Dduw a'r bywyd Cristionogol yn ei soned arall i Gymru yn *Ysgubau'r Awen*. Er mwyn y dewrion gynt, ebe'r bardd, 'a roes /Eu gwaed i'w chadw'n bur . . . /A'r saint a'i dysgodd yn erthyglau'r Groes',

> Tosturia wrthi, drugarocaf Dad,
> Rho nerth i'w chodi, yna gwisgwn ni
> Ei chorff â gwisg ei holl ogoniant hi.

Fel y proffwyd Jeremeia ei hun, er ei fod yn honni y cyflawnir y dyhead, nid yw Gwenallt odid fyth yn egluro sut y cyflawnir ef. Y mae'r adferiad – adferiad y genedl a wnaeth Duw 'yn forwyn iddo' – weithiau'n wobr am ymdrech, weithiau'n rhodd. Er dweud weithiau fod yr adferiad yn dibynnu ar wasanaeth, awgrymir hefyd fod Duw yn rhwym o'i sicrhau er na wyddys pryd.[31]

Yn *Ysgubau'r Awen* ac *Eples* nid yw Gwenallt odid fyth yn cyfeirio at y diwedd, ond y mae Amser yn dra phwysig iddo. Am Saunders Lewis, y mae'n werth ystyried ei feddwl yntau fel math ar feddwl apocalyptaidd, achos un o nodweddion digamsyniol ei athrylith yw ei ddawn i ailysgrifennu hanes drwy'i feirniadaeth, ei ddramâu, ac un o'i nofelau, yn y fath fodd ag i batrymu ac ystyrloni cyfnodau amser, nodi ffiniau a chyffiniau'r gorffennol a'r presennol. Cylch dyneiddwyr Emlyn, ebr ef, oedd 'un o gylchoedd eithaf ac olaf y Dadeni Dysg yng ngogledd Ewrob'; yn *Brad* y mae lampau Ewrop yn diffoddi; a 'madru'n diwedd oedd medr ein duwiau' yn "Y Dilyw, 1939."[32] Ceir enghraifft arall yn ei araith ar Losgi'r Ysgol Fomio, darn o lenyddiaeth alarnadaidd sydd, fel telyneg enwog Gwenallt "Cymru" ('Gorwedd llwch holl saint yr oesoedd'), yn gynnyrch teipoleg gymwysedig sy'n ddyledus i hanesyddiaeth yr Hen Destament. Am i Dduw weithredu un waith yn hanes y genedl, a'r ecsodus mawr o'r

[31]D. Gwenallt Jones, *Ysgubau'r Awen [:] Cyfrol o Farddoniaeth* (Llandysul, [1938]), tt. 86, 72, 27.

[32]Saunders Lewis, *Meistri'r Canrifoedd [:] Ysgrifau ar Hanes Llenyddiaeth Gymraeg*, gol. R. Geraint Gruffydd (Caerdydd, 1973), t. 233; idem., *Brad* (Llandybïe, 1958), passim; idem., *Byd a Betws [:] Cerddi*, t. 11.

Aifft yw'r weithred lywodraethol y cyfeirir ati o hyd ac o hyd, y mae'r proffwydi a'r Salmydd yn dal bod holl hanes y genedl, nid un cyfnod ohono'n unig, yn gysegredig. Gorchymyn yr Arglwydd i Moses yn Ecsodus 13:8 yw 'A mynega i'th fab y dydd hwnnw, gan ddywedyd, Oherwydd yr hyn a wnaeth yr Arglwydd i mi pan ddeuthum allan o'r Aifft, y gwneir hyn'. Ebe'r bardd Cymraeg:

> Bu'r angylion yma'n tramwy,
> Ar dy ffyrdd mae ôl eu troed,
> A bu'r Ysbryd Glân yn nythu,
> Fel colomen, yn dy goed.

Am hynny, am fod yna orffennol sanctaidd i'w fawrygu (ac i bwrpas barddoniaeth a beirniadaeth ni waeth ai chwedlonol ai peidio yw hwnnw), gall y bardd hwn sy'n beirniadu'r Gymru sydd ohoni mor llym mewn cerddi eraill ddweud yma ei bod yn caru'i thorf ardderchog o saint, a chodi cymhariaeth o Mathew 23:37 i ddisgrifio'i chariad atynt:

> Mae dy saint yn dorf ardderchog,
> Ti a'u ceri, hi a'th gâr,
> Ac fe'u cesgli dan d'adenydd
> Fel y cywion dan yr iâr.[33]

Gadewch inni ddychwelyd yn awr at ffurf y Beibl ei hun, a gweld rhagor o'i ddylanwad trefnus ar ein dychymyg llenyddol. Yn Llyfr y Datguddiad y ceir yr olwg gyflawn gyntaf ar yr Apocalyps. Cafodd yr Apocalyps ddylanwad enfawr ar feddyliau llenorion Cymraeg mewn sawl cyfnod, yn arbennig Morgan Llwyd yng nghanol yr ail ganrif ar bymtheg. Bron nad oedd Llyfrau Eseciel, Daniel a'r Datguddiad yn gweithio drwyddo ef. Er ei fod yn cyfoesi â Charles Edwards, daliwyd Llwyd yn dynnach nag ef yn syniadau diwethafiaethol eu dydd – iddo ef yr oedd y Diwedd ar fin dod, – ac nid gweld Cymru yn bucheddu mewn perthynas gyfamodol â'r Arglwydd a wnâi, ond ei gweld yn wynebu argyfwng yr oedd ei amserlen wedi'i chyhoeddi. '. . . canys yr hyn a ordeiniwyd a fydd' (Daniel 11:36). 'Wele,' ebe Llwyd, 'mae'r byd ai [=a'i] bilerau yn siglo. . . . Mae einioes ag amser pob dyn yn rhedeg fel gwennol gwehydd, ar [=a'r] byd mawr tragwyddol yn

[33] *Ysgubau'r Awen*, tt. 26-7.

neshau at bawb, ag attat tithau sydd yn darllain neu yn gwrando hyn.' Ond y mae yntau hefyd yn erfyn ar ei ddarllenwyr i wrando ar hanes eu hynafiaid: 'a chofiwch pa fodd y bu, fel y dealloch pa fodd y mae, fel y galloch baratoi'. Rhaid i'r Cymry ddeffro, deffro, deffro.[34] Ac er mai'r paratoi sy'n bwysig, wynebu'r Ymweliad Dwyfol, ni ellir wynebu gorfodaeth y paratoi terfynol hwn heb ddal ar y cysylltiad rhwng y gorffennol ('pa fodd y bu'), y presennol ('pa fodd y mae'), a'r dyfodol ('pa fodd y bydd') – sef y gorchymyn nefol a roddwyd i Ioan y Difinydd (Datguddiad 1:19) i ddangos bod yr amseroedd yn gyd-ddibynnol ar ei gilydd. Lluniwyd nifer o gerddi ar y pwnc hwn, – er enghraifft, *Y Mil-Blynyddau* gan Dafydd Ionawr yn 1799, – ac ar y Farn a'i dilyn, mewn cerddi rhydd fel cerdd John Thomas Rhaeadr Gwy ac mewn cerddi caeth fel "Cywydd y Farn Fawr" Goronwy Owen, oll â'u sail yn yr Ysgrythur. Gan mor gymhleth yw meddwl Morgan Llwyd, weithiau y mae ef yn honni bod Gair Duw pwysicach na'r Beibl, sef 'Llais dirgel Duw' ynom, ond pan gyhoedda'i neges gosmig defnyddio teipoleg draddodiadol y Beibl y mae yntau, a dal, gyda Phaul a Phedr a'r canrifoedd i gyd, mai Imanuel yw'r Arch a'n hachuba yn y Farn: *'Canys ynddo ef . . . y mae pôb peth yn cydymgynnal fel yr oedd pôb byw . . . yn Arch'* Noa.[35]

Yn niwedd amser daw popeth i fwcwl, daw'r Brenin Alltud (ys gelwir ef yn "Mewn Dau Gae" Waldo Williams) i'w Deyrnas. Ceir yn ein llên lawer o ddisgrifiadau o'r nefoedd, yn lled-ysgrythurol fel yn rhai o farwnadau Pantycelyn a'i gyd-Fethodistiaid, yn emynau Islwyn a Moelwyn Hughes, emyn yr hwn, 'Pwy a'm dwg i'r Ddinas Gadarn . . .?', sydd yn grynhoad grymus o'r Ddinas Nefol a ddisgrifir yn Llyfr y Datguddiad. Y mae nifer da o gerddi llai ysgrythurol am y nefoedd yng ngwaith beirdd y cyfnod rhwng 1870 a 1920, a'u rhamantiaeth wedi'i lliwio â disgwylgarwch diniwed a fyddai'n ddieithr i Llwyd, o "Meddyliau am y Nefoedd" Ceiriog hyd "Ynys y Plant" Elfed. Ni cheir cyffro a rhwygo'r Apocalyps yn awdl Islwyn i'r nefoedd chwaith: fe'i gwêl yn ei thro fel antiteip o Eden, o Ganaan, o Gaersalem, ac o'r Saboth, dydd a ddaeth yn symbol barddonol o bwys (fel y daethai'n sefydliad cymdeithasol a chrefyddol o bwys) yng Nghymru Oes Victoria:

[34] Thomas E. Ellis, *Gweithiau Morgan Llwyd o Wynedd* (Bangor, 1899), tt.128, 123.
[35] Ibid., tt. 129, 201.

Y Sabboth per ei seibiant
Yn awr sy'n gysgod i'r sant,
Yn rhag-ddarlun dymunol
O'i Nef-"Orffwysfa yn ôl."[36]

Beth am uffern? Yn y llenyddiaeth apocalyptig dangosir uffern yn aml i weledydd a gymer arno enw a nodweddion hen arwr, ac fe'i dangosir iddo drwy gymwynas arbennig angel neu dywysydd nefol. I raddau, er bod dylanwadau clasurol arno, yn ogystal â dylanwadau beiblaidd, mabwysiadu'r fformiwla hon a wnaeth Ellis Wynne yn *Gweledigaetheu'r Bardd Cwsc*, y trefnir ei Fyd yn ddinas fawr, 'yn dair rhan' ys myn Datguddiad 16:19. Nid hwyrach fod yn y gwaith hwn ddeubeth sy'n peri nad oes iddo yr un enbydrwydd, yr un ymwybod argyfyngus â'r Diwedd, ag a geir ym Morgan Llwyd: yn gyntaf, ei agwedd ddychanol; ac yn ail, yr argraff a rydd fod bywyd yn mynd rhagddo yn y Byd a Brenhinllys Angau ac Uffern yr un pryd. Nid â'r Bardd Cwsg ddim allan o Amser ac eithrio yn ei freuddwydion, ac eto nid yw wedi'i wreiddio mewn cyfnod o amser penodol y mae ei argyfwng yn amlwg. Eithr ni ellir gwadu ei fod yn disgrifio gyda chlaerineb dwys gred sylfaenol y Cristion fod dyn yn bechadurus a syrthiedig. Na chwaith fod dynamig yn ei ddifrïo. Bu uffern yn boen (mewn mwy nag un ystyr!) i lenorion y canrifoedd modern, yn bennaf am nad yw'r cyffelybiaethau o bethau ofnadwy a geir yn y Beibl yn ddim ond 'Darluniad amherffaith o boenau'r damnedigion', chwedl Peter Williams yn *Cydymaith mewn Cystudd*.[37]

Yr oedd y Diwedd yn bwysig iawn i Llwyd. I Williams Pantycelyn rhan o'r broses oesol ydoedd. Yn ei farn ef a'i gyd-ddiwygwyr yr oedd y gwaith o achub wedi'i wneud mewn gwirionedd 'Cyn llunio'r byd, cyn lledu'r nefoedd wen', – ac yn eu hoes hwy fel yn nes ymlaen ymhlith y Methodistiaid diweddarach, cyflawniad graddol y gwaith a welent. Rhagredegydd y gogoniant oedd y Diwygiad iddynt. Gan hynny, ystyr ffigurol y presennol oedd bwysicaf iddynt hwy. 'Mae'r utgorn mawr yn seinio'n *awr* i ni', ebe Pedr Fardd yn yr un emyn.[38]

[36]Islwyn, op. cit., t. 456.

[37]Peter Williams, *Cydymaith mewn Cystudd; neu, Hyfforddwr trwy Ddyffryn Marwolaeth* (Caerfyrddin, 1782), t. 46.

[38]Tybiaf i'r emyn 'Cyn llunio'r byd . . .' gael ei gyhoeddi yn *Hymnau Newyddion* Pedr Fardd (Lerpwl, 1825); ond ni welais gopi ohono.

Dyna pam y ceir Williams Pantycelyn yn *Aurora Borealis* yn dehongli'r goleuni hwn yn y gogledd nid fel arwydd o ddiwedd amser ond fel 'arwydd cymwys' o'r goleuni a addawyd i'r rhai 'a eisteddant ym mro a chysgod angau', ac fel arwydd yn

> cyflawni yr ysgrythur sy yn dywedyd *Fel y tywynna'r fellten o'r dwyrain i'r gorllewin, felly y bydd dyfodiad Mab y dyn.*[39]

Yn ddiddorol iawn, yr ymdriniaeth fwyaf hunanymwybodol â'r Apocalyps a geir yn llenyddiaeth ddiweddar y Cymry yw *Anadl o'r Uchelder*, nofel Pennar Davies, gweinidog Annibynnol fel Morgan Llwyd, ac awdur, fel Llwyd eto, sy'n meddu ar feddwl a dychymyg crefyddol y dylanwadodd llawer corff o syniadau arno, er ei fod, wrth gwrs, yn Gristionogol yn ei graidd. Dywedais fod ymdriniaeth Pennar Davies yn un hunanymwybodol. Erbyn hyn, y mae Gwyddoniaeth gyda'i syniadau a'i thystiolaeth ryfeddol hi am ein dechreuadau a bychander rhan Dyn mewn Amser wedi'i gwneud hi'n anodd inni ddatgan yr hen ddaroganau eschatolegol yn hyderus. Ond, o safbwynt arall, am fod popeth yn awr o ganlyniad i gynnydd Gwyddoniaeth yn newid yn gyflymach, ac am fod cyfnewidiadau sydyn yn arwydd o chwyldro neu doriad, yr ydym fel petaem yn byw mewn cyfnewidiad diddiwedd, mewn argyfwng parhaus. Y mae 'echelydd . . . y sioe', chwedl Robert Williams Parry, yn troi yn fwyfwy 'chwil'.[40] Er y gallai trafod yr Apocalyps droi'n ffars neu ar y gorau yn felodrama – 'gwn fod yr hanes hwn yn dechrau darllen fel melodrama', ebe'r adroddwr yn *Anadl o'r Uchelder* yng nghorff y nofel, – os tybiwn ein bod mewn cyfnewidiad parhaus tuedda rhai yn ein plith i synied am ein cyfnod fel *saeculum*, fel y cyfnod cyn y Diwedd. Cyflwr ysbrydol Cymru yw pwnc Pennar Davies, a hwnnw ynghlwm wrth ei chyflwr gwleidyddol. Gweddill cenedl ydyw eto, a lyncwyd gan ymerodraeth anferth Anglosacsonia (Prydain a'r Unol Daleithiau), Cymru y ceisir ei hachub gan Elias John, arwr sydd wrth gwrs yn dwyn enw proffwyd mawr, sef Elias, ac enwau Ioan Fedyddiwr ac Ioan y Difinydd (heblaw bod yn John Elias o chwith). Y mae'r nofel yn frith o gyfeiriadau beiblaidd, at Jeremeia, Daniel, y Salmau, Epistol Pedr,

[39]William Williams, *Aurora Borealis : neu, Y Goleuni yn y Gogledd* (Aberhonddu, 1774), t. 23; Garfield H. Hughes, *Gweithiau William Williams Pantycelyn II*, t. 178.

[40]R. Williams Parry, *Cerddi'r Gaeaf* (Dinbych, 1952), t. 64.

etc. Uniaethir gwraig Llywydd Cyngor Llywodraethol De Cymru ag Efa 'ein mam ni oll' ac â Jesebel (gwyddon ydyw sy'n lladd dynion da); ac y mae Elias John yn defnyddio fel symbol o'i genhadaeth 'arch led-wen' y mae ef yn codi ohoni i bregethu ac yn ei defnyddio i brofi ei ddychweledigion: hi yw'r 'Arwyddlun o Atgyfodiad mawr y dyfodol'.[41]

Maentumir mai'r Testament Newydd a osododd y sylfaen i ymwybod Ewrop â chyfnodau. Sonnir llawer yno am amseroedd a phrydiau, ac ail-greu yr ydym o hyd mewn llenyddiaeth y terfynau a ddyry synnwyr i'r yrfa a redwn, gan ailddefnyddio hen batrymau a'u haddasu. Fel y mae'r Diwedd yn bwysig, felly'r Dechreuad, crud pawb a phob peth. Y mae'r hyn a ddyfyd Genesis a'r Salmau am Natur, a'r hyn na ddywedant amdani, yn bwnc mawr ynddo'i hun, mor fawr fel na ellir ond cyfeirio ato yma. Ar hyd y canrifoedd modern bodlonodd rhai beirdd ar aralleirio neu fanylu ar benodau cyntaf Genesis. Cynddelw, er enghraifft:

> A'r daearfyd hyfryd hwn
> 'Oedd afluniaidd' fel anwn.
> Ond ar lefair gair Duw gwyn,
> Llonyddai'r holl anoddyn.
> '*Bydded*' oedd y byweiddair,
> '*A bu*' yn gu ar y gair.

Siôn Wyn o Eifion wedyn yn cynrychioli'r beirdd a fynnai draethu ar ddoethineb meddwl Duw wrth ddisgrifio'i gynnyrch:

> Pwy fyth na ryfeddai drefniadau Rhagluniaeth
> Y tirion fwriadau, a'r nerthol lywodraeth![42]

Eraill, ym mhob canrif, yn rhoi glòs gwybodaeth eu hoes eu hunain ar y disgrifiadau ysgrythurol. Pan wynebid dyn meddylgar â model o'r cyfanfyd a oedd yn wahanol i'r model yn Genesis yr oedd yn rhaid iddo wneud un o ddau beth: gwadu'r hypothesis dynol a chysgodi yn hen ffydd ei dadau, neu dderbyn yr hypothesis ac ailadeiladu'i fetaffiseg drwy apelio o'r newydd at Natur. Y mae Morgan Llwyd yn

---

[41] Pennar Davies, *Anadl o'r Uchelder* ([Abertawe, 1958]), t. 62.

[42] *Barddoniaeth Cynddelw* (Caernarfon, 1877), t. 113; *Gwaith Barddonol Siôn Wyn o Eifion* (Bangor, 1910), t. 95.

ei gerdd ddieithr *Gwyddor Uchod*, y rhoddodd yn epigraff iddi y drydedd a'r bedwaredd adnod yn yr wythfed Salm, yn trafod y planedau a'r elfennau mewn ffordd a fyddai'n dywyll ddudew i'r Salmydd. Dal y mae Morgan Llwyd mai un syniad canolog sydd y tu ôl i'r cread cyfan, a bod cydberthynas agos rhwng byd bychan y corff dynol a bydoedd pell y cyfanfyd.

> Mae ymhob dyn naturiol,
> Saith Blaned fawr ryfeddol;
> Ag yn cydweithio heb nâghau
> Gida'r Planedau nefol.

Er enghraifft:

> *Venus* yw'r blaned eglur
> Sydd dan yr Haul yn gyssur.
> Fel yr *Arennau* ynghorph dyn
> Mae hon yn nhyddyn natur.

Ond neges Llwyd i'w ddarllenydd yw bod gofyn iddo geisio 'gan Dduw' ddatod y pôs cosmolegol hwn:

> Ai dattod a wna'r Arglwydd
> Ir dyn a fynno'n ebrwydd
> Droi iddo ei hun at Dduw ai gwnaeth
> Ni bydd hwn caeth ond dedwydd.[43]

Yn y ddeunawfed ganrif, yr oedd Williams Pantycelyn, heb anwybyddu'r syniadau newydd am y cyfanfyd, yn trafod Natur yng nghyd-destun ehangach y Rhagluniaeth a'i creodd: *dibenion* y cread oedd bwysicaf iddo ef, er y ceir ganddo yn *Golwg ar Deyrnas Crist* ddisgrifiadau cyfoethog o'r Creu yn ôl Genesis. Erbyn canol y bedwaredd ganrif ar bymtheg gwaniwyd yr ymwybyddiaeth ragluniaethol hon yn enbyd gan Wyddoniaeth, yr hon, chwedl Lewis Edwards yn *Cysgod a Sylwedd*, a barodd 'chwilio deddfau' yn hytrach na'r Ddeddf Lywodraethol ysbrydol, ac achosi dyn i fynd i'r draul o

---

[43]John H. Davies (gol.), *Gweithiau Morgan Llwyd o Wynedd ii* (Bangor a Llundain, 1908), tt. 106, 108.

oleuo mân ganhwyllau
A chau allan olau'r haul.[44]

Y mae beirdd Cristionogol yr ugeinfed ganrif, a ddeallodd natur y frwydr rhwng y meddwl gwyddonol a'r dychymyg chwedlonol, unwaith yn rhagor wedi troi'n ôl at y Gair a rhoi inni fel y Salmydd yn Salm 19 neu 104 brofiad diatreg o'r symud dwyfol ar wyneb y dyfroedd. Dyna sy'n cynysgaeddu "Genesis" Euros Bowen.

Dyfodiad y Crist i'r byd yw rhaniad mawr Amser. Ef a newidiodd y gorffennol ac a alluogodd bob dyn i edrych ymlaen i'r dyfodol diffiniedig. 'Wele, cawsom y Meseia', ac amdano, yn Ei Berson ac yn Ei arwyddocâd, canwyd mil o emynau, carolau, cerddi hirion iawn fel *Emmanuel* Gwilym Hiraethog, cyfresi o delynegion megis cyfres episodig N. Cynhafal Jones, *Y Messiah*, ac mewn rhyddiaith ysgrifennwyd portreadau ohono yn ogystal ag ambell waith dychmygol fel *Dyddiadur Iesu o Nasareth* T. Glyn Thomas. Lluniwyd llu o weithiau ar wahanol gyfnodau yn Ei fywyd: cerddi Nadolig, cerddi'n adrodd am Ei fagwraeth yng ngweithdy'r saer, Ei ymweliadau â Mair a Martha, Ei wyrthiau, a chynifer o gerddi ar Ei groeshoeliad a'i atgyfodiad y byddai catalog moel ohonynt yn rhestr faith iawn. Ynddo Ef y daw'r ffigurau llinynnol sydd drwy'r Beibl i'w lle. Yr enghraifft farddonol amlwg sy'n darlunio hyn yw'r defnydd a wneir o Gân y Caniadau. 'Ewch allan, ferched Seion', meddir yno, 3:11, 'ac edrychwch ar y brenin Solomon yn y goron â'r hon y coronodd ei fam ef yn ei ddydd dyweddi ef, ac yn nydd llawenydd ei galon ef'. Y Brenin Iesu dan 'goron ddrain blethedig' ydyw i'r emynydd o Gristion, ond yn ei ddydd dyweddi pwy sydd iddo'n gymar? Ei eglwys, 'ei rai anwyla', ebe Pantycelyn, a dyna'r dydd y mae'n llawenhau o'u gweld.[45]

Ac Yntau'n gyflawnwr o arwr, y mae gwrtharwr hefyd, Satan. Er nad oes yn ein llenyddiaeth lawer o ysgrifennu amdano wrth ei enw – efallai mai portread Ellis Wynne ohono yw'r un llawnaf – y mae

[44]Lewis Edwards, *Cysgod a Sylwedd* (Wrecsam, d.d.), t. 16.

[45]Y mae mawr angen astudiaeth gyflawn o ddefnydd Williams Pantycelyn o'r Beibl, a defnydd ein hemynwyr eraill ohono. Hyd yn hyn, crafu'r wyneb a wnaethpwyd, a dyna'r oll. Gallai astudiaeth ragorol Barbara Kiefer Lewalski, *Protestant Poetics and the Seventeenth-Century Religious Lyric* (Princeton, 1979) fod yn fan cychwyn ac yn siampl i astudiaeth o emynyddiaeth y Cymry a'r Beibl.

ynddi fawr ymdrin â'i weision a'i forynion, o Cain hyd at y Butain Fawr yn Llyfr y Datguddiad, y gwelir hi o'r unfed ganrif ar bymtheg hyd at Eben Fardd (ac weithiau'n ddiweddarach), yn unol â'r traddodiad, yn cynrychioli Eglwys Rufain. Diben y gwrtharwyr hyn yw llesteirio dyfodiad Teyrnas Dduw. Jesebel, gelyn Elias (yntau yn ei dro yn deip o'r Crist), yw'r gwrtharwr yn *Bywyd a Marwolaeth Theomemphus*, yno'n rhywiol fel Efa, yn ei hantinomiaeth ronc yn eiddgar i hudo'r dychweledig i'w charu. Ym mhryddest radio gymysgfawr Gwenallt, "Jezebel ac Elïas," rhoddir iddi lu cyneddfau drwg: hi yw materoldeb ac addysg fydol, cyfalafiaeth a masnach, hi yw ymerodraetholdeb Prydeinig Oes Victoria, a heddiw technoleg annynol ydyw. Nid yw'r bryddest, er mor rhugl ei rhediad, yn gwneud dim synnwyr oni welwn ei gwraidd yn nychymyg y Beibl. Ond Elias sy'n cael ennill y dydd, Elias, Eliseus, Iesu Grist. A phan fydd 'daear newydd a nef newydd', ebe Gwenallt,

> Bydd paradocsau ystyfnig iaith a meddwl meidrol
> Wedi eu hasio gan y goleuni sydd yn uwch na hwy:
> A dirgelwch diwaelod y ddwy natur
> Mewn un Person i'w weled yn hollol glir:
> Ni wnaeth gormes holl Ahabiaid a Jezebeliaid y byd
> Ond goleuo yn danbeitiach Ei gariad a'i gyfiawnder;
> Ac nid oedd y dieflaid, y demoniaid a'r cythreuliaid
> Ond gweision Ei ogoniant a'i dangnefedd Ef.[46]

Dyma gystal man ag unlle i ddwyn y bennod agoriadol hon i ben. Yr hyn a wnawd ynddi oedd ceisio dangos yn fras y modd y ceisiodd meddwl meidrol llenyddiaeth Gymraeg roi trefn ei hiaith ei hun ar brofiadau byw a bywyd drwy fabwysiadu mawrion weledigaethau a mân droadau-ymadrodd y Beibl. Wrth ddangos ei dibyniaeth ymwybodol ac anymwybodol ar batrymau dychymyg y Llyfr Mawr, dangoswyd (er na phwysleisiwyd) yn yr enghreifftiau a ddyfynnwyd uchod y modd y derbyniodd y llenyddiaeth honno, er 1588, ei maeth drwy eiriau ac ymadroddion cyfieithiad ysblennydd William Morgan. Am resymau hanesyddol a chymdeithasol, llenyddiaeth hanfodol

[46]D. Gwenallt Jones, *Gwreiddiau [:] Cyfrol o Farddoniaeth* (Llandysul, 1959), t. 87. Ceir trafodaeth ar "Jezebel ac Elïas" gan R. Geraint Gruffydd yn *Y Traethodydd*, cxxiv, 531, Ebrill 1969, tt. 76-83.

Gristionogol fu ein llenyddiaeth ni, a thros y canrifoedd modern bu'n hymwybod ysbrydol a'n dychymyg llenyddol yn gyd-ddibynnol ar ei gilydd i raddau tra helaeth. Hyd yn oed yn awr, yn niwedd yr ugeinfed ganrif, pan yw Cymru gan mwyaf yn Gymru seciwlar o ran ei buchedd, y mae'n dychymyg llenyddol yn parhau'n drwythedig gan grefydd. Diau y maentumiai rhai mai nodwedd gryfaf ein crefydd gyffredin erbyn hyn yw'r farddoniaeth anymwybodol sydd iddi, hynny yw, ei phatrymau gweld ac ymadroddi, yn hytrach na'i defosiwn. Os felly, nid hwyrach y gallwn hefyd faentumio mai nodwedd gryfaf ein llenyddiaeth yw ei chrefydd anymwybodol hi. Hir yw byth, ys dywed Morgan Llwyd, ac yn naturiol y mae dyn, yn wyneb pob anghaffael, o hyd yn dymuno oes y byd i'r iaith Gymraeg. Gan hynny y mae'n ofnadwy o beryglus dweud dim sy'n ddweud am byth. Ond rhaid imi gael dweud hyn. Gan mai agweddau ar ffydd, gobaith a chariad at y ddynoliaeth, yn ogystal ag anghariad ac anobaith amdani, sydd yn gyrru neb pwy bynnag a dry i lenydda, a chan mor eithriadol rymus yw grym y dychymyg diwrthdro a sugnodd y Cymry a'r Gymraeg o'r Beibl, y mae'n amheus gennyf a all fod yn y Gymraeg ddychymyg seciwlar pur, fyth.

II

. . . DROS BEDAIR CANRIF

2

Y BEIBL A'N DYCHYMYG HANESYDDOL

Am fy mod yn bwriadu dyfynnu o un o'i ysgrifau cyfoethog sy'n ymwneud â'r Ysgrythur, yr wyf am ddechrau gydag R. T. Jenkins, yr hwn a welais unwaith yn unig, yng nghapel Tŵr Gwyn, Bangor un dydd Sul, yntau'n cerdded i maes o'r capel ar hyd yr ale lawr llawr a minnau'n llanc o fyfyriwr ar yr oriel yn methu peidio â syllu arno. Ni welais ei bartner o hanesydd, Thomas Richards, erioed, nac ychwaith ei brotagonist o hanesydd, W. Ambrose Bebb. Ond o leiaf cefais weld R. T. A sylwch taw R. T. ydyw i minnau. Hyd y gwn, y tu faes i'w deulu, ac yntau yn ei fan, dim ond un gŵr ar wyneb daear lawr a'i galwodd wrth unrhyw enw bachigynnol arall, a'r gŵr hwnnw oedd R. A. Knox. Yn ei droednodiadau i'w gyfrol fawr *Enthusiasm,* 'Jenks' yw R. T. Jenkins gan Knox bob gafael. Nid *R. T.* Jenks hyd yn oed, ond 'R. Jenks'. 'R. Jenks, *The Moravian Brethren in North Wales*' a geir wrth droed tudalen 403, ac ar ôl y tro cyntaf hwnnw 'Jenks, *op.cit.*'[1] Fel hynny y byrnododd Knox yr enw wrth iddo gasglu'i ddeunydd, y mae'n debyg. Nid oes esboniad arall. Ond os oes yn y llawer o drigfannau lan fan acw ryw le sy'n cyfateb i Ystafell Gyffredin i'r rhai clasurol eu clyw, yr wyf yn siŵr fod y Methodist o Gymro wedi tynnu coes y Monsignor o Eglwys Rufain droeon a thro. Os oedd Knox yn 'Ronnie' i Evelyn Waugh a'i griw, prin fod R. T. yn 'Jenks' i neb o'i griw ef.

Er na chefais adnabod R. T. Jenkins yn ei berson, cefais ei adnabod drwy briodas (fel petai). Yn ystod y flwyddyn Sabothol a gymerodd Dyfnallt Morgan ddiwedd y saithdegau, fe'm rhoddwyd i (a fyddai wedi dwlu ar gael bod yn ddisgybl i R. T.) yn athro ar ei weddw, Myfanwy Jenkins, – arni hi a'r lodesi eraill a berthynai i ddosbarth allanol Dyfnallt ym Mangor, hyhi a'i chydlodesi a'r diweddar R. S. Rogers (o annwyl goffadwriaeth). Gallech fentro y digwyddai dau beth bob tro y cyfarfyddai'r dosbarth hwnnw. Yn gyntaf, y byddai Mr Rogers, bum munud ar ôl i mi ddechrau traethu, mewn trwmgwsg mawr mesuredig (mesuredig oherwydd byddai'n dihuno'n ddi-ffael

[1]R. A. Knox, *Enthusiasm [:] A Chapter in the History of Religion with special reference to the XVII and XVIII centuries* (Rhydychen, 1950), tt. 403, 417, 464. Da dweud ei fod yn Jenkins yn ei ôl yn y Mynegai!

ryw hanner munud cyn diwedd y ddarlith). Ac yn ail, yn y seiat neu'r rhyddymddiddan a ddilynai'r ddarlith, gallech fentro y byddai'r hybarch Fyfanwy, o fewn pum munud eto, wedi mynd â ni oddi ar lwybr cul ein pwnc i ryw borfeydd gwyllt, os nad gwelltog. Yn y seiadau hynny y clywais gryn nifer o sgandalau Coleg Bangor.

Yn 1985-86 cefais innau flwyddyn Sabothol, a threuliais hi yn darllen ar gyfer astudiaeth arfaethedig o ddylanwad y Beibl ar lenyddiaeth Gymraeg y canrifoedd modern. Gan R. T. Jenkins y gwelais un o'r paragraffau hyfrytaf o fyr-foliant i werth diwylliadol y Beibl. Yn un o rifynnau'r *Llenor* am 1941 y mae'n cymryd arno ysgrifennu llythyr at gyfaill iddo sy'n hwylio i fynd oddi cartref. Nid yw'n dweud taw i'r lluoedd arfog yr â, ond dichon hynny. Fe ofynnodd y cyfaill hwn i'r llythyrwr ddewis pump o lyfrau Cymraeg iddo'u dwyn gydag ef, i gadw'i Gymraeg a'i Gymreigrwydd yn fyw. Dewis cyntaf R. T. yw 'y Beibl wrth gwrs':

> Clywaf chwi'n murmur y byddai *detholiad* o'r Beibl yn hwylusach ac yn well. Wel, tebyg fy mod yn geidwadol, ond rhywsut ni fedraf yn fy myw fodloni ar y detholion 'ma; y mae'n rhaid i mi gael y Llyfr i gyd, yn Lefiticus ac yn Gronicl ac yn bopeth. Oblegid 'does wybod yn y byd *pa* gyfran o'r Ysgrythur, pa ymadrodd ynddi yn wir, a fydd yn fiwsig yn eich clust ac a ddeffry res hir o gytseiniau ac o atseiniau mewn teimlad a meddwl na wyddoch i ble'r arweiniant chwi cyn y diwedd. I'm pwrpas i, fe fydd yn ddigon i chwi *agor* y Llyfr, ar ddamwain weithiau, ond yn fynych. Bydd yn rhyfedd iawn os na chewch rywbeth yn yr agoriad: hiraeth melys rhyw salm; callineb bydol bachog rhyw ddihareb; ysblander gweledigaeth proffwyd neu ddifinydd; stori brydferth swynol neu bryd arall stori erwin frawychus; brathiad cleddyf neu foesegwr di-dderbyn-wyneb a yrr eich hunan-gyfiawnder ar ffo; murmuron tawel a leinw eich enaid â hedd. A hyn oll mewn Cymraeg ardderchog sy'n addysg ynddo'i hunan.[2]

Sonia R. T. Jenkins yn y darn am 'ysblander gweledigaeth proffwyd'. Un o weledigaethau mwyaf ysblennydd a phellgyrhaeddol y proffwydi yw eu gweledigaeth hanes. Drwy ei gosod ei hun mewn hanes y daeth cenedl Israel yn yr Hen Destament i'w deall ei hun – hynny yw, drwy ddisgrifio'i hymwneud, mewn ffydd a gweithred,

[2]R. T. Jenkins, "Y Pac Llyfrau. Llythyr at Gyfaill," *Y Llenor* XX. 2, Haf, 1941, t. 54. Fe'i ceir hefyd yn idem., *Cwpanaid o De a Diferion Eraill*, gol. Emlyn Evans (Dinbych, 1997), t. 72.

gyda'i Duw, dros gyfnod o amser yr oedd iddo arwyddocâd bythol. Hawliai Israel fod Duw wedi'i dewis o blith holl genhedloedd y ddaear yn forwyn iddo, yn genedl etholedig. Dangosodd hynny iddi am y tro cyntaf pan arweiniodd hi allan o'r Aifft, ei harwain i *fod*, – a byth wedyn yr ecsodus hwnnw yw prif gyfeirbwynt eu perthynas. Nid Duw â'i hanfod ynddo'i Hun oedd Duw Israel, ond Duw yn bod yn Ei weithredoedd a thrwyddynt, ac ni ad i Israel anghofio hynny fyth. Gwrandewch arno yn Hosea 13, a'r genedl yn pechu:

> myfi yw yr Arglwydd dy Dduw, a'th ddug di i fyny o dir yr Aifft; ac ni chei gydnabod Duw ond myfi, ac nid oes Iachawdwr ond myfi . . . O Israel, tydi a'th ddinistriaist dy hun; ond ynof i y mae dy gymorth. Dy frenin fyddaf: pa le y mae arall a'th waredo di yn dy holl ddinasoedd?

Yr ecsodus o'r Aifft a brofai fod Duw trosti; a'r ecsodus yr un fel a ysbrydolai Israel i gredu y câi waredigaeth ddwyfol yn niwedd amser.

Pan fabwysiadwyd llyfrau'r Hen Destament gan yr Eglwys Gristionogol yn dreftadaeth iddi, wrth gymryd yn ganiataol fod parhad rhwng crefydd yr Iddewon a Christionogaeth, fe dderbyniodd yn rhan bwysig o'r dreftadaeth honno y syniad Iddewig mai diben Duw yn cael ei weithio allan mewn amser yw hanes. Yn Oed Crist daeth Duw Israel yn Dduw yr Hollfyd, daeth Agorwr y Môr Coch yn Awdur gwaredigaeth pawb.[3] Ac yng Ngwledydd Cred, drwy'r canrifoedd hir o amser Paul hyd at o leiaf yr ail ganrif ar bymtheg, uniaethwyd mewn ffordd ryfeddol ffawd y Cristion unigol a phwrpas Duw fel yr amlygid ef drwy hanes.

Er mai derbyn gweledigaeth hanes yr Iddewon fel egwyddor gyffredinol a ddarfu'r Eglwys Fore, ymhen y rhawg dechreuodd rhai haneswyr gymhwyso'r gweld (a'r dweud) a geir yn yr Ysgrythur at hanes eu gwledydd eu hunain. Daeth yn rhan nid dibwys o ddychymyg Cymru – yn rhan bwysig o ddychymyg rhai o'i haneswyr (haneswyr o fath gwahanol iawn i R. T. Jenkins, ond haneswyr serch hynny), ac yn rhan o weledigaeth hanes rhai o'i beirdd yn ogystal. Dod yn rhan o ddychymyg *Cymru* meddaf; ond yr oedd yn cael

[3] Y mae'r llenyddiaeth sy'n disgrifio'r dreftadaeth hon yn helaeth iawn. Pwysais i yma ar J. H. Hexter, *The Judaeo-Christian Tradition* (Efrog Newydd a Llundain, 1966). Y llyfr anferth anhepgor ar y Beibl a meddwl Ewrop yw Henning Graf Reventlow, *The Authority of the Bible and the Rise of the Modern World*, cyf. John Bowden (Llundain, 1984).

mynegiant yma ymhlith ein cyndeidiau cyn-Gambriaidd hefyd, yn llyfr Lladin Gildas tua 547. Ac y mae agweddau arni yn cael eu mynegi o hyd, bedair canrif ar ddeg yn ddiweddarach, yn epig faith enbyd Bobi Jones. Y mae moroedd o wahaniaeth rhwng *De Excidio Britanniae* a *Hunllef Arthur*, ond yr un halen sy'n golchi eu glannau.

Beth bynnag oedd barn R. T. Jenkins fel Methodist ysgrythurgar am y weledigaeth hanes hon, yr oedd, heb os, yn anathema hollol iddo fel hanesydd proffesiynol. Golygai ei derbyn or-ogoneddu'r gorffennol, golygai weled patrwm pendant gosodedig-oddi-fry yng ngweithredoedd dynion, golygai ddefnyddio'r gorffennol fel mynegbost i'r dyfodol. Treuliodd R. T. dipyn o'i amser mewn adolygiad ac mewn erthygl yn tynnu blew o drwynau rhai o'i gyfoeswyr (Bebb, er enghraifft) yr oedd dylanwad y weledigaeth hon – er teneued oedd – arnynt o hyd mewn rhyw ffordd neu'i gilydd. 'Myfyriwn yn ddyfnach ar ein hanes,' ebe Bebb yn ei ysgrif "Trydedd anffawd fawr Cymru." 'O'n gorffennol y daw goleuni inni. Tynnwn wersi ohono.' Dyna anogaeth gwbl Hen-Destamentyddol. Ac fe ffromodd R. T. Jenkins, wrth gwrs. A mwy na ffromi: ysgrifennodd y papur gorau ar hanesyddiaeth a feddwn yn y Gymraeg, sef ei bapur ar "Yr Apêl at Hanes."[4]

Yr wyf yn amau nad oedd gan ein gwron fawr o amynedd chwaith at ei gyfoeswyr ymhlith y beirdd yr oedd cynffon y weledigaeth hon yn chwipio'u dychymyg, sef y rhai megis Saunders Lewis a Gwenallt a fynnai gysylltu'r Gymru oedd ohoni yn y tridegau gyda rhyw Gymru reiol ufudd-Gristionogol mewn gorffennol di-ffaith. Ond hyd y gwn, ni thraethodd arnynt hwy mewn nac ysgrif nac adolygiad. Er, y mae ganddo erthygl synhwyrgall ar "The Development of Nationalism in Wales" yn *The Sociological Review* am Ebrill 1935 sydd mor wrth-fytholegol fel ei bod yn awgrymu'n gryf nad da ganddo y math o honiad a geir yn "Cymru" Gwenallt ychydig flynyddoedd yn ddiweddarach:

> Fe'th welwn di â llygaid pŵl ein ffydd
> Gynt yn flodeuog yn dy wyrfdod hardd,
> Gannwyll brenhinoedd, seren gwerin rydd, . . .[5]

[4]R. T. Jenkins, "Yr Apêl at Hanes," *Y Llenor*, III. 3 a 4, Hydref a Gaeaf 1924, tt. 135-55, 199-212. Fe'i ceir hefyd yn idem., *Yr Apêl at Hanes ac Ysgrifau Eraill* (Wrecsam, 1930), tt. 142-78. Ceir erthygl W. Ambrose Bebb yn *Y Llenor*, III. 2, Haf 1924, tt. 107-9. Ceir y dyfyniad uchod ar d. 109.

[5]*Ysgubau'r Awen*, t. 72.

Fe ofynnai R. T. yn syml, dybiwn i, pa bryd y bu Cymru'n gannwyll brenhinoedd a pha bryd y bu ei gwerin yn rhydd.

Fel y dengys y teitl, trafod datblygiad cenedlaetholdeb Cymreig y mae yn yr erthygl honno. Yn gyntaf, cenedlaetholdeb fel ffenomen wleidyddol. Gan wahaniaethu rhwng cenedligrwydd a chenedlaetholdeb, a chan dderbyn fod y naill o reidrwydd yn sail i'r llall, y mae'n dweud ar ei ben taw peth diweddar iawn yw cenedlaetholdeb gwleidyddol yng Nghymru – 'little older (apart from the occasional voice crying in the wilderness) than the second half of the nineteenth century.'[6] Yna, yn ail hanner yr erthygl, try at 'y ffurf arall ar genedlaetholdeb Cymraeg', y ffurf ddiwylliadol arno. Ac ebe fe: 'conscious nationalism of this kind is hardly, if at all, older than the other'. Dyna i chi ymlyniad pregethwyr, llenorion ac athrawon y tair canrif ddiwethaf at yr iaith, meddai. Nid yn herwydd eu cariad ati y traethasant ynddi, ond am mai drwyddi hi yn unig y gellid achub eneidiau'r Cymry, a oedd gan mwyaf yn uniaith. A chyda golwg ar ein hanes, ni charodd neb hwnnw chwaith er ei fwyn ei hun, 'except in so far that history might be skilfully handled to show the awful consequences of Popery'. A sôn am Babyddiaeth, y mae llawer o drafod y dwthwn hwn ar ein perthynas waed ag Iwerddon; ond y gwir amdani, ebe R. T., yw hyn: 'there are but two ingredients in modern Welsh mental life – what is native, and what is English or what has been mediated through England.'[7]

Y mae llawer iawn o wir – nid caswir, ond gwir plaen – yn yr erthygl ddewr hon, a gyffrôdd hyd at eu sodlau nifer o arweinwyr Cymreig y dydd. Ond mi fentraf anghytuno ag R. T. Jenkins ar un peth go bwysig, sef yr oed a rydd i'n cenedlaetholdeb diwylliadol. Mi ddaliaf i ei fod yn hŷn o lawer na'n cenedlaetholdeb gwleidyddol, ac

[6]R. T. Jenkins, "The Development of Nationalism in Wales," *The Sociological Review*, XXVII (1935), t. 163. Â rhagddo wedyn i ddisgrifio sut y tyfodd cenedlaetholdeb yn ystod y cyfnod hwnnw, gan ddod yn y man i ddweud rhai pethau nid anffafriol am y Blaid Genedlaethol ifanc. Pethau pragmatig a ddyfyd: e.e., na wnâi hi ddim mwy o lanast o lywodraethu Cymru nag a wnaethai'r llywodraethau a fu arni er 1919, a chreu diweithdra, dirwasgiad a diflastod. Pe caent gyfle – dyna'r ensyniad – ni wnâi Saunders Lewis (er nas enwir) a'i gabinet ddim gwaeth. Gyda llaw, maentumiodd R. T. Jenkins yn 1936 ei fod 'yn ormod o sinic i gymryd unrhyw ddiddordeb mewn *ffurfiau* gwleidyddol'. Gw. ei adolygiad ar *Crwydro'r Cyfandir* gan W. Ambrose Bebb, "Cwpanaid o De gyda Mr. Ambrose Bebb," *Y Llenor*, XV. 1, Haf 1936, t. 81. Ailargraffwyd yn *Cwpanaid o De a Diferion Eraill*; ceir y dyfyniad ar d. 41.

[7]"The Development of Nationalism in Wales," t. 177.

y gellir ei olrhain, yn ei ymwneud â'n hiaith ac â'n hanes, i ddechreuad y cyfnod modern. Ni fynnaf drafod yma odid ddim ar yr Oesoedd Canol a pharhad y math (neu'r mathau) o genedlaetholdeb a geid yno, am y rheswm syml fy mod o'r farn inni gael yn rhan o'n cynhysgaeth o'r unfed ganrif ar bymtheg i lawr lun ar genedlaetholdeb diwylliadol 'newydd', cenedlaetholdeb ac iddo nodweddion anfediefal, cenedlaetholdeb yn y meddwl a'r dychymyg a oedd yn ymgais i wrthsefyll nerth a dylanwad allanol a oedd arnom. Fe'i lluniwyd gan dri grym newydd. Yn gyntaf, Protestaniaeth. Yn ail, y Beibl yn ein hiaith. Ac yn drydydd – yn ironig a pharadocsaidd ddigon – Seisnigrwydd egnïol Eglwys Loegr. (Ie, yn y cyfnod cynnar, peth rhannol Seisnig, peth a gyfryngwyd drwy Loegr, 'mediated through England', chwedl R. T., yw hyd yn oed ein cenedlaetholdeb diwylliadol! Stori anhygoel drofaus yw stori'r meddwl Cymraeg modern.)

Byddai fy mam yn arfer dweud wrth ddatod clymau mwy cymhleth na'i gilydd fod 'cryn waith mysgu arnyn nhw'. Wel, y mae cryn waith mysgu ar elfennau'r cenedlaetholdeb hwn hefyd. Ond gadewch i ni roi cynnig arni.

Yn ystod y Dadeni Dysg arferid mwy nag un ffordd o edrych ar hanes. Gwrthododd llawer o'r dysgedigion mwyaf blaengar y syniad fod hanes yn amlygiad o gynllun mawreddog, a throesant yn ôl at yr olwg hiwmanistaidd ar hanes a oedd gan haneswyr Groeg a Rhufain. Rhoi dyn yn y canol eto. Ond nid rheolwr ei weithredoedd a chrëwr ei ffawd ei hun oedd dyn yn awr, eithr creadur nwyd, creawdwr cyffro. Daethpwyd i ymddiddori yn y gorffennol er ei fwyn ei hun, daethpwyd i astudio dogfennau, daethpwyd i grynhoi 'ffeithiau', ac i ddilorni cynlluniau dwyfol a chwedlau dynol. Yr union haneswyr hyn, a drodd eu cefnau ar yr olwg Hen-Destamentyddol ar hanes, a ddechreuodd ymosod ar y chwedlau yr oedd historïwyr gwahanol genhedloedd drwyddynt wedi cuddio'u hanwybodaeth am eu dechreuadau. Yr enghraifft enwocaf y mae a wnelo hi â Chymru yw Polydore Vergil, awdur *Historia Anglica* (1534), a dynnodd y mwgwd oddi ar wyneb Sieffre o Fynwy.

Ar yr un pryd gosodwyd bri newydd ar hanesyddiaeth Gristionogol, hynny yw hanes fel amlygiad o weithredoedd Duw. Un o'r haneswyr uchaf ei glod yn yr unfed ganrif ar bymtheg oedd Walter

Raleigh, yr hwn, yn yr unig gyfrol a luniodd o'i gyfres arfaethedig o gyfrolau ar hanes y byd, a ysgrifennodd ddigon i amlygu perthynas fythol ir dwy hen egwyddor, sef llywodraeth Rhagluniaeth ac awdurdod yr Ysgrythur. Ewyllys Duw a reolai Ragluniaeth, a'r Ysgrythur oedd datguddiad yr Ewyllys honno. Gan mai'r un un oedd egwyddor a phatrwm ymwneud Duw â dynion drwy'r oesoedd, nid oedd raid i Raleigh na neb arall unfarn ag ef edrych ymhellach na'r Ysgrythur am esboniad arnynt.

Y Diwygiad Protestannaidd a'i bwys trwm ar awdurdod y Gair oedd yn bennaf gyfrifol am roi bywyd newydd yn yr athrawiaeth neu'r olwg hon ar hanes. Rhoddodd y Diwygiad Protestannaidd fywyd newydd i'r hyn y gallwn ei alw yr olwg Brydeinig neu Frytanaidd ar hanes hefyd.

Yr oedd Lloegr wedi ymwrthod ag awdurdod Pab Rhufain. Yr oedd yn awr am gyfiawnhau hynny nid yn unig yn athrawiaethol ond yn hanesyddol yn ogystal. Ac wele, tua'r adeg yr oedd y Pabydd Polydore Vergil yn ymosod ar Sieffre am balu ei chwedlau celwyddog am wreiddiau'r Brytaniaid, yr oedd rhai o flaenoriaid y Brotestaniaeth wrth-Rufeinig a fabwysiadwyd gan y Saeson yn bwrw iddi i ail-lunio hen hanes yr ynys hon, yn y fath fodd ag i ddangos bod yma, ym Mhrydain Fore, eglwys apostolaidd bur, eglwys gyn-babaidd ddi-lwgr. Y bwriad oedd argyhoeddi pobl nad newyddbeth o'r cyfandir oedd Protestaniaeth ond crefydd hynafol a brodorol. Cawn ail Archesgob Caer-gaint, Matthew Parker, yn hawlio mai sefydlydd Cristionogaeth ym Mhrydain oedd Joseff o Arimathea, yr hwn a roddodd 'ei fedd newydd ei hun' yn fedd i Iesu Grist a'r hwn yn y man a hwyliodd tua'r gorllewin i roi'r Efengyl i'n cyndadau.[8] Oni thystiolaethodd Eusebius i'w hymlyniad cynnar wrth Grist? A Thertulian yntau? Dal yr oedd yr haneswyr Brytanaidd newydd hyn fod Eglwys Loegr yn adgorfforiad o'r eglwys a sefydlwyd ar dir Prydain ymhell bell cyn sefydlu'r Babaeth.

Y mae'r holl ddamcaniaeth, a seiliwyd ar draddodiadau nad oeddynt eto'n farw – geilw Glanmor Williams hwy yn 'number of

[8]Glanmor Williams, *Welsh Reformation Essays* (Caerdydd, 1967), t. 212. Cyhoeddwyd yr erthygl hon, "Some Protestant Views of Early British Church History," y tro cyntaf yn *History*, XXXVIII (1952), yn fath ar 'gywiriad' i erthygl Saunders Lewis, "Damcaniaeth Eglwysig Brotestannaidd," a gyhoeddwyd yn 1947 yn *Efrydiau Catholig*, ii, tt. 36-55 (gw. hefyd *Meistri'r Canrifoedd*, tt. 116-39).

hoary medieval traditions'[9] – yn swnio i ni fel propaganda. Ond rhaid cofio, er gwaethaf Polydore Vergil a'i debyg, nad gwyddor seiliedig ar dystiolaeth ddogfennol oedd hanes i'r rhan fwyaf o wŷr dysg yr unfed ganrif ar bymtheg, eithr stori yn amlygu cynllun. Tuedd naturiol draddodiadol storïwyr o'r fath, o'u gweld eu hunain, eu gwlad, eu heglwys, eu plaid, yn rhan o gynllun, oedd gosod bri arbennig ar y cynllun hwnnw a'i gyflwyno fel cyflawniad Rhagluniaeth Duw. Storïwr mwyaf grymus y ddamcaniaeth eglwysig Frytanaidd hon oedd John Foxe, a gyhoeddodd yn 1563 argraffiad cyntaf ei lyfr anferthol o ddylanwadol, *Acts and Monuments of Matters Most Speciall and Memorable, Happenying in the Church, with an Universall History of the Same.* Helaethwyd ef erbyn 1570. Y mae'r argraffiad hwnnw yn waith o 1400 tudalen mewn colofnau dwbl. Erbyn 1583 yr oedd yn ei bedwerydd argraffiad. A chan bwysiced ydoedd yng ngolwg yr awdurdodau, rhoddwyd copi ohono ym mhob eglwys gadeiriol yn Lloegr a Chymru, yng nghyntedd tŷ pob canon a deon ac esgob, ac ar fyrddau holl longau'r East India Company. Sôn am 'farsiandïaeth Calfari'![10]

Yng ngwawrddydd Oes Elizabeth, y cyntaf peth y mynnai Foxe ei 'brofi' oedd mai'r un un oedd ei Heglwys hi â'r eglwys a sefydlwyd ym Mhrydain gan y Brenin Lles yn 180 O.C. Gwelai bob gwrthdaro yn hanes Lloegr drwy'r canrifoedd – y Brytaniaid Cristionogol yn erbyn y Sacsoniaid paganaidd, yna'r Sacsoniaid Cristionogol yn erbyn y paganiaid o Lychlyn – fel brwydr arall yn y Rhyfel Ysbrydol rhwng Duw a Satan, a Duw o blaid y brodorion neu yn eu herbyn yn ôl ymlyniad eu brenhinoedd wrtho. Arthur yn dda, Hengist yn ddrwg. Lloegr, ebe Foxe, a roes Gwstennyn i'r byd, y Cwstennyn a Gristioneiddiodd Ymerodraeth Rhufain. Lloegr wedyn ymhen mil o flynyddoedd a gafodd yn Iorwerth y Trydydd 'the greatest bridler of the pope's usurping power and outrageous oppressions'. Lloegr yn y man a roddodd lais i Wycliff brotestio'r brotest fawr effeithiol gyntaf yn erbyn arferion a daliadau Pab Rhufain. Yr argraff a roddodd Foxe oedd mai Lloegr, crud y Wir Ffydd yn y Gorllewin, a roes gychwyn i'r

[9]Glanmor Williams, op. cit., t. 209.

[10]William Haller, "John Foxe and the Puritan Revolution," *The Seventeenth Century*, R. F. Jones et alia (Stanford, 1965) t. 221. Ibid., *Foxe's Book of Martyrs and the Elect Nation* (Llundain, 1963), passim. Christopher Hill, *Intellectual Origins of the English Revolution* (Rhydychen, 1965), t. 159.

Diwygiad Protestannaidd yr oedd hi fel llawer o wledydd Ewrop yn awr yn ei arddel.[11]

Y mae'r dull hwn o ysgrifennu hanes yn hen hen, wrth gwrs, mor hen â'r Testament Newydd, ac ymhlith y Cenhedloedd mor hen ag Eusebius; ond y mae'r ddyfais yn ffres. Camp fawr Foxe oedd dwyn cronicl hanes Lloegr a chofiannaeth ysbrydol ynghyd yn y fath fodd ag i roi i'r enw 'Lloegr' ac i'r enw 'Sais' arwyddocâd symbolaidd gwir nodedig. Nid Lloegr yw'r Eglwys ac nid Duw Lloegr yn unig yw Duw; er hynny, y mae Foxe yn honni bod yr elfennau gwrthgyferbyniol hyn, gwlad ac eglwys, Lloegr a Duw, yn dod ynghyd, – dros dro, nid hwyrach, ond y maent yn dod ynghyd serch hynny. Nid yw'n ormod maentumio bod Lloegr – yng ngwaith Foxe, yng ngweithiau ei ddilynwyr, ac yng ngweithiau rhai mwy apocalyptaidd eu bryd fel Hugh Broughton a Thomas Brightman – yn cael ei huniaethu ag Israel y dyddiau diwethaf; a bod yn yr enw 'Sais' rywbeth a ddyry iddo statws Cristion.[12] Erbyn yr ail ganrif ar bymtheg yr oedd gan rai Saeson olwg ddeuteronomig arnynt eu hunain: ymddyrchafasant uwchlaw cenhedloedd eraill drwy 'atgyfodi' hen gyfamod cenedlaethol yr Iddewon gyda Duw.

Dyna fi wedi sôn yn awr am ddau o'r grymoedd yr honnais ar ddechrau'r drafodaeth hon fod a wnelont â datblygiad ein cenedlaetholdeb diwylliadol ni'r Cymry, sef Protestaniaeth a Seisnigrwydd ymhongar Eglwys Loegr yn yr unfed ganrif ar bymtheg. Y mae'r pwyslais ar bwysigrwydd Lloegr yn awgrymu ein bod ymhell bell o

---

[11]John Foxe, *Acts and Monuments* (Llundain, 1583), tt. 101, 419, [422]ff.

[12]I gryn raddau dilyn darlleniad William Haller o waith Foxe a wneuthum yn y fan hon. Yr hyn sy'n ymhlyg yng ngwaith Foxe, ebe Haller, yw iddo gyflwyno i'r Saeson genedlaetholdeb apocalyptig mewn astudiaeth o Lyfr y Datguddiad, ac i hynny arwain ei ddarllenwyr i ystyried Lloegr fel y genedl etholedig. Y mae dau o'r ysgolheigion a aeth i'r afael â Foxe ar ôl Haller yn awyddus i groes-ddweud Haller. Deil Katherine Firth na fynnai Foxe ddim cyflwyno'r fath olwg ar bethau: 'universal meaning' a roddai Foxe i'r syniad o Eglwys, meddai hi, nid ystyr genedlaethol, a theyrnas a addawyd oedd teyrnas Crist iddo, nid teyrnas a wireddwyd yn Oes Elizabeth. Gw. Katherine R. Firth, *The Apolyptic Tradition in Reformation Britain 1530-1645* (Rhydychen, 1979), tt. 106, 108. Dywed Norskon Olsen, *John Foxe and the Elizabethan Church* (Llundain, 1973), t. 40, yr un peth pan fyn: 'no matter how much Foxe and the others sought to write on English Protestant history, they never isolated that history from the universal church. This point should be kept in mind when one evaluates to what extent . . . [they] intended to create a doctrine of the elect nation.' Os felly, sut mae egluro'r pwys anferth a ddyry Foxe ar seiliau'r eglwys Seisnig, ac ar ei ymdrech barhaus i beri gweld Elizabeth fel Cwstennyn newydd?

unrhyw arlliw o genedlaetholdeb Cymreig. Eithr y mae un grym i'w nodi eto, sef dyfod o'r Beibl i'n hiaith. Fe wyddoch hanes ei gael – y senedd yn pasio Deddf yn 1563 (blwyddyn cyhoeddi'r *Acts and Monuments* am y tro cyntaf, fel y mae'n digwydd), yr esgobion oll ond un yn ddi-hid, yna Richard Davies yn galw ysgolhaig Cymraeg mwyaf y dydd, William Salesbury, ato i Abergwili, a'r ddau yn paratoi'r Testament Newydd ac yn ei gyhoeddi yn 1567. Yna William Morgan yn 1588 yn rhoi inni'r Beibl cyflawn.[13] Y mae a wnelo dyfod y ddau waith, Testament Davies a Salesbury a Beibl William Morgan, â chreu ein cenedlaetholdeb diwylliadol.

Y mae Testament Newydd 1567 yn gyhoeddiad tra tra phwysig ynddo'i hun, wrth gwrs, ac yn gyhoeddiad pwysig iawn hefyd o ran arwyddocâd a dylanwad yr "Epistol" sydd megis rhagymadrodd iddo. Wrth enw Richard Davies, Esgob Tŷ Ddewi ar y pryd, y mae'r "Epistol," ond fel y dengys D. Myrddin Lloyd a Saunders Lewis yr oedd gan William Salesbury yntau ran yn ei gyfansoddi.[14] Yn y rhagymadrodd i *Oll Synnwyr Pen Kembro Ygyd* (1547) ac mewn llythyr atodiadol i *A Briefe and Playne Introduction Teachyng how to Pronounce the Letters of the British tong* (1550), yr oedd Salesbury eisoes wedi cyfeirio at hanes cael o'r hen Frytaniaid Ffydd Crist yn eu priod iaith, ac wedi hawlio bod ganddynt yr Ysgrythur Lân yn eu hiaith yn ogystal. Yn awr, yr oedd Davies a Salesbury eisiau argyhoeddi'r Cymry o ddau beth. Yn gyntaf, nad crefydd newydd oedd Protestaniaeth. Ac yn ail, nad 'ffydd Saeson' oedd y Brotestaniaeth honno – hynny yw, nad ffydd bragmatig ydoedd a osodwyd ar y Cymry drwy ddeddf gan Saeson a ddymunai am resymau anysbrydol anghyfreithloni hen grefydd draddodiadol Rhufain. Megis mewn gwrthgyferbyniad i'r hyn a gafwyd gan Foxe (a chan Matthew Parker a'i debyg), y mae "Epistol" 1567 yn hawlio mai hynafiaid y Cymry nid hynafiaid y Saeson oedd yr hen Frytaniaid a dderbyniodd 'ffydd Christ yn gyntaf vn o'r holl ynysoedd' ac a gadarnhawyd yn Gristionogion 'yn amser Lles vap Coel':

[13]Ceir y stori'n rhagorol gan Isaac Thomas, *William Morgan a'i Feibl / William Morgan and his Bible* (Caerdydd, 1988).

[14]Saunders Lewis, *Meistri'r Canrifoedd*, t. 127, lle cyfeirir at D. Myrddin Lloyd, "William Salesbury ac Epistol E. M. at y Cembru," *Cylchgrawn Llyfrgell Genedlaethol Cymru*, II, tt. 14-16.

> Y Brytaniait a dderbyniasont attunt gyfraith Dduw, gwir crefydd Christ, a'r Efengyl fendigedic, . . . ac ae cadwasont yn bur ac yn ddilwgr yn hir o amser yn lew ac yn ffynnedic.[15]

Llyfr hanes yw "Epistol" Richard Davies, molawd i'r Rhaglun-iaeth a wnaeth y Brytaniaid yn y seithfed ganrif yn anfoddog hyd yn oed i gyfarch gwell i'r Saeson ar ôl iddynt hwy dderbyn yr 'eilungristionogaeth' a ddug Awstin iddynt. Llyfr hanes a molawd, ie, ac adroddiad o'r helynt a fu arnom wrth i ni geisio cadw at y grefydd bur: y modd y'n hanrheithiwyd o'n llyfrau, gan gynnwys yr Ysgrythur Lân yn ein hiaith. Fel hyn y rhoddwyd ar ddeall i'r Cymry fod y cyfieithiad newydd hwn yn cynrychioli'r eildro iddynt gael Gair Duw yn eu meddiant. Cyn yr anrheithio, ebe Davies, 'diammay yw cennyf fod . . . y Bibl yn ddigon cyffredin yn Gymraeg'. Ac ym mharagraff clo'i "Epistol" y mae Richard Davies unwaith yn rhagor yn cyferbynnu braint y Cymro a difraint y 'Sayson gynt':

> Galw i th cof dy hen fraint a th anrhydedd mawr herwydd ffydd Christ a gair Duw a erbyniaist o flaen ynysoedd y byt. Crefydd Christ a th harddai am yt i gael yn gowir ac yn bur mal i dyscawdd Christ yw Apostolion ae ddyscyblon: ac yt i gadw yn berffaith ac yn ddilwgr, a phris gwaed dy ferthyron gwynfededic.

Yna ychwanega – ac y mae'r negyddol yn y fan hon yn eithriadol rymus – 'Ni ddigwyddodd hyny ir Sayson gynt'.[16] Yr hyn a wnaeth Richard Davies yma, heb os, oedd diffinio dwy nodwedd ein cenedlaetholdeb diwylliannol modern – ein braint yn cael Gair Duw i'n plith ar lafar ac ar lyfr o flaen neb, a'r ffaith mai nyni yw gwir ddisgynyddion y Brytaniaid, nid y Saeson. Am nifer o resymau – eglwysig a pholiticaidd – nid oedd yn hawdd i Richard Davies redeg ar y 'Sayson gynt' heb gyfeirio at y golud a ddaeth iddynt yn ddiweddar am 'dderbyn yr Efangel yn groysawus', ac am hynny y *mae*'n eu canmol.

Y pryd hwn, ac am ddwy genhedlaeth rhwng dyddiau Salesbury a dyddiau John Davies Mallwyd, yr oedd y ffaith fod arweinwyr eglwysig ac ysgolheigion blaenllaw yn mawrygu hanes y Brytaniaid

[15]Garfield H. Hughes (gol.), *Rhagymadroddion 1547-1659* (Caerdydd, 1951), t. 20.
[16]Ibid., t. 42.

yn gymwynas fawr â Chymreictod, oblegid yn yr unfed ganrif ar bymtheg anafwyd hunaniaeth a bri'r Cymry yn enbyd gan y rheini a soniai am eu gorffennol 'fel petai'n rhywbeth i chwerthin am ei ben', a hefyd gan y rheini a fynnai fod yr iaith Gymraeg yn anodd, yn drwsgwl, ac yn gas gan ei siaradwyr hi ei hun. Yr oedd cael yr Ysgrythur ynddi yn ei dyrchafu. Â'r Beibl ynddi, gallai ei phobl glywed yn eu hiaith eu hunain 'fawrion weithredoedd Duw' (Actau 2:11). Ond eu hiaith hwy hefyd, cofier, oedd iaith Prydain, 'y gyntaf o'r holl daleithiau i dderbyn enw Crist yn agored'.[17]

Yr ydym unwaith eto yn nhiriogaeth y ddamcaniaeth eglwysig Brotestannaidd, lle mae'r Cymry fel yr Israeliaid wedi cael y ffydd yn anrheg gan Dduw. Heb feddwl efallai am y defnydd ffansïol (neu ffyddiog-ffansïol) a wneid yn y dyfodol o'i ddatganiadau, ar ôl dweud y gobeithiai y byddai 'fy ngwaith bach i' – sef Gramadeg mawr 1621 – 'o ryw ddefnydd i'r Eglwys Frytanaidd', ysgrifenna John Davies ddarn cymharol helaeth ar debygrwydd y Gymraeg a'r Hebraeg, o ran ei llythrennau, gwraidd ei berfau, terfyniadau'r rhagenwau, cyfnewidiadau yn y rhannau ymadrodd, &c.: 'bron na ddywedech mai Hebraeg sydd yma.' Ymhellach, ebr ef, nid oes 'braidd dudalen o'r Hen Destament oll lle nad yw priod-ddull y Frytaneg yn fynych yn dynwared i'r dim briod-ddull yr Hebraeg.' Dywedasai Henry Salesbury beth nid annhebyg yn ei Ragymadrodd i'w Ramadeg yntau wyth mlynedd ar hugain ynghynt. O Fabel y daeth y Gymraeg, ym marn y ddau, wrth gwrs, a chytunai'r ddau ei bod 'yn un o'r mamieithoedd dwyreiniol, neu o leiaf ei bod yn ddisgynnydd uniongyrchol i'r mamieithoedd dwyreiniol'.[18] Pa mor flaengar bynnag yr oeddynt o ran doniau ieithegol – ac yr oedd Dr Davies Mallwyd yn gawr o ysgolhaig, – yn y Beibl, wedi'r cyfan, yr oedd yr unig esboniad dyladwy iddynt ar darddiad ieithoedd. Ac er na chyhoeddasant ar ei ben fod y Gymraeg yn chwaer-iaith i'r Hebraeg, yr oedd y syniad hwnnw yn ymhlyg yn eu gwaith i'r neb a fynnai ei ddehongli yn y modd hwnnw, ac yn bwynt arall i'w osod yn y ddadl 'genedlaethol' er afles i Loegr, nad oedd ei hiaith ond cymharol newydd.

Ni raid olrhain y syniad hwn i'w wraidd – dim ond nodi ei fod, ynghyd â'r syniadau a nodwyd eisoes am flaenoriaeth efengylaidd y

[17] *Rhagymadroddion a Chyflwyniadau Lladin 1551-1632*, t. 118; gw. hefyd nodyn 74 ar d. 174.
[18] Ibid., tt. 108-9, 98, 137.

Cymry, wedi praffu'r cenedlaetholdeb diwylliadol yr oedd yn rheidrwydd bron ar ddysgedigion Cymreig yr unfed ganrif ar bymtheg a dechrau'r ail ganrif ar bymtheg ei feithrin neu ddioddef gweld pob elfen o'u hunaniaeth yn cael ei llyncu gan y Lloegrgarwch a'r Seisnigrwydd ymosodol newydd a ffynnai dros y ffin.

Ym mha le y gwelir y syniadau hyn ar waith wedyn? Nid ydynt yn absennol o ysgrifeniadau Morgan Llwyd. Ond yno, er taered ei apêl ar i'r Cymro ddeffro, ar 'Ynys Brydain' y mae haul y Milflwyddiant ar godi, a'r gwaredigion yw'r rhai 'a olygant i'r bummed frenhiniaeth': sectyddol neu fudiadol, yn hytrach na chenedlaethol, yw cymdeithas y saint i Llwyd. Na, gwelir y syniadau 'cenedlaethol' hyn gliriaf a llawnaf yn nychymyg hanesyddol yr awdur Cymraeg a ddaeth fwyaf o dan ddylanwad John Foxe, sef Charles Edwards, awdur *Y Ffydd Ddi-ffuant*, – yn ail a thrydydd argraffiad y gwaith hwnnw, 1671 a 1677. Ef, dyledwr mwyaf yr arch-Sais Foxe, biau eu cyhoeddi orau yn yr ail ganrif ar bymtheg. Fel y darfu i Richard Davies 'ddwyn' ac addasu syniadau Parker, fe ddug Edwards syniadau a thystiolaethau oddi wrth Foxe, a'u hestyn hefyd, trwy wirio hynt a helynt ein hanes wrth yr Ysgrythur Lân. Y syniad a geir yn argraffiad cyntaf *Y Ffydd Ddi-ffuant* (1667), nad oedd yn ddim ond crynodeb eildwym o'r *Acts and Monuments*, yw mai Lloegr oedd prif wlad y Ffydd. Erbyn yr ail argraffiad yr oedd Edwards wedi darganfod Richard Davies a thrwyddo ef Gildas, ac yn yr argraffiad hwnnw, fel y trydydd, gosodir allan thesis hynod a ddaeth yn ddylanwadol dros ben.

Ni allaf wneud yn amgen na rhestru pum pwynt ei thesis, pum elfen yn ein cenedlaetholdeb diwylliadol:

(1) Cymru yw canol a chraidd *Y Ffydd Ddi-ffuant* yn awr. Ein 'gwladwyr ni' yw yr hen Frytaniaid. I'n 'gwlad ni' yr anfonodd Duw 'yr efengyl yn gynar', gan ei hanfon, sylwer, yn 'foddion rhydd-did ysprydol' 'wedi dyfod peth caethder bydol ar ein gwlad ni o Rhufain': a hithau mewn argyfwng gwleidyddol, danfonodd Duw yn rhagluniaethol gysur eneidiol iddi.[19]

(2) Gyda golwg ar debygrwydd yr Hebraeg a'r Gymraeg, myn fod 'ein Cenedl ni' wedi dyfod 'ar y cyntaf oddiwrth wledydd y dwyrain', a phrawf o hynny yw bod 'cymaint carenydd rhwng ein hiaith ni ag ieithoedd y parthau hynny', – rhywbeth na allai'r Saeson ymfalchïo

[19] *Y Ffydd Ddi-ffuant* (1677), t. 152.

dim ynddo, oblegid fel y mae llefariad y Gymraeg 'fel yr Hebraeg . . . yn dyfod oddi wrth gyffiniau y galon, o wraidd y geneu', daw'r Saesneg yn hytrach 'oddiar flaen y tafod'. Ac i 'brofi' ymhellach berthynas agos y Gymraeg a'r Hebraeg dyry Edwards yn niwedd ei lyfr lechres o "Eiriau Hebraeg . . . a arferir yn ein hiaith ni" a llechres o "Ymadroddion Hebraeg Cymreigaidd."[20] A yw'n rhyfedd fod rhai yn galw'r Gymraeg yn iaith y nef?

(3) Gan mai Israel oedd dewis genedl gyntaf Duw, a chan mai Cymru a gafodd yr efengyl gyntaf yn Oed Crist, nid yw'n rhyfedd yn y byd Ei fod yn gofalu trosti fel y gofalodd am Israel gynt. Rhaid bodloni ar rai enghreifftiau'n unig. Wrth adrodd am ymosodiad y Pictiaid a'r Saeson ar Gymru'r bumed ganrif, a'r modd yr anfonwyd hwy ar ffo drwy gynllwyn Garmon, yr hwn a gafodd ei ddilynwyr i grochlefain '*Alleluia*' deirgwaith, y mae Charles Edwards yn nodi bod y fuddugoliaeth yn 'debyg i un Gideon gynt' – Barnwyr 7:20 – 'pan ffôawdd gwersyll y Midianiaid wrth glywed rhai diarfog yn llefain *Cleddyf yr Arglwydd a Gideon.*' *Cyffelybiaeth* sydd yma. Yn y man, *datgenir* bod y Brytaniaid drwy'r canrifoedd wedi cael 'yr unrhyw rybuddion' ag a gafodd 'yr Israeliaid gynt o flaen eu caethiwed'. Cawsant hwy eu cludo i Fabilon. Caethiwed y Cymry oedd colli ohonynt eu crefydd bur pan 'ddelèodd y Saeson' hi tua 586 O.C. Ac nid oedd dim diben i'r Cymry, trwy Lywelyn ap Gruffydd nac Owain Glyndŵr, fwrw cystudd y Saeson oddi wrthynt 'cyn troi at Dduw drwy edifeirwch'.[21] Onid dyna neges proffwydi'r Hen Destament i Israel hithau? Y mae Cymru i Charles Edwards yn un â'r Israel honno.

(4) Lloegr yw'r wlad a'n caethiwodd. Hi oedd y wlad oddi amgylch a ddefnyddiodd Duw i'n cosbi am ein camweddau a'n gwendidau, 'gwialen fy llid' ys geilw'r Arglwydd Asyria yn Eseia 10:5. Y wlad ddethol gan Foxe, gan Edwards hi yw'r wlad ddifaol. Neu, yn gywirach, hi fu inni'n ddifaol am yn agos i fil o flynyddoedd (ac y mae i nifer y blynyddoedd arwyddocâd ysgrythurol mawr, wrth gwrs) rhwng 586 a 1588, pan fu, yng ngeiriau Hosea (a ddyfynnir gan Edwards), '*hîr gwyn rhwng yr Arglwydd a thrigolion ein gwlâd*'. Beth

[20]Ibid., tt. 395-420. Dywedodd Dafydd Ap-Thomas wrthyf flynyddoedd yn ôl fod y llechresi hyn yn profi na wyddai Edwards odid dim am yr Hebraeg; ond nid yw hynny'n effeithio dim ar eu harwyddocâd yn eu lle.

[21]Ibid., tt. 157, 185, 188.

ddigwyddodd wedyn, ar ôl myned heibio o'r mil blynyddoedd hyn? 'Yna y gallai un ofyn *pwy a gyfyd* Gymru, *Canys bechan yw?*' (Yn Amos 7:2 yr hyn a geir yw 'Pwy a gyfyd Jacob, canys bychan yw.') A'r ateb –

> *yr Arglwydd a'i cofiodd yn ei hisel radd o herwydd ei drugaredd*: a gweithiodd ei gwarediad fel un Israel yn amser Ahasuerus, ac Esther, drwy briodas.

Y briodas yn achos Cymru oedd honno rhwng Harri Tudur a'r 'frenhines weddw yr oedd ef yn ei gwasanaethu'. Canlyniad y briodas hon oedd gwneud caseion Cymru yn 'dirion wrthi, ai herlidwyr yn ddiddanwyr iddi'. Bellach, y mae'r Lloegr a fuasai gyhyd yn Babyddol ac yn elyniaethus tuag at Gymru, yn awr yn ei phurdeb Protestannaidd newydd yn gynorthwyol iddi: 'Y mae'r Saeson oeddent fleiddiaid rheibus, wedi myned i ni yn fugeiliaid ymgeleddgar' – drwy Ragluniaeth Duw.[22] Ond offeryn yw Lloegr o hyd. *Cymru* a achubwyd. Y Cymry yw'r genedl etholedig: hi yw'r un y gweithiodd Duw 'ei gwarediad fel un Israel'.

(5) Un o'r pethau mwyaf dadlennol yn *Y Ffydd Ddi-ffuant* yw'r modd y darlunia Edwards ddifrawder dwfn y bobl y mae ar yr un pryd yn eu dyrchafu'n genedl etholedig. Ond boddir y realiti mewn delfryd. A hynny drwy ddwyn syniad arall pwysig a geir yn yr Hen Destament, ac a fabwysiadwyd wedyn gan awduron y Testament Newydd, sef y syniad taw gweddill cenedl oedd yr Israeliaid a ddychwelodd o Fabilon (Eseia 7:1-9; 10:22, etc.). Gweddill oedd Cymry'r unfed a'r ail ganrif ar bymtheg i Edwards hefyd. Eithr gweddill – fel gweddill Israel – a oedd yn 'bentewyn . . . wedi ei achub o'r tân', dewisedig gan yr Arglwydd i geryddu pob gwrthwynebwr (Zechariah 3:2). Cysur y gweddill yw eu bod wedi eu cadw i ryw bwrpas. Y maent yn rhyw fath o ddarpar-fodolaeth, â'u swydd eto yn y dyfodol. Hwynt-hwy biau adeiladu'r hen ddiffeithdra a chyfodi 'anghyfanedd-dra llawer oes', ys myn Eseia 61:4 – adennill y gogoniant a fu, trin y dyfodol fel y bydd yn deilwng o'r gorffennol. Dyfynnais yr erfyniad sy'n cynnwys yr apêl hon yn *Y Ffydd Ddi-ffuant* o'r blaen. Y mae'n darn o ryddiaith hardd, ysgrythurol i'w wraidd, mor hardd ac mor berthnasol fel y dyfynnaf ef eto:

[22] Ibid., tt. 208, 210.

> Oh nad ymegniai'n cenedl i fod mor fywiog, ac mor wresog yn y grefydd Gristnogol ac y fu rhai o'n hen deidiau ni gynt. Troesant hwy Scotiaid, a Phichtiaid, a Germaniaid, a cenhedloedd eraill at ffydd Grist, ac a esceuluswn ni hi yn ein cartref ein hunain? yr oeddent hwy yn flaenaf, ac a fyddwn ninnau *yn olaf* yn achosion teyrnas nêf? yr oeddent hwy fel eryrod yn ymgais *â Haul y Cyfiawnder*, ac a fyddwn ninnau fel tulluanod yn hoffach gennym y tywyllwch? Na ddirywiwn, eithr fel *Naboth* glynwn yn y *Winllan* efengylaidd y sydd *dreftadaeth ein henafiaid: a rhodiwn fel plant y goleuni*: . . . Mal y gallo ein gwlâd a fu cyhyd dan wradwydd fyned yn enwog am rinwedd.[23]

I Charles Edwards, ynteu, nid bod yn Natur y mae Cymru, ond bod mewn Hanes, a bod o dan Drefn Duw, yn Ei ofal arbennig. Fel hynny i raddau y bodolai yn nychymyg meinach Richard Davies yn y ganrif o'i flaen ac yn nychymyg lletach (a lletchwithach) Theophilus Evans yn y ganrif ddilynol. Ond am fod Edwards wedi dwyn ei hanes i gynnwys ei oes ei hun, gan osod y cyfrifoldeb am gyflawni'r gorffennol yn y dyfodol ar y Cymry a'i darllenai, y mae dynamig y syniad hwn o weddill dibennol rhagluniaethol yn gryfach yn *Y Ffydd Ddi-ffuant* nag ydyw yn "Epistol" Davies a *Drych y Prif Oesoedd*.

Gofyn cwestiwn anachronistaidd yr ydys wrth ofyn sut y gallai Edwards ddal syniadau fel hyn. Y mae'n gwestiwn anachronistaidd am fod ei ffordd ef o ddarllen a dehongli'r Beibl yn gwbl wahanol i'n ffordd fwy gwyddonol ni o'i ddirnad. Fel y dywedais, yr oedd y Saeson yn synied amdanynt eu hunain yn yr un modd, ac Almaenwyr Luther hwythau. Erbyn yr ail ganrif ar bymtheg yn Lloegr yr oedd y syniad o Loegr fel cartref cenedl etholedig yn un o'r elfennau ffurfiannol yn natblygiad eschatoleg Plaid y Bumed Frenhiniaeth, a gredai mai ar orsedd wag Llundain yr eisteddai'r Crist ar Ei ail ddyfodiad. Dyma hefyd y syniad a roes nerth i'r Tadau Pererin fynd i'r Byd Newydd: gan mor ofalus ac anymosodol oedd polisi y Stuartiaid a chan mor ddefodol-geidwadol oedd uchel swyddogion Eglwys Loegr, o'u hystyried eu hunain yn 'weddill' pur, dyma benderfynu croesi eu Môr Coch eu hunain (sef yr Atlantig) i'w Canaan eu hunain (sef America). Beth a ddarfu'r Almaenwyr a'r Saeson a'r Cymry yn eu tro oedd ystyried y cyfamod rhwng Israel a

[23]Ibid., tt. 213-4.

Duw yn fodel o brynedigaeth y cenhedloedd, a chymhwyso hanes Israel i'w hanes eu hunain.

Ond beth oedd y ffordd hon o ddarllen y Beibl? Ffordd y gyffelybiaeth gyfatebol, chwedl I Pedr 3:21, sef ffordd teipoleg. Y mae'r Testament Newydd yn hawlio mor aml mai ynddo ef y cyflawnir yr Hen fel y gellir maentumio'n deg mai dyma'r ffordd fwyaf gweddus i ddarllen y Beibl, sef drwy weld yn ôl ac ymlaen, gweld Crist yn ail Adda, gweld ystlys y Croeshoeliedig yn ddrws Arch Noa, gweld bedydd yn wrthdeip i'r dilyw, etc. Y mae teipoleg felly yn ddull o feddwl ac yn ddull o ymadrodd sy'n unwedd â gweledigaeth o'r broses hanesyddol. Ei rhethreg hi a esgorodd yn y lle cyntaf ar y dyb fod ystyr a diben i hanes; hi a bair mai cyfeirio popeth i'r dyfodol, i Ddiwedd Amser, a wna'r hanesydd Cristionogol, chwyldroi trueni yn ogoniant-i-ddod. Noder mai un o'r ffeithiau hanesyddol pwysicaf ynghylch yr Hen Destament yw iddo gael ei greu gan genedl na lwyddodd erioed i goncro eraill a chynnull tiroedd yn ymerodrol. Daeth hanes i'r Israeliaid yn rhywbeth â'i fri yn y dyfodol. Yr un fel, bri'r Cymry gan Charles Edwards.

Y mae hon yn elfen gref yn nychymyg llawer o Gymry o hyd, – ac fe'i cysylltir o hyd, trwy eiriau onid trwy ffydd, â Duw, â'i waith yn y brynedigaeth, oherwydd sonnir o hyd ac o hyd mewn rhai cylchoedd am 'achub' yr iaith, 'achub' y genedl. Er gwaethaf yr anhrefn a'r gofid y sydd, cred ymhlyg y rhai sy'n siarad fel hyn yw y cawn ein harwain at ryw nod.

Nid yw'n bosibl yma olrhain y weledigaeth feiblaidd ac Edwardsaidd hon i lawr y canrifoedd. Ac, a dweud y gwir, nid wyf i'n siŵr a yw hi ar gael yn ei holl rym yn unlle ac eithrio yn ailargraffiadau ei gyfrol glasur ef. Y mae darnau ohoni yn Theophilus Evans, a darnau ym *Merthyr-draith* Thomas Jones. Yn sicr, nis ceir yn llenyddiaeth y Methodistiaid cynnar, er bod Pantycelyn mor barod â'r un i weld y cyswllt rhwng yr Eglwys Fore a Chwstennyn a Wycliff a'r Diwygiad Protestannaidd a'r Diwygiad yr oedd ef ei hun mor flaenllaw ynddo. Nid achubiaeth Cymru yn y meddwl a'i diddorai ef, ond achubiaeth brofiadol yr unigolyn o Gymro, a ddaw drwy'i achubiaeth yn aelod o lwyth ryngwladol y gwaredigion. Ac er mai 'O! Gymru, dal yr hyn sydd genyt, fel na ddygo neb dy goron di' yw un o frawddegau olaf *Drych yr Amseroedd*, ac er bod y llyfr yn frith o gyfeiriadau beiblaidd a ddengys i'r dim i ba ysgol o haneswyr y perthynai Robert Jones Rhos-lan, yma eto nid cenedlaetholdeb a bwysleisir ganddo ond yr Efengyl ddiwygiadol wrth ei gwaith ym mhersonau'r diwygwyr a'r diwygiedig.[24]

Bron nad awn i mor bell â dweud hyn: sef fod haneswyr a llenorion eraill o Gymry wedi defnyddio, mabwysiadu, ymddiried ym myth y genedl etholedig (dewiser y berfenw a fynner) i'r graddau bod ei angen arnynt i gynnal eu ffydd yn nibenoldeb hanes eu gwlad. I ateb drwgdybiaeth y Cymry o Brotestaniaeth y defnyddiodd Richard Davies y ddamcaniaeth ynghylch yr Eglwys Apostolaidd. I ddeffroi gwlad a oedd yn arafaidd a hirymarhous i groesawu'r Beibl a manteisio ar ei fendithion yr hyrwyddodd Charles Edwards ei thesis. Â llwyddiant efengylaidd yn rhan hanfodol o'u profiad bob dydd, nid oedd *raid* i'r Methodistiaid wrth y myth. Ar y cyfan, gellir yn deg honni mai arf argyfwng yw'r apêl at hanes.

Deisyfaf eich caniatâd yn awr i neidio i'r ugeinfed ganrif. Ysgolheigion o haneswyr oedd y rhai gynt y lliwiwyd eu dychymyg hanesyddol gan y Beibl. Yn ein canrif ni – yn y tridegau pan ysgrifennodd R. T. Jenkins ei erthygl ar "The Development of Nationalism in Wales," fel yn ystod y blynyddoedd diwethaf hyn, – beirdd (gan mwyaf) yw'r awduron y lliwiodd y Beibl eu dychymyg hanesyddol, beirdd, gyda llaw, ac nid yw'r ffaith yn ddiarwyddocâd, a oedd ac y sydd hefyd yn ysgolheigion, ond a ddewisodd, wrth roi mynegiant i'w gweledigaeth hanes, anwybyddu egwyddorion modern eu hysgolheictod, neu o leiaf a ddewisodd beidio â gadael i'w crebwyll beirniadol fennu arni. Wedi'r cyfan, ymwneud â ffaith y mae ysgolheictod ein dydd; i ffydd y perthyn y weledigaeth hanes a gyfyd o'r Beibl.

Hoffwn edrych, yn fyr, ar rai o gyfansoddiadau'r beirdd hyn, a nodi rhai pethau ynglŷn â hwy, – Saunders Lewis, Gwenallt, a Bobi Jones ymhlith y beirdd; ond hoffwn orffen gyda'r hanesydd Ambrose Bebb.

Y mae cysylltiad calendraidd cryf rhwng Charles Edwards a Saunders Lewis. Yn 1936 cyhoeddodd G. J. Williams 'argraffiad cyfatebol' o *Y Ffydd Ddi-ffuant*. Dyna flwyddyn llosgi Penyberth. A gaeaf 1936-37 oedd gaeaf ysgrifennu *Buchedd Garmon*, yn yr hon y ceir y crynhoad enwocaf yn y Gymraeg o'r weledigaeth hanes y buwyd yn sôn amdani: '. . . Fel y cadwer i'r oesoedd a ddêl y glendid

[24]Robert Jones, *Drych yr Amseroedd* (Trefriw, 1820), t. 205.

a fu.' Er mwyn sicrhau gogoniant y gorffennol yn y dyfodol rhaid i rywun neu rywrai wneud rhywbeth yn awr: 'Sefwch gyda mi yn y bwlch'. Prin fod eisiau atgoffa neb mai delwedd y winllan yw delwedd lywodraethol yr araith odidog gan Emrys y mae'r llinellau uchod yn perthyn iddi, sef y winllan y dywedodd Naboth amdani yn I Brenhinoedd 21:3 mai hi oedd 'treftadaeth fy hynafiaid'. Cystal eich atgoffa mai dyma'r ddelwedd am Gymru gan Charles Edwards ym mharagraff clo ei adran ar Gymru yn *Y Ffydd Ddi-ffuant*. Ond os – ac os o gadarnhad ydyw – os gwelodd Saunders Lewis Gymru fel y gwelodd Edwards hi, yn wlad a fodolai mewn hanes dan Drefn Duw, yn wlad â diben iddi, noder mai fel cenedl yn perthyn i undod daearyddol mwy o lawer y gwelai ef hi ym *Muchedd Garmon*. A'r lleiaf o ddynion, y porthor yn Auxerre, a gaiff y fraint o gyhoeddi hynny:

PORTHOR.	. . . O ba wlad y daethoch, wŷr da?
PAULINUS.	Tros fôr a thiroedd eithaf yr ymerodraeth, Cenhadon o wlad y Brythoniaid.
PORTHOR.	Undod yw gwledydd cred. Cyd-ddinasyddion yw gwerin Crist.

Gwelais o'r blaen ironi a pharadocs yn y ffaith fod Charles Edwards wedi mabwysiadu'i genedlaetholdeb diwylliadol wrth ymborthi ar genedlaetholdeb Seisnig John Foxe. Yng ngwaith Saunders Lewis yr ironi yw ei fod ef, nid yn annaturiol, yn rhoi gwedd Babyddol ar y weledigaeth Brotestannaidd-genedlaethol honno. Bob tro y clywch adrodd araith Emrys o lwyfan, neu yn wir o bulpud (ac fe'i clywais, fel chi, y mae'n siŵr, o bulpudau Anghydffurfiol), fe glywch ei hadrodd hyd at y geiriau 'y glendid a fu.' Eithr nid dyna uchafbwynt yr araith mewn gwirionedd. Gan gyfeirio at 'Gymru fy ngwlad' myn Emrys ymhellach –

> A hon, fy arglwydd [Garmon], yw gwinllan d'anwylyd di,
> Llannerch y ffydd o Lan Fair i Lan Fair.[25]

Ni waeth fod y pwys symbolaidd a roddir yma ar Fair braidd yn gynamserol, y mae arwyddocâd y dweud yn gwbl glir. Yr oedd Saunders Lewis eisoes yn aelod o Eglwys Rufain, a rhan o'i

[25]*Buchedd Garmon. Mair Fadlen*, tt. 17, 48.

genhadaeth mwyach fyddai cysylltu'i Gymru ef â'r Gymru a berthynai gynt i Rufain.

Y mae tipyn o liw a blas Pabyddol ar y weledigaeth o Gymru sydd yng ngwaith Gwenallt yntau, er taw Protestant ydoedd, ond Protestant a fflyrtiai weithiau gydag Eglwys Rufain. Ar Fair y gweddïa am gymorth yn "Ar Gyfeiliorn"; rhwng 'Ei breichiau Hi' y gorwedd iechydwriaeth yn y soned "Fenws a'r Forwyn Fair"; ac er y gellir cysylltu'r saint a'r merthyron y sonia amdanynt yn "Cymru" gyda merthyron gwynfydedig "Epistol" Richard Davies, yn fy myw ni allaf i synied amdani fel cerdd Brotestannaidd.[26]

Yn nychymyg y ddau, Saunders Lewis a Gwenallt, yr oedd y syniad fod hanes a thraddodiad yn un llinell hir yn arwain i ddiweddglo yn syniad cryf iawn. Ac yn Gwenallt, y syniad fod tir Cymru fel tir yr Israeliaid gynt yn un a sangodd Duw. Coffa da am

> A bu'r Ysbryd Glân yn nythu,
> Fel colomen, yn dy goed.

Nid yw'r dweud yn ei gerdd goffa i Prosser Rhys cweit mor hapus:

> Ac anodd yw cerdded un o lwybrau Cymru
> Heb daro rywle yn erbyn Duw.[27]

Ond y mae Gwenallt yn bwysig bwysig, mi gredaf, am ddatblygu yn ein llenyddiaeth ddiweddar agwedd arall ar y weledigaeth hanes yr ydym yn ddyledus i'r Beibl amdani – agwedd a berthyn yn ddiau i gyfrodedd y syniad o genedl etholedig. Sef yw honno, yr alarnad. Cwyn y presennol yn erbyn y dirywiad a fu (neu a dybir a fu) ers y gorffennol gogoneddus yw'r alarnad. Y mae'n dechrau yn gynnar yn yr Hen Destament, y mae'n atsain drwyddo, yn fygythiad ac yn ddamnedigaeth barhaus. Y mae eto yn *Y Ffydd Ddi-ffuant.* Ac yn ein canrif ni yn Gwenallt. Yn ddiwinyddol ni wn i ddim pa werth sydd iddi; ond yn seicolegol y mae, heb os, o werth, achos y mae cymell ar bobl ddiwygiad nad yw byth yn dod o leiaf yn gydnabyddiaeth o ddyletswydd. Y mae Gwenallt droeon yn ei farddoniaeth yn gwysio rhyw orffennol mytholegol, nid yn ogymaint i geisio gan y presennol ei efelychu, ond yn bennaf dim i geisio cynnydd a gwellhad.

[26]*Ysgubau'r Awen*, tt. 28-9, 93.

[27]Ibid., t. 26; D. Gwenallt Jones, *Eples [:] Cyfrol o Farddoniaeth* (Llandysul, 1951), t. 33.

Bardd arall a'n gwêl yn genedl etholedig drwy sbectol ysgrythuraidd (ond ei bod hi'n sbectol dywyll mewn mannau) yw Bobi Jones, a gyhoeddodd yn 1986 glamp o gerdd o'r enw *Hunllef Arthur*. Ynddi y mae Arthur (yr hwn, yn ôl un chwedl, oedd â'i lys yn Afallon, lle pregethodd Joseff o Arimathea gyntaf oll) yn ymrithio yn nifer o bobl drwy hanes Cymru – yn Gadog, yn Owain Glyndŵr, yn Charles Edwards, yn Dwm Siôn Cati, &c. – a'r rhan amlaf yn bathetig o fethiannus drwy Gymru druenus, bitw, gwbl gondemniedig yn herwydd ei gwaseidd-dra di-weld hi ei hun. Ond ar ei diwedd, ar ôl ugain mil a mwy o linellau'n dramateiddio'n damnedigrwydd, dywed y bardd: 'O'r hunllef . . . mi enir rhywbeth.' Mewn geiriau eraill, fe ddaw gwaredigaeth. Dyna'r nodwedd Jeremeiaidd y sylwasom arni yn Gwenallt ar waith eto. Yr ail nodwedd Hen-Destamentyddol sy'n amlwg yn *Hunllef Arthur* yw'r gred fod cenhedloedd eraill, Lloegr yn ein hachos ni wrth gwrs, yn cael eu defnyddio mewn hanes i brofi ac i gosbi'r genedl etholedig. Ffieiddir wrth Seisnigrwydd ac wrth safonau Lloegr, er mai *via* Lloegr y daeth ei Galfiniacth i'r bardd; dilornir y Dadeni Dysg (a ddaeth, eto, i Gymru drwy Loegr), ond hebddo ni fyddai Gair Duw gennym yn ein hiaith – yn wir, ni fyddai gennym iaith ers cantoedd.

Beth sydd yma? Ai celwydd? Ie, o fath; ac eto, nid yn hollol. Epig hanes yw *Hunllef Arthur*, epig math arbennig o hanes. *Weltgeschichte* yw'r hyn a elwir gennym ni heddiw yn hanes, ymgais lawn i ateb y cwestiwn 'Pa beth a welswn pe bawn i yno?' Yr hyn y mae'r Beibl a Bobi Jones â diddordeb ynddo yw *Heilsgeschichte*, hanes gweithredoedd Duw a pherthynas dynion â hwy. Y mae Bobi Jones fel petai'n dweud 'Efallai nad fel hyn y bu; ond os na welwch bethau fel hyn fe gollwch bwynt y cyfan i gyd.' Mewn *Weltgeschichte*, ni cheir ailadrodd, ni cheir patrwm pendant. Ond dyna hanfod *Heilsgeschichte*. Dyna hanfod hanes yn yr Hen Destament, dyna hanfod *Hunllef Arthur*.

Ond pa werth sydd yna i adrodd yn ffals am hanes a'i ystumio yn ôl rhyw weledigaeth hynafol estron? Un o ddibenion llenyddiaeth (a phob celfyddyd) yw gweld posibilrwydd o rywbeth amgen yn yr hyn sydd. Weithiau, ceir darn o lenyddiaeth sydd yn anuniongyrchol yn annog ei gynulleidfa – cenedl y Cymry yn achos *Hunllef Arthur* – i ddilyn rhaglen o weithredoedd sydd, heb lwyr anwybyddu hanes, yn ei gosod ei hunan i fyny fel peth gwrthwynebus iddo. Er mor annhebygol yw'r fuddugoliaeth ar realiti, 'O'r hunllef' – ac mi ddyfynnaf y llinellau'n llawnach beth y tro hwn a phwysleisio arwyddocâd yr ansoddair cyntaf –

> O'r hunllef – drwy gwsg ailadroddus hir
> . . . – mi enir rhywbeth.[28]

Fe eill eich bod yn anesmwyth ynghylch dau beth. Yn gyntaf, y ffaith fy mod i wedi sôn am haneswyr a beirdd yn yr un gwynt. Y cyfiawnhad dros wneud hynny yw mai cynnyrch yr un math o ddychymyg oedd ac ydyw eu gwaith (y gweithiau a drafodais, ta beth), sef y math o ddychymyg a fyn drin hanes fel disgrifiad ac esboniad o ryw drefn, ac a wêl, ar y naill law, arwyr ac arwriaeth, ac ar y llaw arall elynion a gelyniaeth. Y mae cyfiawnhad arall yn ogystal, sef y ffaith fod hanes fel gwyddor wedi newid yn o arw er pan oedd Richard Davies neu Charles Edwards yn ei harfer. Er mai *fel hanes* – hanes moliannus, hanes yn cyfiawnhau, – yr ysgrifenasant hwy eu gweithiau, erbyn hyn, gan mor glwm yw eu hadroddiadau wrth fythau, a gysylltir yn ein dwthwn ni gyda barddoniaeth a ffuglen, i diriogaeth y bardd y perthynant yn ôl ein dosbarthiad ni o lên.

Yr ail beth a allai fod wedi peri anesmwythyd i chi yw hyn, eich bod yn ei chael hi'n anodd i dderbyn gweledigaeth bardd fel Gwenallt neu fel Bobi Jones. Ac eto, fel yr awgrymais gynnau, y mae'r syniad o 'achub' yn elfen gref yn ein cenedlaetholdeb diwylliadol o hyd, – ac weithiau yn ein cenedlaetholdeb *gwleidyddol* hefyd. Wrth wrando ar ambell araith wleidyddol-gymdeithasol gan rai o Gymdeithas yr Iaith, neu wrth ddarllen ambell erthygl wleidyddol gan amddiffynwyr y Ffordd Gymreig o Fyw, byddaf yn meddwl ein bod yn edrych ar ein hanes yn nhermau *Heilsgeschichte* pan fyddai'n onestach ac yn fwy llesol i ni edrych arno o safbwynt cywirach *Weltgeschichte*. Y mae credu'n gydwybodol, er enghraifft, fod yna Gymru wych fendigaid yn rhywle yn y gorffennol y gallwn efelychu'i gogoniant eto rywbryd, yn rhwym o greu disgwylgarwch anystyriol a dry yn y man yn rhwystredigaeth chwerw. Dyna berygl cymysgu'r ddau fath ar hanes. Ar yr un pryd, na ddirmygwn ein mythau, achos y mae mythau gwaredigol yn sôn am bethau nad yw hanes gwyddorol y cyfnod

[28] Bobi Jones, *Hunllef Arthur* (Llandybïe, 1986), t. 239. XXIV, ll. 865-6.

modern yn ein hannog i gredu ynddynt o gwbl: gweledigaeth, gobaith, nod, ymdrech ysbrydol. Yr ydym ni'n trigo mewn oes ac mewn awyrgylch deallusol a gollodd bob golwg ar nodwedd amlycaf y myth traddodiadol, sef fod yna fodel neu gynllun o ddigwyddiadau sydd yn ei ailadrodd ei hun yn gyson, – yn gyson ac yn gysurlon. Rhan o'r drafferth, wrth gwrs, yw bod Gwyddoniaeth wedi dysgu inni adnabod myth am yr hyn ydyw, lle gynt, yn y cyfnod cynwyddonol, yr oedd fel trydan yn yr awyr, yn rymus o anniffiniedig. A heddiw y mae'r mwyafrif ohonom yn tybied na welwn ddim yn hanes ond yr amryw dreigliadau y mae newidiaeth ac amser yn eu naddu.

'Empeirydd ydoedd [R. T. Jenkins] fel hanesydd,' ebe R. Tudur Jones yn *Y Traethodydd* Coffa.[29] Casglwr a pharchwr ffeithiau, ie, ac un at hynny, am ei fod yn dal mai gwaith a phrofiad dynion a gorfforai hanes, a fynnai eu hadnabod yn eu hoen ac yn eu hoes. Nid da ganddo y thesis ysgubol maith. Cyfeiriais bron ar ddechrau'r bennod hon at ei wrthwynebiad i erthygl W. Ambrose Bebb ar dair anffawd fawr Cymru (ys mynnai W. A. B.). Yr anffawd gyntaf i Bebb oedd colli ohonom ein hannibyniaeth; yr ail oedd gwaith y Tuduriaid yn ein 'rhyddhau' ni i fod yn Saeson, i anghofio pethau gorau'n cenedl ein hunain; a'r drydedd anffawd oedd cael gan y Cymry 'yr hawl i anfon cynrychiolwyr i Senedd Lloegr'.[30] Yr wyf yn amau a fyddai R. T. wedi cymryd fawr o sylw o'r erthygl hon oni bai i Bebb, ar ei diwedd, apelio'n wleidyddol at hanes. Onid da gan R. T. Jenkins y thesis ysgubol maith, nid da ganddo chwaith y seians a ddangosai rhai haneswyr ac awduron eraill wrth drafod y gorffennol yn ffansïol. I Saunders Lewis, i Gwenallt, i Bebb, – y rhai *doctrinaire*, – yr oedd i ddigwyddiadau eu llefydd mewn patrwm, yr oedd iddynt eu harwyddocâd cynlluniedig. Dyna'r math o ddychymyg a feddent; ac yn y patrymau a welent yr oedd rhai pethau, rhai agweddau ar wareiddiad, yn bwysicach nag eraill, fel yr oedd rhai gwledydd o fri uwch na gwledydd eraill. Nid un fel hynny oedd dychymyg mwy hiwmanistaidd a di-lol R. T. Jenkins.

A byddaf yn meddwl weithiau mai'r hyn sy'n crynhoi yn fwyaf ysmala y gwahaniaeth rhyngddo fe a'i gyfoeswyr mwy athrawiaethol

[29]R. Tudur Jones, " R. T. Jenkins: Yr Hanesydd Eglwysig," *Y Traethodydd*, cxxv. 535, Ebrill 1970, tt. 90-1.

[30]Wm. Ambrose Bebb, op. cit., tt. 103-4.

yw rhan olaf yr adolygiad ffraeth a gyhoeddodd yn *Y Llenor* yn 1936 (dyna'r flwyddyn yna eto) ar lyfr Bebb, *Crwydro'r Cyfandir*. Yno, ar ôl dirmygu'r 'Celtigrwydd' a barai i Bebb a'i debyg ymddwyn yn frawdol tuag at y Llydawiaid, ac ar ôl ei rhoi hi i Bebb am edmygu gwŷr atgas yr *Action Française*, y mae R. T. yn troi'r stori ac yn beirniadu agwedd Bebb at yfed te:

> Gellid meddwl yn wir fod tê yn llwyr anghymhwyso dyn i fyw yn yr hyn a elwir gan gyfaill yn 'Wareiddiad y Gorllewin.' [Sylwch, ni fyn *ef* ddiffinio peth mor amorffus: 'cyfaill' sy'n gwneud hynny.] Ac yn sicr fe awgrymir na all yfwr tê dreiddio i wir adnabyddiaeth o fywyd y Cyfandir.

Yn Ffrainc, ebe Bebb, rheitiach yfed coffi. Ond ebe Jenkins:

> Nid yw hyd yn oed ei apêl at Hanes yn helpu Mr. Bebb yma; oblegid nid yw coffi chwaith yn rhan o etifeddiaeth y Ffrancwr – nid yw coffi'n fawr hŷn na thê.

Gwin sydd orau, wrth gwrs, ebe crwydriaid y Cyfandir: 'y gwinoedd lleol,' yn ôl Bebb. Eithr 'Byddaf yn amau'n aml iawn,' meddai R. T. Jenkins eto, 'mai mursendod ydyw llawer o'r sôn yma am winoedd.' Yna, gan droi'r dŵr i'w felin ei hun (os maddeuwch yr ymadrodd), y mae'n nodi bod modd i ddynion ddod yn arbenigwyr ar de fel ar goffi, fel ar win, ac y mae'n mawr obeithio y bydd rhai o'i gyfeillion, sef Saunders Lewis a Bebb heb os, 'yn barod i gymryd i fyny'r astudiaeth newydd hon.' A dyma sut y daw'r adolygiad difyr a dadlennol hwn i ben – gyda *parting shot* yn llythrennol:

> Bron na welaf olygfa braf yn y dyfodol pell – Prif Weinidog Cymru a'i Weinidog Addysg, ar dro yn Llundain i sgriwio rhyw gytundeb newydd allan o'r Weinyddiaeth Seisnig, wedi troi i mewn i siop dê fechan ddinod yn encilion Soho. Ac meddai'r Prif Weinidog: "'Rannwyl fawr, Bebb, dyma'r tê gorau gefais i ers blynyddoedd! 'Rwy'n siŵr mai Lapsang 1886 ydi o, . . . h'm, . . . *efallai* 1894, . . . glywch chi flas y tar arno fo? (*yn synfyfyriol*) yr hen Jenkins, druan, ddaeth â Lapsang i'm sylw i gynta', . . . mewn rhyw hen gaffi bach tywyll ar y Montparnasse – *La Théière D'Argent*, os ydw i'n cofio'n iawn . . . mi wela'r lle'r funud 'ma, . . . (*yn grynedig*) yr hen Jenkins, yntê? . . . yr hen greadur, . . . on'd oedd hi'n biti inni orfod i saethu o yn '42?"[31]

[31]R. T. Jenkins, "Cwpanaid o De gyda Mr. Ambrose Bebb," *Y Llenor*, XV. 1, Haf 1936, tt. 82, 86-7. Cf. *Cwpanaid o De a Diferion Eraill*, tt. 43, 46-7.

3

'CANYS BECHAN YW': Y GENEDL ETHOLEDIG

Y mae geiriad y testun hwn yn amrywiad bychan ar eiriau a welir yn llyfr un o'r proffwydi yn yr Hen Destament, sef yn yr ail a'r bumed adnod o seithfed bennod Llyfr Amos. Cystal i mi'ch atgoffa bod y proffwyd yn yr ychydig adnodau hyn yn apelio ar yr Arglwydd i arbed Israel rhag y gosb a arfaethodd Ef ar ei chyfer. Y mae hi'n fodlon, onid yn wir yn lwth, yn ymfoethi mewn digonedd a meddalwch; ac y mae ei Harglwydd Dduw yn grac wrthi. Dyma sefyllfa a welir droeon a thro yn y Beibl. Dynol ryw yn bodloni'r cnawd, a Duw, gwneuthurwr y cnawd, yn condemnio'r peth. 'Gwae y rhai esmwyth arnynt yn Seion': dyna'r gŵyn. 'Gorwedd y maent ar welyau ifori, ac ymestyn ar eu glythau, . . . y rhai a yfant win mewn ffiolau, ac a ymirant â'r ennaint pennaf': dyna'r byr ddisgrifiad o ymddygiad y ffiaidd ddynion esmwyth hyn. Nid oes dim amdani ond eu dinistrio. Ebe Amos: 'Tyngodd yr Arglwydd Dduw iddo ei hun, Ffiaidd gennyf odidowgrwydd Jacob, a chaseais ei balasau: am hynny y rhoddaf i fyny y ddinas ac sydd ynddi'. Yna, yn yr argyfwng sy'n dilyn damnedigaeth o'r fath, wele fe ymddengys y proffwyd fel cymodwr. Arglwydd, ebe Amos, os difethi di Israel, pwy fydd yno i'w hadfer ddydd a ddaw? A sut all hi adennill ei pharch a'i nerth a'i heconomi? Neu, yn union eiriau Amos ei hun fel y'u ceir yn y seithfed bennod a'r ail a'r bumed adnod yn y Beibl Cymraeg, 'Arbed, Arglwydd, atolwg: pwy a gyfyd Jacob, canys bychan yw?'

'Canys *bechan* yw' yw teitl y bennod hon gennyf i. Paham y newid? meddir. Wel, yn 1936 cyhoeddodd yr ysgolhaig mawr Griffith John Williams argraffiad ffotograffig o un o glasuron rhyddiaith y Gymraeg, *Y Ffydd Ddi-ffuant* gan Charles Edwards, fersiwn 1677, – llyfr sydd, yn anad dim, yn ymgais i ddisgrifio Cymru yn nhermau Israel, Cymru fel ail Israel, fel dewis genedl Duw y tu allan i'r Beibl. Yn unol ag arfer awduron Cristionogol yr oesoedd a fenthycodd syniadau ysgrythurol, y mae Charles Edwards hefyd yn benthyca ymadroddion ysgrythurol i roi mynegiant iddynt. Ac wrth ystyried 'mor ddwys y darfu i'n henafiaid ni ddigio Duw', ebe fe: 'Yna y gallasai un ofyn *pwy a gyfyd* Gymru, *Canys bechan yw*?' Jacob yn wrywaidd, yn fychan; Cymru'n fenywaidd, yn fechan. Ond yr un yw'r cwestiwn, a'r un yw'r gyfundrefn fawr o syniadau a rhagdybiadau sydd y tu ôl iddo, yn Israel yn amser Amos yn yr wythfed ganrif cyn Crist ac yng Nghymru'r ail ganrif ar bymtheg. Charles Edwards a roes y mynegiant cyfoethocaf oll o'r thema hon yn llenyddiaeth y Cymry. Griffith John Williams oedd y cyntaf yn y ganrif hon i sylweddoli ei bwysigrwydd ef fel awdur. Am hynny y penderfynais draethu ar y mater hwn, fel act o *bietas* i goffáu ysgolor a oedd hefyd yn genedlaetholwr cywir, unplyg, tra disgybledig – mor gywir, mor unplyg, mor ddisgybledig fel na allaf feddwl iddo am eiliad lyncu'n ddihalen ein hetholedigaeth honedig fel ffaith, eithr fel myth, fel rhan o batrwm ein meddwl dychmygedig amdanom ein hunain.[1]

Ac nid yw'r weledigaeth honno'n sarn hyd yn oed heddiw. Nyni a soniwn am achub yr iaith ac am arbed y genedl, yr ydym yn defnyddio iaith y weledigaeth honno mewn addysg fel mewn gwleidyddiaeth. Ac mewn barddoniaeth, wrth gwrs. *Wrth gwrs*, meddaf, am fod barddoniaeth yn cadw'n fyw bob hen shiboleth. Barddoniaeth yw *preservative* pob henbeth mewn gwareiddiad, cadwedydd y dieithr a'r difancolledig. Byddaf yn manylu ymhellach ar y pwynt hwn yn nes ymlaen. – Ond cyn symud cam ymhellach cystal nodi'r hyn sydd eisoes yn amlwg, sef mai'r hyn a barodd i Amos apelio at yr Arglwydd Dduw ar ran Israel oedd ei syniad delfrydol ohoni fel morwyn Iawe, fel Ei ffefryn nasiwn ymhlith y gwledydd. Cyn-aelod o Goleg Caerdydd yw un o'r beirdd hynny yn y blynyddoedd diwethaf hyn a ddatganodd orau am y *Gymru* ddelfrydol hithau, sef Pennar Davies, a oedd yn fyfyriwr yn yr Adran Saesneg yn y tridegau. Ysgrifennodd ef mewn rhyddiaith ac mewn mydr ddarnau lawer yn mynegi gogoniant duwiol Gwalia, ond dim byd mor noeth-ddelfrydol â'r soned hon, "Cymru," a gyhoeddwyd yn y gyfrol *Yr Efrydd o Lyn Cynon a Cherddi Eraill*, 1961:

Fy Nghymru wen, rhaid bod y Nef yn lân
  Os yw'n rhagori ar dy lendid di:
Y foel dan heulwen, meysydd, cymoedd, cân
  Ehedydd, bronfraith, eos – gyda si

[1] Yn wreiddiol testun Darlith Goffa G. J. Williams, Prifysgol Cymru, Caerdydd, 1994, oedd y bennod hon.

Deheuwynt yn y bedwlwyn, bwrlwm nant,
Cainc ceiliog rhedyn, dwndwr môr ar draeth –
Y bannau er-cyn-cof a chwerthin plant,
Y n'ad-fi'n-angof mân a'r werin ffraeth! –

Mawl yw dy geinder, gwyrth dy hanes, wlad.
Ond wele drais, caethiwed, malltod, loes.
I wlad sydd well y trôdd dy saint i fyw:
Y Gymru yn y Nef lle nad oes frad,
Y Gymru gyfiawn 'geir yn Iawn y Groes,
Y Gymru rydd yn rhyddid meibion Duw.[2]

Rhaid bod rhywbeth yn y bwyd a roid i fyfyrwyr Caerdydd ers llawer dydd, neu fod rhyw gemegyn gwefreiddiol yn awyr ystafelloedd yr hen le a effeithiai'n rhyfedd ar ambell un a'i hanadlai. Achos fe geir yng ngwaith un arall o efrydwyr y coleg, bardd iau na'r crybwylledig Bennar, gryn ymhél â'r syniad hwn o genedl etholedig. Bobi Jones yw hwnnw, y caf drafod ei *Hunllef Arthur* mewn pennod arall.

'Canys bechan yw.' Fe allwn fod wedi rhoi teitl symlach ac amlycach ar hyn o lith, sef 'Canaan a Chymru,' cymal a ddigwydd yn llinell olaf un o gerddi enwocaf Gwenallt, "Sir Forgannwg a Sir Gaerfyrddin." Yn y gerdd hon yr hyn a wna'r bardd yw cyfochri'r elfennau hynny yn nhraddodiadau'r ddwy sir a ddaeth yn rhannau mor allweddol-glwm yn ei feddwl a'i ddychymyg a'i deimladrwydd ef, diwydiannaeth a chrefydd, pethau gwleidyddiaeth a phethau diwinyddiaeth, 'Mabon a Chaeo; Keir Hardie a Chrug-y-bar.' Am Dduw, ebe Gwenallt

Cydfydd fferm a ffwrnais ar Ei ystad,
Dyneiddiaeth y pwll glo, duwioldeb y wlad:
Tawe a Thywi, Canaan a Chymru, daear a nef.[3]

Y mae gwrthgyferbyniadau a deuoliaethau'n frith yng ngwaith Gwenallt; ac y mae'r berthynas honedig rhwng Cymru a Chanaan ym mhobman yn ei waith. Ond am y tro, gwell gennyf lynu at 'Canys bechan yw.'

---

[2]Pennar Davies, *Yr Efrydd o Lyn Cynon a Cherddi Eraill* (Llandybïe, 1961), t. 11.
[3]*Eples*, t. 24

Goddefwch imi ddweud gair byr ymhellach am *Y Ffydd Ddi-ffuant* ei hun, y paratôdd G. J. Williams ragymadrodd mor odidog iddo, rhagymadrodd, gyda llaw, yn trafod nid syniadaeth y llyfr ond cefndir a gyrfa'i awdur. Llyfr hanes yw'r *Ffydd Ddi-ffuant*. Y mae'n olrhain hanes y ddynoliaeth o Adda i lawr, drwy Abraham a Moses at y Crist; yna ceir hanes yr Eglwys Fore, twf Pabyddiaeth, daioni'r Diwygiad Protestannaidd, ac wedyn draethiadau ar hanes y Ffydd yng Nghymru. Hyn oll i ddangos i'r darllenydd Cymraeg beth a fu rhwng Duw a'i dadau –

> fel y dylem ddilyn rhinweddau yr ychydig o rai da ym mysc ein henafiaid, felly hefyd gochelyd pechodau y llaweroedd o honynt oedd ddrwg, a ddug arnynt ddialedd dwys, ac a wnaethont *na bu Duw fodlon ir rhan fwyaf o honynt.*[4]

Fe geir yn llyfr Charles Edwards ymdriniaeth hir â diwinyddiaeth yn ogystal, ond diwinyddiaeth yng nghyd-destun hanes ydyw, diwinyddiaeth yn dod mewn adran o'r llyfr a ddilyn yr adran ar hanes – ar un olwg gyffredinol, yn union fel yn y Beibl. Pan roddodd Cristionogion y canrifoedd cynnar y Testament Newydd ynghlwm wrth yr hyn y daethant hwy i'w alw'n Hen Destament, yr hyn a wnaethant oedd clymu Efengyl eu Crist, Ei neges a'i athrawiaeth Ef a'i apostolion, wrth lyfrau hanes yr Iddewon. O, gwir bod yn yr Hen Destament lyfrau barddoniaeth a diarhebion, llyfrau doethineb a mawl, ond yr hyn sy'n clymu ei lyfrau ynghyd yw'r ymdriniaeth lywodraethol yno â hanes Israel.

Y rheswm paham y penderfynodd Charles Edwards dair canrif yn ôl lunio llyfr hanes yn hytrach, dyweder, na thraethawd ar foesoldeb neu ar wleidyddiaeth y dydd oedd hwn. – Y Beibl oedd ei garn ef am bopeth. Yno, cenedl Israel yw'r model ar gyfer pob cenedl, hi a ddarlunia ymddygiad Duw tuag at ddynion (neu felly y meddyliai meddylwyr y canrifoedd). A sut y mae hi'n gwneud hynny? Yn y Beibl, y ffordd y mae cenedl Israel yn ei deall ei hun yw trwy ei gosod ei hun mewn hanes, – hynny yw, trwy ei disgrifio'i hun yn ymwneud â Duw, yn gweithredu gyda'i Harglwydd, yn elwa neu'n dioddef o dan Ei law. Duw hanes, noder, yw Duw Israel o'r cychwyn,

[4] *Y Ffydd Dd-ffuant* (Rhydychen, 1677), "At y Darlleydd," t. [ii].

Duw nid â'i hanfod ynddo'i Hun eithr yn Ei weithredoedd. Hanes, felly, i Hosea fel i Charles Edwards, yw'r hollgynhwysydd. Dyma'r amlen yr ydym oll yn anadlu ynddi, ebe Eseia, ebe Nahum, ebe Paul, ebe Eusebius, ebe Awstin Fawr o Hippo, ebe Martin Luther – ie, ebe Thomas Carlyle a Karl Marx hwythau. Y mae'n arwyddocaol mai'r ugeinfed ganrif, y ganrif a gollodd ei ffydd, y ganrif na ddarllenodd ei Beibl yn null y canrifoedd cynt, – y mae'n arwyddocaol taw hi, o'r pedair canrif fodern, yw'r fwyaf anwybodus o hanes a'r fwyaf di-hid ohono. Gwrandewch ar yr hanesydd Eric Hobsbawm yn ei gyfrol ddiweddaraf, *Age of Extremes: the Short Twentieth Century 1914-1991*:

> The destruction of the past, or rather of the social mechanisms that link one's contemporary experience to that of earlier generations, is one of the most characteristic and eerie phenomena of the late twentieth century. Most young men and young women at the century's end grow up in a sort of permanent present lacking any organic relation to the public past of the times they live in.

Gan hynny, ebe Eric Hobsbawm, ar ddiwedd yr ail fileniwm, y mae mwy o angen haneswyr nag a fu eriocd o'r blaen, 'historians, whose business it is to remember what others forget'.[5]

Comiwnydd yw Hobsbawm, di-Dduw y mae'n debyg, gwrth-Dduw hyd yn oed. Bid a fo am hynny, yn y darn hwn y mae'n crynhoi un o swyddogaethau pwysicaf oll awduron Iddewig yr Hen Destament, sef cymell a chynnal cof eu pobl, yn eu hachos hwy y cof am Dduw a'r hyn a wnaeth drostynt. A'r cof pennaf a gymhellant ac a gynhaliant yw'r cof am yr Arglwydd yn gwaredu'r genedl o dir yr Aifft. O Deuteronomium drwy'r Salmau hyd at Hosea fe'i ceir. Dyma act ardderchocaf yr Arglwydd dros Ei ddewis bobl, ac ni chaiff y bobl anghofio hynny. Yn Deuteronomium 26:8-9 meddir:

> A'r Arglwydd a'n dug ni allan o'r Aifft â llaw gadarn, ac â braich estynedig, ac ag ofn mawr, ac ag arwyddion, ac â rhyfeddodau. Ac efe a'n dug ni i'r lle hwn, ac a roes i ni y tir hwn; sef tir yn llifeirio o laeth a mêl.

[5]Eric Hobsbawm, *Ages of Extremes : the Short Twentieth Century 1914-1991*, argraffiad Abacus (Llundain, 1995), t. 3.

Yn Hosea 13:4 Duw ei hun biau dweud:

> Eto myfi yw yr Arglwydd dy Dduw, a'th ddug di o dir yr Aifft, ac ni chei gydnabod Duw ond myfi; ac nid oes Iachawdwr ond myfi.

Duw sy'n gweithredu mewn Amser, ynteu, yw Duw Israel, Duw Hanes. A chenedl yw Israel sy'n bod ac yn byw trwy'r broses hanesyddol a reolir gan Ei Duw. Ond y ffaith bwysicaf oll am Israel yw ei bod yn ei hystyried ei hun yn ddewis genedl Duw, yn 'drysor priodol' iddo (ys dywedir yn Ecsodus 19:5), yn genedl a neilltuwyd ganddo Ef i gyflawni diben arbennig, sef Ei wasanaethu Ef. Pan orchmynnodd Duw Foses i fynd at Pharo i fynnu rhyddid ei bobl, ebr Ef wrth ei was: 'dywed [wrth Pharo], Arglwydd Dduw yr Hebreaid a'm hanfonodd atat, i ddywedyd, Gollwng ymaith fy mhobl, fel y'm gwasanaethont . . .' (Ecsodus 7:16). Gwyddai'r Israeliaid er yn gynnar, ynteu, nad cyflwr moethus oedd etholedigaeth, ond yn hytrach rhywbeth a olygai ymgymryd â chyfrifoldeb: ufuddhau i'r Ddeddf, cadw'r cyfamodau a wnaeth y patriarchiaid gyda Duw, ymgadw rhag esgeulustod, malltod a dieithrwch. Er bod y cyflwr etholedig yn ymddangos fel un ffafriol a bendithiol, mewn gwirionedd yr oedd yn gosod ar y bobl bwysau gwaith a phwysau disgwylgarwch, canys yr oedd yr Iddewon yn bartneriaid yn y broses o weithio allan ewyllys Duw. Eto i gyd nid caethion oeddynt. Er ynghlwm mewn cyfamod ag Ef yr oedd ganddynt ryddid, rhyddid ewyllys fel y galwn ni ef, y rhyddid hwnnw yn y Gair a enillwyd trwy bechod Adda, rhyddid i ddewis cydweithredu â Duw neu anufuddhau iddo. Pan gydweithredai Israel ag Ef, ffynnai; pan anufuddhâi iddo, dioddefai. Yr oedd y gwersi hyn yn amlwg, ac am fod gwersi mewn hanes yr oedd yn hawdd i Israel wybod beth oedd egwyddorion llywodraethol hanes.

Gwyddai hefyd wrth gwrs fod ei Duw nid yn unig yn ddiysgog eithr yn hollalluog, yn abl i'w harwain i gyflawni ei gwasanaeth iddo – a thrwy hynny gyflawni ei chenhadaeth. Gyda'i syniad o'i dyfodol wedi ei wreiddio yn y gorffennol, ni allai ddirnad ei rhan oddigerth drwy gydweddiad â'r hyn a fu. Ei chof, gan hynny, oedd ei chymhelliad o hyd – ei chof am ei Duw yn gwneud pethau gwychion drosti yn yr argyfyngau mwyaf enbyd: yn yr Aifft (fel y gwelsom) fel ym Mabilon yn ddiweddarach. Efe'n ddiysgog, hyhi'n wamal. Ofn Israel oedd anghofio hyn; ei ffydd oedd gwybod hyn. Y gwŷr a oedd yn ei gwae yn ei hatgoffa am y gogoniant a fu iddi gynt, ac a oedd yn dweud wrthi am ei gogoniant posibl, oedd y proffwydi. Yn wir, y cof cenedlaethol am a fu, ynghyd â natur ddiysgog Duw, ynghyd hefyd â'i allu a'i awydd Ef i weithredu o'r newydd a chyflawni'r annhebygol drwyddi hi, y tri pheth hyn a wnâi broffwydoliaeth yn bosibl.

A beth yw proffwydoliaeth ond traethiad ar oblygiadau pobl mewn Amser, ac ymdrech i osod patrwm moesol ar lenni'r canrifoedd? Patrwm o wychder ac o wae, o wychder yn y gorffennol yn cael ei ddilyn gan wae yn y presennol, ac yna o wychder hyd yn oed yn codi o wae, achos yn yr Ysgrythur mynnir bod adnewyddiad yn bosibl o'r gwendid mwyaf alaethus. Ebr yr Arglwydd wrth Eseciel, 37:12: 'Am hynny proffwyda, a dywed wrthynt, Fel hyn y dywed yr Arglwydd Dduw; Wele fi yn agori eich beddau, fy mhobl, codaf chwi hefyd o'ch beddau, a dygaf chwi i dir Israel.' Igam-ogam yw'r patrwm ar lenni'r canrifoedd: patrwm i-fyny-ac-i-lawr ydyw – a'r proffwydi yn y cafnau yn mynnu codi'r genedl yn ôl i frig ei hen odidowgrwydd o hyd.

Rhywbeth fel yna, ynteu, yw'r syniad o genedl etholedig yn-ei-hadnabod-ei-hun-drwy-ei-hanes a ddaeth yn rhan o'r etifeddiaeth feiblaidd i'r gwledydd Cristionogol yng nghanrifoedd Cred. Yng Nghred mabwysiadwyd nifer o syniadau'r Hen Destament am hanes – y syniad fod Duw yn ei reoli a'r syniad fod diben iddo, bod pwrpas i'r cyfan sydd. Mabwysiadwyd yn ogystal y syniad fod Duw yn llywio cwrs amser er budd Ei ddewis bobl, ond yn awr Ei ddewis bobl oedd dilynwyr Crist, y Cristionogion ym mhob man, o bob cenedl, neu'n hytrach, yr aelodau hynny o'r ddynol ryw a ddenwyd at Eglwys Ei Fab, yn ddigenedl, yn gyffredinol achubedig ac ufudd.

Y gwir amdani, wrth gwrs, yw bod y Cristionogion, yn enwedig yn y canrifoedd modern cynnar fel y'u galwn, yn ymwybodol iawn o'u cenedligrwydd. Gan mai un o freintiau llefarydd mewn llên yw bod ganddo'r rhyddid i gyffredinoli heb ofni cael ei heclo, hoffwn nodi bod y blynyddoedd a ddynoda ran olaf y bymthegfed ganrif a'r unfed ganrif ar bymtheg ar ei hyd wedi profi dau o bethau mawrion ynghyd yn Ewrop (a'r pryd hwnnw nid oedd rhannau eraill y byd yn cyfrif i'r Ewropeaid).

Yn gyntaf, y Dadeni Dysg. Mudiad oedd hwn a roddodd fri ar y clasuron Groeg a Lladin a ailddarganfuwyd megis, a roddodd fri ar sugno dysg ohonynt, ac ar eu gwneuthur yn sail i gelfyddyd a gwareiddiad newydd, gwareiddiad a roddai bwys ar ddyneiddiaeth, ar estyn i'r eithaf allu dyn i'w adnabod ei hun drwy greu celfyddyd a fyddai'n fynegiant gloyw o'i ddysg a'i ddawn a'i ddiddordeb diball ynddo'i hun a'i amgylchedd. Fel y mae'n digwydd, nid llawysgrifau o'r hen fyd yn unig a ddaeth yn awr i ddenu sylw ysgolheigion, ond llawysgrifau neu lyfrau brodorol yn ogystal. I'r Cymry, plant y Brythoniaid, plant yr hen Frytaniaid, y llyfr pwysicaf un y rhoddwyd sylw iddo oedd *Historia Regum Britanniae, Hanes Brenhinoedd Prydain* Sieffre o Fynwy gyda'i bwyslais ar hen fri darostyngedig hen drigolion yr ynysoedd hyn a'r elyniaeth a brofasant dan law'r Saeson a ddaeth yma drwy hoced a thwyll.

Yr ail fudiad mawr a adawodd ei ôl yn enbyd ar Ewrop y cyfnod hwn oedd y Diwygiad Protestannaidd. Gwnaeth hwnnw ddau beth tra nodedig. Wrth bwysleisio pwysigrwydd Gair Duw fel sail y Ffydd, arweiniodd ysgolheigion ym mhob iaith bron i'w gyfieithu i'r ieithoedd brodorol, gan beri bod dogfen a oedd gan mwyaf gynt yn gaeëdig yn awr yn agored i bob dyn llythrennog. Drwy uniaethiad ysbrydol â phobl yr Hen Destament, daeth y Cristion o Almaenwr fel y Cristion o Sais fel y Cristion o Gymro i'w weld ei hun yn ail Israeliad yn yr Iesu. At hyn, gan mai diwygio'r Eglwys Babyddol oedd diben y Diwygiad, gan mai protest yn erbyn honno oedd Protestaniaeth, nid yw'n syndod fod yr eglwysi a sefydlwyd i gynnwys dilynwyr y Diwygiad yn fuan iawn yn magu ysbryd ac enw cenedlaethol neu wladol mewn gwrthwynebiad i ryng-genedlaetholdeb Catholigaeth. Wele y mae'r Israeliad yn yr Iesu yn genedlaetholwr o Gristion.

Cawsom ni'r Cymry hi'n anodd ein hadnabod ein hunain yn iawn yn hyn o ymchwil newydd am identiti ysbrydol yn yr unfed ganrif ar bymtheg, yn rhannol am ein bod i bob pwrpas gwleidyddol a gweinyddol bellach yn rhan o Loegr, Lloegr a'i gwelai ei hun yn genedl etholedig Duw; yn rhannol hefyd am fod y Lloegr honno i rai Cymry ymwybodol o'u chwedloniaeth yn wlad i'w choncwerio drwy wleidyddiaeth. Beth sy'n dod yn amlwg i'r neb a astudia ffenomen y genedl etholedig Brotestannaidd o'r cyfnod modern cynnar hyd y dydd heddiw yw hyn – sef bod dau ddosbarth o genhedloedd etholedig, dau deip, dau fath. Y rhai llwyddiannus, a dybiant mai llwyddiant yw eu rhan yn wastadol; a'r rhai methiannus y mae eu llwyddiant eto i ddod.

Ystyriwch Loegr. Cenedl etholedig lwyddiannus. Dyna fu hi er pan fabwysiadodd Harri'r Wythfed Brotestaniaeth. Yn wir, nid oedd twf ei hymerodraeth drwy'r cyfnod Tuduraidd ac ymlaen hyd at ganol y ganrif hon yn ddim namyn tystiolaeth fod Duw o'i phlaid, Duw erddi. Ei llwyddiant masnachol yn arwain at reoli tiroedd a phobloedd lawer, yn India, yn Affrica, yn yr Antipodes, yng Nghanada, &c., nes bod map y byd yn goch gan lwyddiant Lloegr. Gan mor hyderus ydoedd (ac ydyw i gryn raddau) yn ei hetholedigaeth, gallai hawlio llwyddiant hyd yn oed mewn methiant. Ganol yr ail ganrif ar bymtheg penderfynodd y Protestaniaid mwyaf pybyr yn Lloegr nad oedd yr Eglwys Anglicanaidd yn ddigon pur ganddynt, a hwyliasant i America. Yn llenyddiaeth gynnar y Piwritaniaid hyn yr ochr draw i'r Iwerydd gelwir Lloegr yn Aifft, cymherir yr Atlantig i'r Môr Coch, a hawlir mai'r taleithiau newydd yw'r wir Israel newydd. Ond sut welodd y Saeson hwy? Fel eu taleithwyr, fel estyniad o'u hetholedigrwydd. Yn wythdegau'n canrif ni yr oedd y weledigaeth hon o hyd yn fyw yn y berthynas arbennig a hawliodd Mrs Thatcher gyda Mr Reagan, fel yr oedd yn y chwedegau ym mherthynas gyhoeddus Macmillan a Kennedy. A thra'n bod ni yn yr *US of A*, paham, meddech chi, y cafwyd yr holl halibalŵ am nad oedd gan Loegr dîm pêl-droed yno yng Nghwpan y Byd, 1994? Yn waelodol, am fod Golygyddion Chwaraeon y *Sun* a'r *Mirror* a'r *Express* yn dal i gredu mai genedigaeth fraint – nage, etholedigaeth fraint – Lloegr oedd arwain y byd ym mhob dim, ar gae pêl-droed fel mewn tirfeddiannaeth. Nid yw ffeithiau o bwys: ffydd Lloegr yn ei phwysigrwydd ei hun sydd o bwys. *Nid* bechan yw.

Ystyriwch Gymru wedyn. Cenedl etholedig aflwyddiannus yn faterol. Awgrymais ar ddechrau'r bennod hon nad edrychodd yn hir arni ei hun fel cenedl etholedig yn y cyd-destun Cristionogol tan i Charles Edwards ysgrifennu ei hanes. Richard Davies efallai oedd unig ragflaenydd Charles Edwards yn hyn o hawl. Awgrymais gynnau hefyd mai un o'r llyfrau pwysicaf a adferwyd inni yn y Dadeni oedd *Hanes Brenhinoedd Prydain* Sieffre o Fynwy, neu'r Brut fel y'i gelwid yn yr Oesoedd Canol. Hanes ein hymdrech i ymgynnal sydd yn hwnnw, ac adroddiad am ein gobaith mythig am goncwerio'r genedl a ddaeth i fyw y drws nesaf inni – gobaith yn erbyn gobaith. Os yw ffydd Lloegr yn ei phwysigrwydd ei hun yn drech na realiti, trech na realiti Cymru yw ei bod yn etifedd dau fyth. Myth gobaith-yn-erbyn-gobaith; a myth y llwyddiant-sydd-eto-i-ddod. Myth ein Brytaniaeth yw'r naill, a myth ein Hisraeliaeth yw'r llall.

Faint ohonoch chi sy'n cofio'r llyfr *Pelydr LL* gan Gareth Meils ac Elwyn Ioan a gyhoeddwyd gan y Lolfa yn 1970? Fersiwn ffug-wyddonol diweddar o fyth gobaith-yn-erbyn-gobaith ydyw, stori gartwnaidd neo-Frytaidd am garfan o weithredwyr gwleidyddol sydd yn gweithio yn llythrennol o dan ddaear i berffeithio pelydrau arbennig a fyddai, pe saethid hwy o ddryllau pwrpasol dros Brydain Fawr i gyd, a Lloegr yn enwedig, yn peri i bob Sais ar un waith golli'i iaith ei hun a chael yn ei lle ein heniaith ni. Am hynny y gelwir y gweithydd yn pelydr LL – am y galluogai bob Colonel Blimp a phob Terry Venables (y daw ei fam o Gymru, beth bynnag) i ynganu Llanelli a Llanwenllwyfo a Llanfairpwllgwyngyllgogerychwyrn-drobwllllandysiliogogogoch.

Wele, stori'n defnyddio holl elfennau'r freuddwyd Sieffrëaidd am adfer Prydain i'r Cymry yw'r stori hon. Arweinydd y garfan wyddonaidd ei gwleidyddiaeth yw'r Athro Jacob A. Jones (*Jacob* sylwer), Athro Amlieithedd ym Mhrifathrofa Dechnolegol Comins Coch. Er, dengys y darluniau cartŵn ohono nad yw Jacob A. Jones yn neb llai na'r diweddar ddynamig Athro Jac L. Williams, Athro Addysg mentrus blaengar y sefydliad clodwiw sy'n gartref academaidd i mi. Y mae'r Athro yn *Pelydr LL*, ef a'i feisicl a'i fow-tei, yn cynllwynio, er mwyn ei thrïo hi, fel petai. Fel y dywedais gynnau, tanddaearol yw'r labordy lle datblygir y pelydr. O dan fynydd y mae'r cynllwynwyr oll, neu yn hytrach mewn mynydd. Fel Arthur, wrth gwrs, prif gymeriad y Brut. Ond fel yr Arthur hwnnw, y mae Jac L. *cum* Jacob A. yn aflwyddiannus. Yn *Pelydr LL* y mae athro ysgol ifanc o'r enw Cledwyn A. Jones BA, cenedlaetholwr cymedrol neis, wrth gerdded yn Eryri yn digwydd taro ar yr agoriad i'r labordy tanfynyddig. A chyda'i ffyddlondeb Urddaidd i'w gyd-ddyn, a'i allu i adnabod ystryw genedlaetholgar-fanteisiol, y mae ef yn y diwedd, gyda chymorth yr heddlu, yn rhwystro'r pelydru. Yn wir, pan lwydda Jacob Jones a'i griw i glymu'r pelydrydd â rhaff wrth hofrennydd, a phan â'r hofrennydd i'r awyr, y mae Cledwyn A. Jones yn saethu drwy'r rhaff, a syrth y pelydrydd i'r llawr. Y mae achubydd yr hen genedl, peiriant adfywiad yr iaith, megis yn jibidêrs ar lethrau Eryri. Arbedir Lloegr rhag yr LL. Y mae Cymru eto'n gaeth – yn gaeth i'w haflwydd.

Dyna'r fersiwn diweddaraf o fyth ein Brytaniaeth, myth ein gobaith-yn-erbyn-gobaith. Beth am fyth ein Hisraeliaeth, myth y llwyddiant-sydd-eto-i-ddod? O, y mae hwnnw'n fyw iawn yn ein llenyddiaeth. Myth y genedl y mae ei chyflwr presennol yn druenus ydyw, myth y genedl dan draed, y genedl nad oes iddi rym na chyfoeth na dylanwad na hyd yn oed reolaeth trosti'i hun. Y mae'r myth hwn yn fyw iawn yn ein llenyddiaeth am ei fod yn ein siwtio, am ei fod yn gweddu i ni. Cofier mai gwlad fel hynny oedd Israel ei hun yn yr Hen Destament. Ironi rhyfeddol sefyllfa Israel yw mai hi oedd dewis genedl Duw a oedd yn hollalluog, ac eto na chafodd hi erioed deyrnas estynedig. Er mor fawr yr Arglwydd, bychan oedd Jacob. Er mor alluog ei Duw, di-rym hyhi Israel. Wrth reswm pob diwinydd, y mae digon o resymau dros ei dirymedd: anufudd-dod, anffyddlondeb, bradwriaeth, anghofrwydd, anghydwybodolrwydd, neu, mewn un gair, pechod. Purion. Ond beth am y cenhedloedd o'i hamgylch, yr Aifft, Asyria, Babilon? Nid yw eu pechod hwy yn llestair yn y byd i'w llwyddiant. Cânt hwy ryddid heol i ymosod ar Israel, ei chaethgludo neu deyrnasu arni fel pe na bai dim drwg ynddynt. Yn hyn o waith, y mae diwinyddiaeth yn cynnig esboniad od iawn ar hanes. Ond dyna a geir: darlun o Israel lân y gorffennol yn syrthio i alaeth yn y presennol, ac yn aml yn ysglyfaeth i'r cenhedloedd o amgylch (ys gelwir hwy), fel nad oes ganddi ddim i'w chalonogi ond rhyw obaith am a ddaw. A'r bobl a gyflawna'r gobaith hwnnw yn Llyfr Eseia yw'r gweddill, y 'gweddill cyfiawn.' 'Y gweddill a ddychwel,' ebe Eseia 10:21, 'Y gweddill a ddychwel, sef gweddill Jacob, at y Duw cadarn.'

Y mae elfennau o'r myth hwn – elfennau o'r meddwl a'r dychymyg hwn – i'w gweld yn ein llenyddiaeth o Richard Davies hyd at Alan Llwyd. Yn Charles Edwards y gwelir hwy yn eu cyflawnder.

Er enghraifft, pan ddywed wrthym fod Lloegr yn ein trin fel Asyria'n trin Israel. Pan gymerodd y Saeson ein tir trwy feddiannu gwastatiroedd ffrwythlon yr Ynys Wen, Duw oedd yn ein cosbi ni, ni a ddylsem fod yn bur ac ufudd, am fod yn ffiaidd a wynebgaled: 'Wrth a draethwyd,' ebe Edwards, 'y gwelwn gael o'r Britaniaid yr unrhyw rybuddion, ac y gafas yr Israeliaid gynt o flaen eu caethiwed, ac ynghylch yr un môdd y gwrthodasant hwynt, ac ynghylch yr un fâth gystudd a ganlynodd; ac nid heb ei haeddu.'[6] Fel proffwydi'r Hen Destament, nid yw Charles Edwards yn holi beth yng nghymeriad y Saeson a barai eu bod hwy yn haeddu tir Prydain. Y mae fel petai pechod y genedl etholedig yn dwyn cosb, a chwant ac eiddigedd a chreulonder a rhyfelgarwch y genedl 'oddi amgylch' – er bod y pethau hynny hefyd yn bechod – yn dwyn budd. Y wers faterol yw ei bod hi'n fwy manteisiol peidio â bod yn genedl etholedig. Ateb y proffwyd ac ateb y llenor Israelaidd-Gristionogol yw mai dros-dro yn unig yr ymelwa'r materol.

Neu cymerwch Charles Edwards yn nodi pa mor ogoneddus oedd Cymru gynt (fel Israel gynt i'w haneswyr-feirdd hi), pa mor druenus ydyw yn awr (eto fel Israel y presennol i Hosea ac i Amos), a pha mor obeithiol y mae'n rhaid iddo ef fod ynghylch y dyfodol.

Yn yr apêl genedlaethol hon nid oes dim i ddweud ym mha fodd y mae cenedl sydd heddiw ar i lawr yn mynd i ymddyrchafu i wynebu her ei hadfywiad – dim. Rhaid derbyn, yn ysgrythur-debyg, mai dyna'r patrwm. Rhaid derbyn, mewn ffydd, y bydd yr Arglwydd Dduw yn tosturio wrth Walia Wen yn union fel y tosturiodd dro ar ôl tro wrth Israel. Bron na ellir clywed Edwards yn rhoi i ni, gydag Eseia, sicrwydd nefol mai felly y bydd. Ym mhennod 45 adnod 14, 'Fel hyn y dywedodd yr Arglwydd [wrth Israel], Llafur yr Aipht, a marsiandïaeth Ethiopia, a'r Sabeaid hirion, a ddeuant atat ti, ac eiddot ti fyddant; ar dy ôl y deuant; mewn cadwyni y deuant trosodd, ac ymgrymant i ti'. ' Israel,' meddai'r proffwyd yn ail adnod ar bymtheg y bennod honno, ac fe allai Edwards ddweud yn hytrach 'Cymru' – 'Israel/Cymru a achubir yn yr Arglwydd â iachawdwriaeth dragwyddol: ni'ch cywilyddir ac ni'ch gwaradwyddir byth bythoedd.'

Pan gymharwn fyth ein Brytaniaeth gyda myth ein Hisraeliaeth, myth Sieffre o Fynwy gyda myth proffwydi'r Gair, y naill yn rhagargoeli rhyw hanner methiant o leiaf a'r llall lwyddiant llawn (er mor amwys ei amseriad), nid yw'n rhyfedd o gwbl mai myth ein Hisraeliaeth a apeliodd fwyaf at ddychymyg ein llenorion a'n beirdd. Fe'i gwelir yng ngweithiau llawer o feirdd y ganrif ddiwethaf a'r

[6]Charles Edwards, op. cit., t. 185.

ganrif hon, yng ngwaith Dyfed, Elfed, Saunders Lewis, Gwenallt, Gwilym R. Jones, Bobi Jones, Alan Llwyd, ac eraill.

Cerddi Israelaidd Gwenallt yw'r enwocaf o ddigon. Ac efallai mai'r enwocaf oll o'i gerddi yw'r delyneg "Cymru" sy'n agor gyda'r llinell 'Gorwedd llwch holl saint yr oesoedd . . .'. Er, cerdd Gristionogol nid Israelaidd yw hon mewn gwirionedd, er bod ynddi elfennau Hen-Destamentyddol. Cerdd deipolegol yw hi, yn rhoi i'n gwlad ni nodweddion damcaniaethol gwlad yr Iesu. Ynddi gwelir Cymru fel Israel arall, ond Israel anhanesyddol a dderbyniodd y Meseia yw'r Israel honno, Israel na fu erioed mewn gwirionedd. (Fe welir ar un waith ba mor broblematig o herfeiddiol y gall cerdd ymddangosiadol seml fod; a pha mor beryglus y gall llenyddiaeth fod. Dyna un rheswm pam y mae llenydda yn alwedigaeth mor allweddol i iechyd dynoliaeth, ac o'n safbwynt ni sy'n athrawon llên dyna un rheswm pwysig dros drwytho cenhedlaeth ar ôl cenhedlaeth o fyfyrwyr ynddi. Y drafferth fel arfer yw ein bod yn ei chael hi'n anodd argyhoeddi efrydwyr o ffrwydroldeb posibl llên. Y mae Morgan Llwyd yn ddiflas meddent – *boring* yw eu dewis ansoddair – am fod ynddo gymaint o ddiwinydda. Ond y fath ddiwinydda! a'r fath gyffro corff a meddwl a geir yn ei ganeuon fel yn ei bamffledi! Yr wyf wedi addo saethu'r myfyriwr nesaf a ddywed fod Morgan Llwyd yn *boring*!) Ond dewch yn ôl at "Cymru" Gwenallt.

Bu'r angylion yma'n tramwy,
  Ar dy ffyrdd mae ôl eu troed,
A bu'r Ysbryd Glân yn nythu,
  Fel colomen, yn dy goed.

Clywai beirdd mewn gwynt ac awel
  Gri Ei aberth, llef Ei loes,
Ac yng nghanol dy fforestydd
  Gwelent Bren y Groes.

Ei atgyfodiad oedd dy wanwyn,
  A'th haf Ei iechydwriaeth las,
Ac yng ngaeaf dy fynyddoedd
  Codai dabernaclau gras.

Y mae'r Gymru hon yn ail Israel o ran ei chenhadaeth. Yn yr hen lyfrau hanes, brol yr haneswyr Cymreig oedd bod Joseff o Arimathea wedi dod â'r Efengyl o wlad Israel i Gymru 'ymlaen yr ynysoedd oll.' Yn nhelyneg Gwenallt, Cymru ei hun sy'n cyflenwi'r cenhadon:

> Bu dy gychod a'th hwyl-longau'n
> Cerdded ar hyd llwybrau'r lli,
> Ac yn llwythog tan eu byrddau
> Farsiandïaeth Calfari.

Yna – a down yn awr at brif elfen Hen-Destamentyddol y gerdd hon – y mae Gwenallt yn hawlio i Gymru yr un fraint honno sy'n cynrychioli uwchlaw pob peth arall berthynas arbennig Duw ac Israel, sef y cyfamod hwnnw a wnaeth yr Arglwydd gydag Abraham a'i had (Genesis 15:18) ac y cyfeirir ato'n gyson drwy'r Beibl:

> Duw a'th wnaeth yn forwyn iddo,
> Galwodd di yn dyst,
> Ac argraffodd Ei gyfamod
> Ar dy byrth a'th byst.[7]

Yn awr, nid oes dim pwynt gofyn y cwestiwn realistig 'Pa bryd y bu'r Gymru hon?' na 'Pwy a fu'n byw ynddi?' am y rheswm syml nad oes dim un ateb dichonadwy. Yr oedd gan broffwydi Israel hyn o leiaf, sef eu cyfeirbwyntiau pendant mewn hanes: y cyfamod, yr ecsodus, Sinai, cyrraedd Gwlad yr Addewid, adeiladu'r deml. Nid oes gan Gwenallt ddim un cyfeirbwynt penodol. Cymru ddelfrydol y meddwl Iddewig-Gristionogol yw ei Gymru ef, gwrthdeip rhyw Israel sy'n amalgam gwneuthuredig o ffansi a ffydd.

A dweud y gwir plaen – os nad y gwir amlwg, achos nid ydyw'n amlwg, – y mae'r delyneg hon yn annodweddiadol o Gwenallt. Y cerddi nodweddiadol Wenalltaidd yw'r rheini lle mae'r bardd yn mynegi agwedd arall ar y cysyniad cymhleth o genedl etholedig. Yr ydym wedi cyfeirio ato eisoes, fwy nag unwaith. Yr alarnad ydyw. Cwyn y presennol yn erbyn y dirywiad a fu (neu a dybir a fu) ers y gorffennol gogoneddus yw'r alarnad, achwyniad yn erbyn gorbarodrwydd y genhedlaeth sydd ohoni i ymwneud â gau dduwiau, i gael eu denu gan bleserau gau a budr-elw, ac i gefnu ar ymlyniad y tadau wrth yr Arglwydd. Yr wyf yn siŵr y gallai pawb ddod o hyd i

[7] *Ysgubau'r Awen*, tt. 26-7.

enghreifftiau o'r pethau hyn yn Gwenallt. Ein hymwneud â gau dduwiau, er enghraifft: 'Y duwiau sy'n cerdded ein tiroedd yw ffortun a ffawd a hap'. Ein hymwneud â phleser a budr-elw: 'trwy chwilio am ollyngdod mewn pêl-droed a bet,/ . . . A bywyd yn ddim ond olwyn *roulette*.' Ein brad yn erbyn ffydd y tadau: 'Gwlad gysurus grefyddol oedd hi' meddir mewn cerdd arall yn dwyn y teitl "Cymru."[8] A sylwer ar yr *oedd* hi, y gorffennol gwych, tybiedig wych. O! rwyddineb tybiaeth! Y mae Gwenallt yn galarnadu am ei fod yn meddu ar weledigaeth arbennig o Gymru, fel y weledigaeth o Israel a feddai Jeremeia, pen alarnadwr yr Hen Destament, gweledigaeth sydd ar un olwg yn *chauvinistic* (yn yr hen ystyr: hynny yw, yn benboeth wlatgar) ac ar olwg arall yn wlad-gasäol. O benboethni a chasineb y cyfyd yr alarnad bob amser, onid yn wir o besimistiaeth. Ond am fod yr alarnad yn ffurfddefodol (yn *ritualistic*) i raddau, gall y besimistiaeth honno swnio'n besimistiaeth wneud. Ac nid yw'r ffaith fod y gwynfan yn troi'n glod a'r bygythiad yn troi'n ddathliad yn y diwedd o ddim cymorth i'r bardd gynnal ei anobaith a chynnal ei gerydd.

Eithr yr wyf yn camu'n rhy gyflym. Gwell yn gyntaf wrando ar ddwy alarnad enwocaf y bardd o Gwm Tawe, y ddwy soned i Gymru. "Cymru" yn blaen, ac o anghenraid, yw teitl y naill a'r llall. Gan mor enwog ydynt, prin fod eisiau imi eu nodi. Ond yr wyf yn cael boddhad bob amser o roi anadl i'r mawreddogrwydd nonsensical sydd yn y rhain!

> Er mor annheilwng ydwyt ti o'n serch,
> Di, butain fudr y stryd â'r taeog lais,
> Eto, ni allwn ni, bob mab a merch,
> Ddiffodd y cariad atat tan ein hais:
> Fe'th welwn di â llygaid pŵl ein ffydd
> Gynt yn flodeuog yn dy wyrfdod hardd,
> Cannwyll brenhinoedd, seren gwerin rydd,
> Lloer bendefigaidd llên ac awen bardd.
> Er mwyn y lleng o ddewrion gynt a roes
> Eu gwaed i'w chadw'n bur rhag briw a brad,
> A'r saint a'i dysgodd yn erthyglau'r Groes,
> Tosturia wrthi, drugarocaf Dad,
> Rho nerth i'w chodi, yna gwisgwn ni
> Ei chorff â gwisg ei holl ogoniant hi.

[8]Ibid., t. 28; *Gwreiddiau*, t. 25; *Eples*, t. 26.

Dyna'r naill. A dyma'r llall:

> Paham y rhoddaist inni'r tristwch hwn,
> A'r boen fel pwysau plwm ar gnawd a gwaed?
> Dy iaith ar ein hysgwyddau megis pwn,
> A'th draddodiadau'n hual am ein traed?
> Mae'r cancr yn crino dy holl liw a'th lun,
> A'th enaid yn gornwydydd ac yn grach,
> Nid wyt ond hunllef yn dy wlad dy hun,
> A'th einioes yn y tir ond breuddwyd gwrach.
> Er hyn, ni allwn d'adael yn y baw
> Yn sbort a chrechwen i'r genhedlaeth hon,
> Dy ryddid gynt sydd gleddyf yn ein llaw,
> A'th urddas sydd yn astalch ar ein bron,
> A chydiwn yn ein gwayw a gyrru'r meirch
> Rhag cywilyddio'r tadau yn eu heirch.[9]

Gwelir yn syth bin un gwahaniaeth mawr rhwng y ddwy soned hyn a'r dyfyniadau o gerddi galarnadus eraill a roddais i chi gynnau. Yno, yn y gerdd "Ar Gyfeiliorn" ac yn Epigramau'r gyfrol *Gwreiddiau*, condemnio *pobl* yr oes sydd ohoni y mae'r bardd. 'Gwae *inni* wybod y geiriau heb adnabod y Gair'; *ni* sydd 'fel gwahaddod' wedi ein dal yn y trap. Ond yn y sonedau "Cymru" y *wlad* yw gwrthrych yr alarnad, y wlad sy'n 'butain fudr y stryd,' y wlad sy'n annheilwng o'n serch, y wlad sy'n rhoi inni dristwch. Gwlad amddifad o bobl ydyw – neu'n hytrach, gwlad ar wahân i'w phobl, haniaeth o wlad. Y mae hi ar yr un pryd yn bersonoliad o'r genhadaeth y mae Gwenallt yn cymryd yn ganiataol fod Duw wedi'i rhoi iddi fel ail Israel. Er, ni chyfeiria ati fel ail Israel. Y mae hynny bellach yn ddealledig. O leiaf, fe *ddylai*'r darllenydd ddeall hynny. Oni wnaiff, fe gyll holl bwynt a chyd-destun y cerddi. Nid ydym ni, bobl Cymru, yma; dim ond yn rhinwedd ein cenhadaeth bosibl y down ni ar gyfyl y sonedau.

Cafwyd llawer o lenydda galarnadus fel hyn yn yr Unol Daleithiau drwy'r ddeunawfed ganrif a'r bedwaredd ganrif ar bymtheg ac yn ein canrif ni. Beth yw'r Freuddwyd Americanaidd ond dyhead i fod yn forwyn-wlad bur-ei-gweithredoedd i Dduw? Wrth drafod gweithiau H. D. Thoreau a Walt Whitman ac awduron eraill a'u hystyriai eu

[9] *Ysgubau'r Awen*, tt. 72, 86.

hunain yn gynheiliaid y Freuddwyd Americanaidd, ebe Sacvan Bercovitch: 'The question in these latter-day jeremiads, as in their seventeenth-century precursors, was never "Who are we?" but almost in deliberate evasion of that question, the prophetic refrain: "When is our errand to be fulfilled? How long, O Lord, how long?"'[10] Gellir cymhwyso'r sylw at waith Gwenallt yntau.

Megis y tybiai'r Americaniaid fod gan America genhadaeth, felly y dywed Gwenallt fod gan Gymru genhadaeth, sef ymgodi unwaith yn rhagor i'r gogoniant duwiol a fu iddi gynt pan oedd yn wyryf hardd, yn gannwyll brenhinoedd ac yn seren gwerin rydd, ystad a gyrhaeddodd drwy aberth ei merthyron a buchedd ei saint. (Y soned gyntaf uchod sy'n hawlio hyn.) Wrth gwrs, darlun mythig o'r gorffennol a geir yma. Ac unwaith yn rhagor nid oes dim pwynt gofyn 'Pa bryd y bu'r Gymru odidog wych hon y sonnir amdani?' Yn yr un modd, darlun mythig a geir o'r presennol hefyd, anfanwl ac afrealistig. At hynny, y mae'n ddarlun afrwydd, oblegid myn y bardd fod y wlad yn siabi ond bod pob mab a merch sy'n perthyn iddi yn ei charu. Ond a ellir gwlad heb bobl? A lle ceir pobl, a all y *bobl* ymddwyn mewn un modd arbennig (yma, yn ddaionus), tra cyrhaedda'r *wlad* gyflwr sydd yn wrthgyferbyniol i'r ymddygiad hwnnw? Nid yw Gwenallt yn ystyried y cwestiwn, wrth gwrs. Byddai'r fath ystyriaeth yn difetha'r gwrthgyferbyniad sy'n cynnal ei holl waith. Â rhagddo'n ddall ac yn ddychmygfawr i hawlio gwellhad. Yn yr ail soned uchod, hawlia wellhad drwy apelio at anrhydedd y 'tadau yn eu heirch', ensynia fod gennym 'ni' ddyletswydd i 'gydio yn ein gwayw' a sicrhau bod y wlad yn cyrraedd safle o ardderchowgrwydd cyfuwch â chynt er mor fythig hwnnw gynt.

Sut? Er mwyn ateb rhaid dychwelyd at broffwydi Israel. Yn un o'r penodau yn ei lyfr mawr *Mimesis* y mae Erich Auerbach yn gwrthgyferbynnu dull Homer o ysgrifennu gyda dull y beirdd-broffwydi. Y maent hwy, ebe Auerbach, yn pwysleisio rhai pethau yn unig ac yn gadael rhannau o'u meddwl yn astrus-gudd. Y maent hefyd yn swta (*abrupt* yw'r ansoddair yn y cyfieithiad Saesneg). Cyfeiriant at ddylanwadau ac at rymoedd na ellir bod yn berffaith sicr ohonynt, na'u tarddiad na'u canlyniad. Ac y maent, bob amser, yn hawlio

[10]Sacvan Bercovitch, *The American Jeremiad* (Madison a Llundain, 1978), t. 11.

pethau o bwys hanesyddol a chyffredinol (*universal*).[11] Dyna ddisgrifio dull Gwenallt yntau o farddoni. Ymhlith y pethau na ddatguddir ganddo ef y mae, fel y nodais eisoes, berthynas y wlad a'i phobl. Ni ddatguddia chwaith y modd y gall y wlad ymadfer er iddi gwympo i ddianrhydedd enbyd. Ac nid yw odid unwaith yn egluro'r berthynas rhwng achos ac effaith. Yn y soned gyntaf i Gymru ceisir cymorth Duw i godi'r wlad; yn yr ail 'ni' sydd i fod i'w chodi drwy ddefnyddio 'rhyddid' ac 'urddas' gwlad a gollodd ei rhyddid a'i hurddas. Dyna astrusi tywyll, tywyll. Ond fel yna'n union y mae hi yn Jeremeia. Y mae adferiad Israel y peth tebycaf i wyrth, ond gall fod yn wobr am ymdrech yn ogystal. Defnyddiaf eiriau Bercovitch eto: 'Israel's redemption, it would seem, will come by miracle, though its deeds are to justify the miracle.'[12] Er bod adferiad yn rhannol ddibynnol ar wasanaeth (ein gwasanaeth 'ni'), y gwir amdani yw bod Duw wedi hen ewyllysio hynny.

Mewn gwrthgyferbyniad i ddiweddebau gwyrthiol-obeithiol y ddwy soned y buom yn eu trafod, noder bod Gwenallt yn "Y Gristionogaeth" yn cyhoeddi gwae yn erbyn y genhedlaeth sydd ohoni ac ar yr un pryd yn cyhoeddi diwedd y byd. Ac yma llyncir ystyriaethau cenedlaethol gan ystyriaethau cosmig. –

Y mae treftad ysbryd ein tadau tan ddanadl a banadl y byd,
Yr ysgall lle bu'r esgor a'r drain lle bu'r marw drud;
Bawlyd yw purdeb yr halen, a llaith yw ein llestr ni,
A'u cannwyll gynt a fu'n cynnau, gwelw yw ei golau hi.

Gan ddryced yr oes, y mae'r bardd yn gwahodd Duw i ddifetha'r cread i gyd, ac eto'n tybied y gallwn 'ni' (person cyntaf lluosog y ferf sydd yn 'down', onid e?) o'r difethdod greu adfywhad:

Gwân dy holl epil â'r gynnau, â'r bom maluria di'r byd,
Poera dân o bob peiriant, a fflam a phlwm o bob fflyd,
Diwreiddia di dy wareiddiad, a phan fo'r ddaear fel braenar briw
Down â haul o'r byd anweledig, down â'r gwanwyn o ddwylo Duw.[13]

---

[11]Erich Auerbach, *Mimesis [:] The Representation of Reality in Western Literature* (Pinceton, 1946), tt. 16-17.

[12]Bercovitch, op. cit., t. 31.

[13]*Ysgubau'r Awen*, tt. 30-1. Gw. trafodaeth Branwen Jarvis ar y gerdd hon yn *Trafod Cerddi* (Caerdydd, 1985).

Er nad oes dim byd yn soffistigedig yn y syniad hwn fel y'i ceir yma gan Gwenallt – ailadrodd yn simplistig hen hen wae y mae, a rhag-weld hen hen ddinistr, – rhaid i ni beidio â meddwl na all apocalyptiaeth ddim ymaddasu ac ymbriodi gyda mathau eraill o lenyddiaeth, â thrasiedi er enghraifft, neu â mythau ynghylch adfeiliad a dirywiad pethau. Y mae'n digwydd hefyd ym mheth o waith Alan Llwyd. Pan ddywedodd R. Williams Parry yn 1938

> Ow! Fory-a-ddilyn-Heddiw-a-ddilyn-Ddoe,

a gofyn

> Pa hyd y pery echelydd chwil y sioe?

lleisiodd feddwl y rhai hynny yn yr ugeinfed ganrif a fyn ein bod yn byw mewn byd sy'n newid mor gyflym, byd o gyfnewidiad parhaus yn dechnolegol ac yn ffasiynau'r meddwl, ac a fyn synied amdanynt eu hunain fel pobl yn byw mewn argyfwng parhaus, 'ar y rhai y daeth terfynau yr oesoedd' chwedl Paul, I Corinthiaid 10:11. Ânt weithiau i synied am eu hargyfwng hwy fel argyfwng mwy, 'rhagorach' nag unrhyw argyfwng arall. A chan fod yr ugeinfed ganrif wedi esgor ar y fath luosowgrwydd o arfau dinistriol, ystyriant fod y gwyddonydd yn wyddon sydd megis yn gwasanaethu Gwae. Mewn nodyn ar "Sonedau'r Wythdegau," sy'n atgoffa dyn o ran o Lyfr y Tri Aderyn, datganodd Alan Llwyd ei bod hi'n ymddangos, yn 1981, 'fel petai holl wead cymdeithas yn datgymalu, a phob sefydlogrwydd a threfn yn darfod â bod. Hefyd,' meddai

> yr oedd y posibilrwydd y gallai Rhyfel Niwclear ddigwydd yn tywyllu'r gorwel, a thynged y ddynoliaeth yn nwylo'r gwleidyddion anghyfrifol ac anghymwys. A oeddem ar drothwy cyfnod newydd, gwareiddiad, neu anwareiddiad, newydd, mwy tywyll, mwy annynol a hunllefus, a'r hen wareiddiad Cristnogol, wedi ugain canrif, yn prysur edwino ac yn dirwyn i ben?

'Dechreuais bryderu am ddyfodol fy mab yn hinsawdd ansicr a brawychus 1981,' ebr ef ymhellach, gan bersonoli ei ddirboen. Ond pan ysgrifenna'r bardd ei farddoniaeth, iaith Llyfr y Datguddiad a ddefnyddia:

Y mae nod yr anghenfil seithben ar ein talcennau,
a'r bwystfil glafoeriog yn bawa ar Galfaria'r Groes:
gollyngwyd y bustl yn bistyll, a gwenwyn a chrawn o'i chwarennau,
ac ni syrth na cholomen na durtur ar glwydi artaith ein hoes.

A flagurodd y cyrn fel coronau ar y bwystfil garw?
A ddigonwyd y trais a'r trachwant yn y llygaid rhwth?
Pa rith i'w wrthuni a gymer, sarff, draig neu darw?
A gipiodd yr anghenfil seithben y golomen yn ei safnau glwth?[14]

Os collodd y sylwebydd ei berspectif, fe wyddai'r bardd fel erioed ym mha le i gloddio am ei fwynau.

Yr hyn sy'n gyffredin rhwng Saunders Lewis, Gwenallt ac Alan Llwyd yw eu bod ill tri yn ddirmygus iawn o'r Gymru gyfoes. Dirmyg sydd yn ffrwyth cariad a gofal ydyw, y mae'n ddiau, ond cariad yw hwnnw at Gymru ddelfrydol sydd yn trigo'n eu meddyliau neu mewn rhyw hafan hanesyddol na ddargenfydd neb ond y Platonydd gorffenolaidd, yn hytrach na chariad at Gymru gymhleth gyfansawdd y dydd heddiw (a phob dydd a fu erioed, o ran hynny). Ond gan mai un o ddibenion llên yw creu delweddau y gallwn ddirnad ein cyflwr drwyddynt, ofer ac anghyfiawn yw beirniadu defnydd y beirdd hyn o'r gwrthgyferbyniad galarnadus rhwng dau gyfnod neu ddwy stad.

Yr hyn sy'n bwysig yw ein bod yn eu hadnabod fel awduron Cymraeg a gymerodd arnynt agwedd gweision yr Arglwydd Dduw yn Israel yr Hen Destament. Un o briod swyddi'r beirniad llenyddol yw gosod llyfrau ac awduron llyfrau yn eu lle, yn eu cyd-destun. Ac o hyn ymlaen gobeithiaf taw dyma fel y byddwn oll yn eu hystyried. Er, ni synnwn pe clywn ymhen ychydig wythnosau eto rywun, pregethwr neu wleidydd neu brotestiwr iaith, yn mabwysiadu'r stans hon a'r iaith hon ac yn eu defnyddio nid yn nhir y dychymyg eithr yn nhir gwleidyddiaeth. Sawl un ohonoch chi ddarllenwyr *na* chlywodd bregethwr yn dyfynnu Gwenallt? Sawl un ohonoch chi *na* chlywodd aelodau Cymdeithas yr Iaith neu'r Cyfamodwyr yn rhedeg ar y Saeson yn yr union dermau a ddefnyddia'r Hen Destament i

[14] Alan Llwyd, *Yn Nydd yr Anghenfil* (Cyhoeddiadau Barddas, 1982), tt. 52-3, 12. Ceir y darn o Lyfr y Tri Aderyn sy'n disgrifio dwndwr y Diwedd yn *Gweithiau Morgan Llwyd o Wynedd* [*i*], t. 179.

ddifenwi'r Eifftiaid a'r Asyriaid? (– ac y mae'r enw Cyfamodwyr ynddo'i hun yn diferu o Israelyddiaeth). Saunders Lewis oedd un o'r amlycaf oll ei ddefnydd o'r myth hwn mewn gwleidyddiaeth. Mesur o'i ddylanwad aruthrol ef ar ei ddilynwyr yw eu bod, lawer ohonynt, yn siarad ei 'iaith' heb wybod mai iaith fenthyg y traddodiad Iddewig ydyw. Yn yr anerchiad a draddododd yn 1936 ar "Yr Ysgol Fomio yn Llŷn" y mae'n siarad am y fro honno fel y proffwydi am gysegredigrwydd Canaan:

> Nid hap na siawns a gyfrif am brydferthwch a thangnefedd Llŷn. Y mae hi'n wlad sanctaidd drwy holl ganrifoedd hanes ein cenedl ni. Gwlad y mil saint a ffordd y pererinion oedd hi yn yr oesoedd cynnar, ac o'u dyddiau hwy hyd at ddyddiau'r gŵr sanctaidd hwnnw, Michael Roberts, bu tangnefedd Duw yn gyfran Llŷn a bu ei thraddodiad yn ddi-dor.

Gan mor ddeniadol ac ymddangosiadol rwydd yw'r ysgrifennu, rywsut ni thybiwn ein bod yng ngafaeliad mytholeg gampus gwlad arall. Yn wir, ni ddeallwn hynny tan y down i'r rhan honno o'r araith lle dywed yr areithiwr pwy sy'n difwyno Llŷn: 'Benthygwyr arian a rheolwyr y cwmnïau sy'n gwneud arfau rhyfel . . . [y] rhai hyn . . . sy'n adeiladu gwersyll bomio Porth Neigwl.' Sef 'plant Moloch a Beelsebwb' – a dyna ni'n deffro eto i Amos.[15]

Dros bedair canrif fe gadwodd ein llenorion a'n beirdd ymwybod cenedlaethol y Cymry yn hynod fyw mewn amgylchiadau digon anodd. Pob clod iddynt am hynny. Ond un o ganlyniadau'r gadwraeth honno yw bod llawer o ddarllenwyr mwy calonfeddal na'i gilydd wedi mynd i gredu na raid iddynt ymlafnio'n wleidyddol i hybu Cymreictod eithr yr adferir Cymreictod yn niwedd amser doed a ddelo. Fe gawsom gan Gareth Meils ac Elwyn Ioan gartŵn i ddychanu'r myth Sieffrëaidd. Trueni na chafwyd cartŵn i ddychanu'r defnydd o fyth y genedl etholedig hithau. Gwenallt, mewn cerdd ddifrifol, a ddywedodd:

> Pan fyddwn yn barddoni rhaid yw gwleidydda
> Yn y cyfyngder ar Gymru; a phan fyddwn yn gwleidydda
> Fe fyddwn yn ymhŵedd ar yr Awen.[16]

[15]Saunders Lewis, *Canlyn Arthur : Ysgrifau Gwleidyddol* (Gwasg Aberystwyth, 1938), tt. 98, 104, 105.

[16]*Y Coed: Gwenallt* (Llandysul, 1969), t. 47.

Rhan o'm neges i yw y dylem ymgydnabod â'r Awen honno, ymgydnabod â hi am yr hyn ydyw; eithr na ddylem ymddiried ynddi'n wleidyddol, achos fe all nad gweithredydd mohoni bob amser; gall fod yn gloffrwym weithiau. Peryglus peryglus – godidog beryglus – yw barddoniaeth, yn enwedig barddoniaeth cenedl fechan.

4

MORGAN LLWYD A'R DIWEDD

Ac yntau'n Brotestant mor bybyr ac yn Gymro mor apelgar, nid yw'n ddim syndod canfod yng ngwaith Morgan Llwyd, fel yng ngwaith Charles Edwards, bwyslais Richard Davies a William Salesbury ar ragorfraint gynnar y Brytaniaid yn derbyn y Ffydd yn union wedi i'r '*Arglwydd Jesu* ddioddef ag adgyfodi drosom'. Nid yw'n ddim syndod chwaith ei fod yn traethu gwerth y wers hanes: 'O chwi hîl a heppil yr hen *Fruttaniaid*. Gwrandewch ar hanes eich henafiaid, a chofiwch pa fodd y bu, fel y dealloch pa fodd y mae, i gael gwybod pa fodd y bydd, fel y galloch baratoi.' Ac y mae'n cyfarch ei gyd-Gymry mor aml –

> *O Bobl Cymru*! Attoch i y mae fy llais, O *Drigolion Gwynedd* ar *Deheubarth*, . . .
> Deffro (*O Gymro*) Deffro . . .
> Y cymro. Edrych dithau am oleuni Duw yn dy feddwl

– fel na ellir gwadu bod i'w genhadaeth elfen genedlaethol gref.[1]

Ar y llaw arall, noder mai byr a chwta iawn, ychydig dros ddau can gair, yw'r adroddiad a geir ganddo ar holl hynt hanes yr eglwys yng Nghymru yn *Gwaedd Ynghymru yn Wyneb pob Cydwybod*. Ychydig o bwyslais a rydd ar y gorffennol. Yn y dyfodol y mae ei ddiddordeb pennaf ef. Ac er mor daer ydyw i annerch ei gyd-Gymry yn yr unig iaith a ddeallai'r mwyafrif, yn y dyfodol hwnnw a gyflwynwyd iddo gan amodau bywyd crefyddol a gwleidyddol Lloegr ei ddydd y mae gwir ddiddordeb Morgan Llwyd, sef yn nyfodiad y Brenin Iesu i lywodraethu ar deyrnas y gwelir y Rhyfel Cartref yn Lloegr a Chymru a gweithredoedd Senedd Llundain yn offerynnau ei sefydlu. Y mae'r hunandybiaeth genedlaethol Seisnig sy'n gorwedd y tu cefn i'r syniad disgwylgar hwn yn ddigon i fynd â gwynt dyn cymedrol. Ond pan ystyrir grym cenedlaetholdeb Lloegr o Oes Elizabeth i lawr, y modd y cydasiodd gwleidyddiaeth answyddogol y cyfnod rhwng 1640 a 1653 gyda'r drychfeddyliau milenaraidd a loywai bennau y bobl yr oedd

---

[1]*Gweithiau Morgan Llwyd o Wynedd [i]*, tt. 129, 127, 128, 119.

Morgan Llwyd yn troi yn eu plith, yr ymwybod ag argyfwng a lenwai'r awyr yn ystod y Rhyfel Cartref, dienyddiad Siarl I, a diddymiad y Senedd, – pan ystyrir hyn i gyd, y mae'n haws derbyn nerth y syniad am 'ragorfraint terfynol' Lloegr, ac am ei rhan anrhydeddus hi ym mhrysurdeb y Diwedd.[2]

Er na ellir dweud paham y derbyniodd Llwyd y syniadau hyn, gellir olrhain eu twf. Y mae'r Beibl yn enwog nid yn unig am ei ddechreuad ('Yn y dechreuad y creodd Duw y nefoedd a'r ddaear') ond hefyd am yr ymwybod â Diwedd a geir ynddo, yr ymwybod â diwedd pethau fel y maent ac â'r hyn a ddilyn y Diwedd. Yn Llyfr Eseia y ceir un o'r darnau enwocaf sy'n sôn am y Diwedd, y darn hwnnw ym mhennod 65:17-25 lle dywed yr Arglwydd Dduw y bydd 'yn creu nef newydd, a daear newydd: a'r rhai cyntaf ni chofir, ac ni feddylir amdanynt.' Sonnir am y Diwedd hefyd yn Llyfr Daniel, 12:13; y mae'r Efengylau yn sôn am ailddyfodiad Mab y Dyn, proffwydoliaeth a ddaeth yn nodwedd greiddiol o apocalyptiaeth yr oesoedd; ac y mae'r Datguddiad ar ei hyd yn rhagarwyddo'r Diwedd. Er yn gynnar, cysylltwyd â'r syniad hwn y Milflwyddiant. Er nad yw ystyr y mil blynyddoedd yn glir ac er nad yw'r mil blynyddoedd yn cael eu cysylltu â'r un tybiaethau yn yr ychydig lefydd yn y Beibl lle sonnir amdanynt, eto mae'r Milflwyddiant yn un o'r gweledigaethau hynny a ddehonglwyd amlaf ac a ddehonglwyd yn y dulliau mwyaf astrus yn holl hanes y traddodiad Iddewig-Gristionogol.[3] Yn Salm 40 dywedir yn syml fod 'mil o flynyddoedd yn dy olwg di [sef yng ngolwg yr Arglwydd] fel doe,' ond fe'u cysylltir gan y bardd ag erfyniad am wybodaeth a phrawf o ddaionus ragluniaeth Duw, sef ag esboniad ar rawd hanes, yr union beth a ddisgwyliai'r Eglwys er yn fore gan yr Hwn sy'n Ei alw'i Hun yn Llyfr y Datguddiad, 22:13, yn 'Alpha ac Omega, y dechrau a'r diwedd, y cyntaf a'r diwethaf.'

Yr oedd, serch hynny, ddwy olwg ar bethau gan y Cristionogion. Daliai rhai ohonynt fod ewyllys Duw yn rhwym o lwyddo mewn hanes, hynny yw yn amser dyn a thrwy ei ymdrech ysbrydoledig ef. Y ffydd honno a bair i'r proffwydi, pregethwyr ddoe a heddiw, annog eu

[2]Bernard Capp, *The Fifth Monarchy Men* (Llundain, 1972), tt. 33-4. William Haller, *Foxe's Book of Martyrs and the Elect Nation*, Pennod 7 passim.

[3]M. I. Lowrance, *The Language of Canaan [:] Metaphor and Symbol from the Puritans to the Transcendentalists* (Caergrawnt, Mass. & Llundain, 1980), t. 122.

gwrandawyr i ymdrech well yfory. Daliai eraill mai ar ôl hyn, yn niwedd amser, y ceid unrhyw lwyddiant, neu yn hytrach (ond y mae'r *neu* hwn hefyd yn *ac*) dalient mai ar ôl hyn y rhoddid iddynt y doniau uwchddaearol a'u galluogent i weld ystyr Rhagluniaeth. Pa olwg bynnag a gymerir, y gwir amdani yw mai un o hynodion Cristionogaeth yw'r gred ei bod yn amhosibl ymberffeithio yma'n awr. Yr amhosibilrwydd hwnnw sy'n ennyn hiraeth, ymchwil, dyhead, a disgwyliad am bethau'r tu hwnt, boed y tu hwnt hwnnw'n yfory gohiriedig neu'n loywach nen. Hynodrwydd arall Cristionogaeth yw y dysg hi fod ystyr i bopeth.

Term modern, yn tarddu o'r Roeg, yw *apocalyptig*, term yn wreiddiol am ysgrifeniadau dadlennol y bwriedir trwyddynt ddatguddio cyfrinachau'r byd trosgynnol a diwedd amser. Weithiau rhoddir yr enw Apocalyps ar Lyfr y Datguddiad, llyfr olaf y Beibl, llyfr y mae ei weledigaeth symbolaidd yn arwyddo digwyddiadau a gyrhaedda'u penllanw yn niwedd sydyn y drefn sydd ohoni, ac sydd yn arwyddo hefyd osod trefn newydd yn ei lle, dynoliaeth adferedig mewn bywyd newydd, perffaithgwbl.[4] Y mae Llyfr y Datguddiad yn cymryd ei le fel llyfr olaf y canon am ei fod, wrth edrych yn ôl, yn arbennig ar Genesis, Ecsodus, llyfrau'r proffwydi, Daniel a'r Efengylau, yn cadarnhau bod trefn i bob peth sydd. 'Datguddiad Iesu Grist' ydyw, 'yr hwn a roddes Duw iddo ef, i ddangos i'w wasanaethwyr y pethau sydd raid eu dyfod i ben ar fyrder,' ac a roddwyd drwy'r angel i'w wasanaethwr Ioan i'w ysgrifennu: 'Ysgrifenna y pethau a welaist, a'r pethau sydd, a'r pethau a fydd ar ôl hyn' (1:1,19). M. H. Abrams unwaith, wrth gyfeirio at lunieidd-dra symetraidd y cynllun ysgrythurol hwn, a ddywedodd ei fod yn 'one great detour to reach in the end the beginning.'[5] Ond, yn Llyfr y Datguddiad, fel y gwelsom, dechreuad newydd sbon ydyw hwnnw.

Fel y mae'r Diwedd yn ben-draw hanes, y mae llenyddiaeth apocalyptig y tu draw i lenyddiaeth broffwydol. Y mae proffwyd-

[4]Leon Morris, *Apocalyptic* (Llundain, 1973), t. 20. Ebe Harold Bloom mewn adolygiad ar Robert Alter a Frank Kermode, *The Literary Guide to the Bible* (Gwasg Prifysgol Harvard, 1987), yn *The New York Review of Books*, 31 Mawrth 1988: '"uncovering" is the meaning of the Greek "apocalypsis", or in American "taking off the lid."'

[5]M. H. Abrams, *Natural Supernaturalism: Tradition and Revolution in Romantic Literature* (Llundain, 1971), t. 37; C. A. Patrides a Joseph Wittreich (goln.), *The Apocalypse in English Renaissance Thought and Literature* (Manceinion, 1984), t. 346.

oliaeth yn cael ei thrawsffurfio'n apocalyptiaeth yn y fan honno lle mae'r ysgrifennwr yn methu â chyfleu ei weledigaeth gosmig mewn termau dealladwy bob-dydd. I'r graddau hynny, y mae'n wahanol i lenyddiaeth y proffwyd-bregethwr. Sôn y mae'r proffwyd, o awdur Deuteronomium hyd at Charles Edwards, am y dyfodol yn codi allan o'r presennol ac yn codi (fe hyderir) uwchlaw iddo. Y mae'r apocalyptydd, ar y llaw arall, yn sôn am y dyfodol yn torri i mewn i'r presennol, syniad a gyflëir gan y cwpled hwn o eiddo Morgan Llwyd:

> Mae caersalem nefol hawddgar
> Ymron disgyn ar y ddayar.

Ac yn hytrach nag annog ei ddarllenwyr i fyw yn unol â'r cyfamod a wnaeth eu cyndadau gyda Duw, y mae'r apocalyptydd, eto'n wahanol i'r proffwyd, yn cyflwyno iddynt amserlen arswyd, dyfod dilyw, dyfod tân, a Barn a Dydd Digofaint yr Arglwydd.[6] Y cwestiwn amlwg sy'n codi yw 'Sut all neb fyw gyda'r fath ragwelediad dychrynllyd?' Y mae'r ateb yn hawdd. Llenyddiaeth y gweddill – ie, yr hen weddill cyfiawn, onid hunangyfiawn – ydyw hon, llenyddiaeth y lleiafrif di-obaith-bydol. Gallant ddioddef yr hyn a fygythir am eu bod eisoes yn byw mewn amgylchiadau annioddefol, a sut bynnag, ni thybiant y bydd raid iddynt hwy ddioddef y trychinebau a ddaw – dim ond mwynhau'r moethau ysbrydol y bydd Duw yn eu taenu gerbron Ei ddewis bobl ar ôl y trychineb eithaf. Y mae'r bardd apocalyptaidd gan Forgan Llwyd a wêl ddaeargrynfâu yn rhagarwyddo 'cwymp y penaethiaid' a 'Gwae yr offeiriaid' yn yr un pennill byr yn dweud bod 'Haf y ffyddloniaid yn agos.'[7] Caiff y ffyddloniaid ran ym muddugoliaeth derfynol Duw, a'r rhan freintiedig honno sy'n rhoi ystyr i'w hing yn y byd.

Hoffwn nodi pedwar peth arall ynghylch llenyddiaeth apocalyptig. Y mae'r peth cyntaf yn dilyn o'r pwynt uchod – sef mai gweledigaeth ddeuol, anghymhleth a geir ynddi, hanes yn ddu a gwyn, yn ddrwg a da, a'r da yn ennill. Grymoedd Goleuni yn erbyn grymoedd y Fall sydd ynddi bob gafael, Duw yn ymladd â'r Diafol, y Bendigaid yn

[6]John H. Davies (gol.), *Gweithiau Morgan Llwyd o Wynedd ii* (Bangor a Llundain, 1908), t. 104; H. H. Rowley, *The Relevance of Apocalyptic* (Llundain, 1963), t. 36; Morris, op. cit., t. 43.

[7]Ibid., t. 26, lle dyfynnir D. S. Russell, *The Method and Message of Jewish Apocalyptic* (Llundain, 1964), t. 16; *Gweithiau Morgan Llwyd o Wynedd [i]*, t. 83.

erbyn y Bwystfil, Jerusalem a Babilon, – deuoliaeth eschatolegol. Yn ail (a pherthyn y pwynt hwn yn agos iawn at y cyntaf), y mae'n ymhlyg yn y llenyddiaeth hon fod y dyfodol wedi'i bennu, nad oes dargyfeirio cynllun Duw. Yn drydydd, er mor elfennol o syml yw ei neges a'i nod, y mae'n llenyddiaeth anodd iawn, yn yr ystyr fod y dasg o ddisgrifio'r Diwedd a'r gwobrau gogoneddus a'i dilyn yn amhosibl. Y mae ei hysgrifenwyr gan hynny yn defnyddio symbolau – dierth a rhyfedd ddychrynllyd yn amlach na neb – i geisio mynegi eu gweledigaeth. Y mae Llyfr Daniel yn llawn ohonynt, a Llyfr y Datguddiad, y mwyaf dylanwadol o'r holl destunau apocalyptig, yr un modd: bodau goruwchnaturiol; cyfuniadau o wahanol rannau o anifeiliaid; seliau; sêr; llyfrau; rhifolion, yn enwedig tri, saith, deg, deuddeg a lluosogion ohonynt; – ond o leiaf y maent yn defnyddio'u symboliaeth ryfedd a'u rhifoleg gywrain yn gyson. Yn bedwerydd, y mae yn cynysgaeddu llawer o'r llenyddiaeth hon yr argyhoeddiad fod drama'r Diwedd eisoes wedi dechrau, bod amser fel y gwyddom ni amdano yn brin. Y mae'n dilyn fod llawer o ysgrifenwyr apocalyptig yn treulio cryn egni yn gweithio allan faint o'r gloch yw hi ar gloc y greadigaeth.[8]

Y mae Norman Cohn yn ei glasur *The Pursuit of the Millenium* yn disgrifio'n fyr y modd y darfu i'r Cristionogion cynnar a'r Montanistiaid yn yr ail ganrif O.C. ddisgwyl Ail Ddyfodiad Crist 'o ddydd i ddydd ac o wythnos i wythnos'.[9] Yn y llyfr y mae hefyd yn disgrifio'n fanwl filenariaeth yr Oesoedd Canol yn Ewrop. Gan bwysiced y 'mil o flynyddoedd' a gysylltir â chaethiwed Satan ac â brenhiniaeth Crist yn ugeinfed bennod Llyfr y Datguddiad, nid yw'n rhyfedd i rai pobl ddisgwyl y diwedd yn y flwyddyn 1000. 'A phan gyflawner y mil blynyddoedd, gollyngir Satan allan o'i garchar,' ebe Llyfr y Datguddiad 20:7. Disgwylid y diwedd eto yn 1033, union fil o flynyddoedd ar ôl y dyddiad a roddid (tan yn ddiweddar) am groeshoeliad Crist. 1260 wedyn, yn unol â'r nifer hwnnw o ddyddiau y sonia Llyfr y Datguddiad, 11:3 a 12:6, amdanynt. A 1290, yn unol â'r 'mil dau gant a deg a phedwar ugain o ddyddiau' y cyfeiria Llyfr Daniel atynt, 12:11. Ac felly ymlaen, yn ysbeidiol ac yn gyson, drwy'r Oesoedd Canol, hyd at 1572 pan ddaeth planedau Sadwrn ac

[8]Morris, op. cit., tt. 39, 47; Patrides a Wittreich, tt. 10-11.

[9]Norman Cohn, *The Pursuit of the Millenium*, arg. Paladin (Llundain, 1970), t. 26.

Iau megis 'ynghyd' a ffurfio 'seren newydd,' ffenomen a gyffrôdd bobl yn arw. Yn sgil dyfod y *nova* hon i'r nen, crewyd mewn rhai gwledydd, gan gynnwys Lloegr, gyffro disgwylgar am ddiwedd y byd yn 1588. A phan orchfygwyd Armada Sbaen Babyddol yn ystod y flwyddyn honno fe gafwyd ymhlith rhai Saeson gymysgedd ffrwydrol o frwdaniaeth gwladgarol a chynnwrf apocalyptaidd. Yn *The Ruin of Rome* (1603), llyfr y bu gwerthu mawr arno drwy gydol yr ail ganrif ar bymtheg, datganodd Arthur Dent mai'r fuddugoliaeth honno oedd buddugoliaeth gyntaf yr Armagedon, sef y rhyfel mawr olaf yn ôl y dehongliad traddodiadol o Datguddiad 16:16. Ac, wrth gwrs, Lloegr, y brif wlad Brotestannaidd, a'i henillodd, Lloegr o dan Elizabeth y Forwyn-Frenhines yr oedd John Foxe yn ei chymharu â Chwstennyn am iddo yntau hefyd gynt goncro gelynion y Wir Eglwys.[10]

Yr oedd hawliau fel hyn – hawliau'n codi o fath arbennig o hanes ac yn arwain at frudio 'ysgrythuredig' – efallai'n fwy cyffredin ac yn sicr yn fwy parchus yn Lloegr nag yng ngwledydd y cyfandir. Cyraeddasom y cyfnod hwnnw pan oedd y Beibl ar goedd ym mamieithoedd y gwledydd a phan ddarfu i athrawon Protestannaidd roi sylw arbennig i Lyfr Daniel a Llyfr y Datguddiad, gan wneud yn boblogaidd ddehongliadau mwy pendant na'r dehongliadau a dderbyniasai ysgolwyr yr Oesoedd Canol. Yn herwydd y brotest yn erbyn Pabyddiaeth yr oedd y dehongliadau hyn yn rhai pleidiol hefyd. Ymhell cyn diwedd yr unfed ganrif ar bymtheg ystyrid mai Eglwys Rufain oedd Bwystfil y Datguddiad (13:1-10) a'r 'butain fawr' (Dat. 17:1) ac mai'r Pab oedd y Gwrthgrist a ddisgrifir yn Epistolau Ioan. Pan gynghreiriodd y gwledydd i ymladd dros Fohemia (i ddechrau) yn 1618, croesawyd y rhyfeloedd hynny, a barhaodd am ddeng mlynedd ar hugain, fel rhyfeloedd yn arwain at ddifethdod Pabyddiaeth yng nghanol Ewrop ac yn y diwedd at gwymp Rhufain. Tybid ymhellach y prysurai hynny ddiwedd y byd – diwedd na allai ddim bod ymhell oherwydd bod y byd yn hen ac yn dihoeni.[11] Yn Lloegr, ac i raddau llai o lawer ymhlith rhai Cymry, yr oedd carfanau o grefyddwyr selog a

[10]Marjorie Hope Nicolson, *The Breaking of the Circle*, arg. diw. (Efrog Newydd a Llundain, 1960), t. 116; Katherine R. Firth, *The Apocalyptic Tradition in Reformation Britain 1530-1645*, t. 151. Bernard Capp, "The Political Dimension of Apocalyptic Thought," Patrides a Wittreich, op. cit., tt. 98, 95.

[11]Keith Thomas, *Religion and the Decline of Magic*, arg. Penguin (Harmondsworth, 1973), t. 167; Firth, op. cit., t. 30; Patrides a Wittreich, op. cit., t. 103; Hope Nicolson, op. cit., tt. 43-4.

feddyliai fod Eglwys Rufain unwaith yn rhagor yn dylanwadu i'r fath raddau ar Eglwys Anglicanaidd yr Archesgob Laud nes ei throi hi'n sefydliad i'r Gwrthgrist. Erbyn dyddiau'r Rhyfel Cartref, ebe Bernard Capp, 'Laudian attitudes [had] helped to make apocalyptic beliefs a more exclusively Puritan characteristic than ever before.'[12]

Yr ydym wedi cyrraedd Morgan Llwyd. Dyma lenor yr oedd ymwybyddiaeth Lloegr o'i stad a'i swydd yn etifeddiaeth iddo drwy'r Brotestaniaeth eithafol a fabwysiadodd. Dyma lenor yr oedd anturiaeth fawr y Rhyfel Cartref, yr edrychai'r sectyddion arno fwyfwy fel rhyfel yn erbyn gelynion Duw, yn gyffro ynddo; fel yr oedd y disgwylgarwch a rannai gyda gwŷr Plaid y Bumed Frenhiniaeth, sef y rheini a ddehonglai'r pedwar anifail yn Llyfr Daniel 2:31-46 fel breniniaethau Asyria, Persia, Groeg a Rhufain, breniniaethau'n myned heibio, ac yn ildio'u lle i'r 'Hen Ddihenydd' a Christ:

> ac wele, megis Mab y Dyn oedd yn dyfod gyda chymylau y nefoedd; ac at yr Hen Ddihenydd y daeth, . . . Ac efe a roddes iddo lywodraeth, a gogoniant, a brenhiniaeth, fel y byddai i'r holl bobloedd, cenhedloedd a ieithoedd ei wasanaethu ef: ei lywodraeth sydd lywodraeth dragwyddol, yr hon nid â ymaith, a'i frenhiniaeth ni ddifethir.[13]

Nid rhyfedd fod y bardd cynyrfiedig ynddo'n cyhoeddi:

> ynys brydain yn y gogledd
> a dyrr Europ yn y diwedd
> Brenin mawr a ddaw o'r dwyrain
> Ma fo'n agos: cenwch blygain.

Cyhoeddi y mae agosrwydd llywodraeth Iesu Grist ar ei etholedigion, llywodraeth y bu llywodraeth cenedl Israel yn yr Hen Destament yn deip iddi. Bydd yn cynnwys pawb a gred ('Europe'), ond 'ynys brydain' (sylwer unwaith yn rhagor ar amwysedd hwylus yr enw hwn) a lwybreiddia'i ffordd hi. Y gred hon mewn milenariaeth oedd craidd athrawiaethau gwŷr Plaid y Bumed Frenhiniaeth. Credent ei bod yn ddyletswydd arnynt ddwyn arfau i hyrwyddo'r Deyrnas Newydd; a

[12]Patrides a Wittreich, t. 108.

[13]Daniel 7:9, 13-14. '. . . yr oedd diwethafiaeth yn elfen gref ym mywyd crefyddol y cyfnod': R. Tudur Jones, *Vavassor Powell* (Abertawe, 1971), t. 110.

chredent hefyd mai i blith y 'saint,' sef y bobl a'r milwyr cyffredin, y deuai.[14] Am beth amser, yr oedd y credoau hyn yn gredoau i Llwyd yntau.

Y mae ysgrifeniadau Morgan Llwyd, cerddi Cymraeg a Saesneg cyfnod ei grwydriadau gyda'r fyddin seneddol yn Lloegr, cerddi'r disgwyl o 1648 ymlaen ('Hosanna crye King Jesus comes') a'r blynyddoedd yn union ar ôl dienyddio Siarl I yn Ionawr 1649 ('Lett Wales & England rowzed bee'), fel llyfrau rhyddiaith rhyfeddol 1653, oll yn fyw gan gynnwrf ysgogiadol melys a pheryglus – y maent yn fyw gan gynnwrf gŵr ifanc sy'n disgwyl gweld diwedd hanes, Amen Amser, a'i Grist Ailddyfodedig tair ar ddeg ar hugain oed yn ei gyfarch.[15] Y mae'r blynyddoedd gyda'r rhai mwyaf gwefreiddiol yn hanes ein llên, yn rhannol am fod llenyddiaeth Llwyd yn atsain ei argyhoeddiad mai'r blynyddoedd olaf ydynt.

Rhaid gofyn dau gwestiwn, cwestiynau a oedd ar feddwl Llwyd a'i gyfeillion milenaraidd yn wastad, sef (i) Pa bryd y daw'r Diwedd? ac (ii) O dan ba amgylchiadau y daw? Y mae'n naturiol fod y cwestiynau hyn yn ganolog i feddwl y diwethafiaethwyr, a'r un mor naturiol eu bod yn chwilio am atebion iddynt yn yr Ysgrythurau. Gan mai dehonglwr meidrol ydyw, y mae dyn yn newid ei amcangyfrifon o ddyddiadau'r Diwedd. O ran hynny, gan iddo seilio'i ffigurau ar wahanol adnodau yn y Beibl a'u cysylltu gyda digwyddiadau gwahanol mewn hanes, ni all gynnig un dyddiad, ac un dyddiad yn unig. A sut bynnag, fe basiodd dyddiadau a ddynodwyd gan rai cynt – 1260, 1572, 1588, – heb i ddim ddigwydd.

Cynigiodd Morgan Llwyd bedwar dyddiad. Y tri hyn –

> fifty goes big, or fifty sixe
> or sixty five some say
> But within mans age, hope to see
> all old things flung away

– sef 1650, 1656 neu 1665. Datganodd hefyd:

> Cyn mil a chwechant a chwe deg
> mae blwyddyn deg yn dyfod

---

[14] *Gweithiau Morgan Llwyd o Wynedd [i]*, tt. 60, 19, 79.
[15] Ibid., tt. 19, 79.

– sef, wrth gwrs, 1666, blwyddyn y ceir ei phrif ffigurau ar wynebddalen Llyfr y Tri Aderyn, a elwir *Dirgelwch i Rai iw Ddeall ac i Eraill iw Watwar, . . . neu Arwydd i Annerch y Cymru . . . cyn dyfod 666.*[16] Fel y dangosodd E. Lewis Evans, yn y llyfr dylanwadol *The Personall Reigne of Christ on Earth* (1642) gan John Archer, Annibynnwr a fu am beth amser yn llochesu yn yr Iseldiroedd ym mlynyddoedd anodd Laud, y cafodd Llwyd ei arweiniad arithmetig, ac yntau Archer yn Llyfr Daniel, Efengyl Mathew, a'r Datguddiad. Cymerwn 1650 a 1656 i ddechrau. Ni ellir esboniad eglurach nag un Lewis Evans:

> I weithio allan y casgliadau hyn rhaid oedd yn gyntaf ddyfod o hyd i ddigwyddiad pwysig yn hanes yr Eglwys, a fyddai'n gweddu o ran ystyr i "dynnu allan y gwastadol aberth a gosod i fyny y ffieidd-dra anhraethol" y sonnir amdano yn *Llyfr Daniel* (xii.11). I Blaid y Bumed Frenhiniaeth, yr adwaith yn erbyn Cristionogaeth o dan Julian yr Ymherodr ydoedd. Digwyddodd felly tua'r flwyddyn 360 A.D. neu 366 A.D. a daw'r Deyrnas Newydd ym mhen "mil dau cant a deg a phedwar ugain o ddyddiau" [Daniel xii.13] ar ôl yr amser hwn. O ddal bod y dyddiau yn golygu blynyddoedd a gosod y ddau rif at ei gilydd ceid y dylai Crist ymddangos naill ai yn 1650 neu 1656.

Cynigid 1656, dyddiad a gâi ei dderbyn yn gyffredin iawn, am reswm arall hefyd. Yr oedd cronolegwyr y Beibl o'r farn mai yn 1656 *anno mundi* (oed y byd) y bu'r Dilyw a ddisgrifir yn Llyfr Genesis. Gan fod Mathew 24:37 yn dal 'y bydd ddyfodiad Mab y Dyn . . . fel yr oedd dyddiau Nöe', disgwylid ail ddifethdod y byd yn 1656 *Anno Domini*, y tro hwn drwy dân, 'a'r ddaear a'r gwaith a fyddo ynddi a losgir' (II Pedr 3:10).[17] Fel y mae'n digwydd nid yw John Archer yn crybwyll 1665, sef y 'sixty five some say' sydd gan Llwyd yn y pennill cyntaf a ddyfynnwyd yn y paragraff hwn, ac nis gwelais gan neb. Am 1666, y mae cryn hanes i'w dderbyniad.

Yn Datguddiad 13:18 sonnir am 'rifedi y bwystfil . . . a'i rifedi ef yw, Chwe chant a thri ugain a chwech.' Wrth bendroni ynghylch problem barhaol dyddio'r Diwedd, diau i rywun gysylltu'r rhif hwn â

[16]Ibid., tt. 22, 87.

[17]E. Lewis Evans, *Morgan Llwyd [:] Ymchwil i Rai o'r Prif Ddylanwadau a fu arno* (Lerpwl, 1930), tt. 46-7; Christopher Hill, *Religion and Politics in Seventeenth Century England* (Llundain, 1986), t. 271.

blwyddyn nad oedd yn rhy bell i ffwrdd. Y mae'n bosibl taw mewn llyfr o'r enw *Babylon is Fallen* (1597) y cysylltwyd rhifedi'r bwystfil â 1666 am y tro cyntaf, llyfr a dadogodd Bernard Capp wrth Thomas Lupton. Traethawd ydyw ar Ail Lyfr Esdras yn yr Apocryffa, lle trafodir cryn dipyn ar arwyddion y Diwedd. Ond efallai mai'r awdur cyntaf o Sais a gysylltodd rhifedi'r bwystfil â 1666 mewn esboniad ar y Datguddiad ei hun oedd Thomas Goodwin, gŵr arall a fu'n alltud yn yr Iseldiroedd, mewn esboniad a roddwyd yn wreiddiol ar ffurf cyfres o bregethau. Y mae'n wir na chyhoeddwyd y pregethau hyn tan 1683, ar ôl marw'r awdur, ond aethai'r syniad a'r disgwyliad am 1666 ar led yn rhwydd.[18] A dyma ddod eto at Archer, a gyrhaeddodd 1666 drwy ddechrau 'gyda theyrnasiad y Pab tua 400 A.D. neu 406 A.D., ac ychwanegu at y rhain . . . "fil deucant a thri ugain o ddyddiau"' (sef dyddiau proffwydo'r 'ddau dyst' yn Dat. 11:3). Ebe Archer:

> *Historians* are diverse in account, some 4 o'r 6 yeeres, but about the yeere of our Lord and Christ 400. or 406. the Bishop of *Rome* began to usurpe papall power, and about that time some of the ten Kingdoms in *Europe* began to arise; now let us reckon it 406 . . . then adde to 406. the 1260. and it maketh 1666.[19]

Yn awr, beth am yr ail gwestiwn a ofynnwyd gynnau? O dan ba amgylchiadau y daw'r Diwedd? Tybid, wrth ddehongli'r Testament Newydd, fod yn rhaid i rai pethau mawrion ddigwydd megis i ragflaeni'r Milflwyddiant.

(1) Yr oedd yn rhaid dinistrio'r Gwrthgrist (I Ioan, 2:18,22; 4:3; II Ioan, 7) sef, fel y gwelsom, yn ôl y dehongliadau Protestannaidd, Pab Rhufain, – ac, wrth gwrs, schema hanfodol Brotestannaidd oedd hon. Ni dderbyniai'r Pabyddion mohoni o gwbl. Dalient hwy nad oedd y Gwrthgrist wedi ymddangos eto, ond pan ddeuai mai Iddew fyddai. Gan fod lliw arbennig i'w sbectol, ni allai'r dehonglwr Protestannaidd lai na gweld bod buddugoliaeth y cynghreiriad gogleddol yn y rhyfel hir ysbeidiol a fu rhwng 1618 a 1648 (y cyfeiriais ato uchod) yn ffin derfyn go sicr i rym Pabyddiaeth.

[18]*The Fifth Monarchy Men*, t. 290. Gwelais i'r cyfeiriad gyntaf yn David Brady, "1666: The Year of the Beast," *Bulletin of the John Rylands University Library of Manchester*, 61 (1978-9), t. 314.

[19]Lewis Evans, op. cit., t. 47; John Archer, *The Personall Reign of Christ upon Earth* (Llundain, 1642), t. 44.

(2) Yr oedd yn rhaid cynnull y Cenhedloedd. Yn Actau'r Apostolion ac yn yr Epistolau y mae llawer o gyfeiriadau at y Cenhedloedd, nifer ohonynt yn annog myned â'r Efengyl atynt am fod yr Iddewon wedi ei gwrthod (er enghraifft, Rhufeiniaid 15). Maentumiai'r diwethafiaethwyr fod y dasg hon eto'n cael ei chyflawni, drwy lwyddiant y gwledydd Protestannaidd, Lloegr yn bennaf ond yr Iseldiroedd hefyd, yn adeiladu ymerodraethau ac yn mynd â'u crefydd gyda hwy i bellafoedd byd.

(3) Yr oedd yn rhaid adennill yr Iddewon i'r Ffydd. Y mae Llyfr Hosea yn yr Hen Destament a'r Epistol at y Rhufeiniaid yn y Testament Newydd yn cyfeirio'n benodol at hyn. 'Canys llawer o ddyddiau yr erys meibion Israel heb frenin,' ebr Hosea, 3:3,4, 'a heb aberth, a heb ddelw, a heb ephad, a heb deraphim. Wedi hynny y dychwel meibion Israel, ac y ceisiant yr Arglwydd eu Duw, a Dafydd eu brenin; ac a barchant yr Arglwydd a'i ddaioni yn y dyddiau diwethaf.' Trafodir y pwnc yn eglur yn Rhufeiniaid, o'r wythfed bennod hyd at yr unfed ar ddeg, ac yno, 11:26, y ceir y broffwydoliaeth a ddyfynnir fel sail y disgwyliad am ddychweliad yr Iddewon: 'Ac felly holl Israel a fydd cadwedig; fel y mae yn ysgrifenedig, y Gwaredwr a ddaw allan o Sïon, ac a dry ymaith annuwioldeb oddi wrth Jacob.'

Goddefer imi nodi bod hynt a chyflwr yr Iddewon yn un o bynciau'r dydd yn ystod blynyddoedd canol yr ail ganrif ar bymtheg. Yr oedd mudiad ar droed o dan arweiniad Menaseh ben Israel i geisio caniatâd i Iddewon drigo yn Lloegr a Chymru unwaith eto. Drwy ddeddf a basiwyd gan Iorwerth y Cyntaf dri chant a hanner o flynyddoedd ynghynt gorchmynnwyd yr holl Iddewon a drigai yn ei deyrnas i adael erbyn diwedd 1290. Er i rai aros ymalltudiodd y mwyafrif. Cawsant eu herlid o wledydd eraill yr un modd, o Sbaen yn 1492 ac o Bortiwgal yn 1497, er bod llawer ohonynt yn nerthol a dylanwadol yno.[20] Diau bod rhai Iddewon yma o hyd, yn answyddogol, ond ar y cyfan ni wyddai'r diwethafiaethwyr lawer amdanynt, prin yr adwaenent Iddewon, ac efallai na welodd y rhan fwyaf ohonynt hyd yn oed lun o Iddew erioed. Ffigur ydoedd iddynt,

[20] David S. Katz, *Philo-Semitism and the Readmission of the Jews to England 1603-1655* (Rhydychen, 1982), tt. 1-4 a Phennod 2; Hill, *Religion and Politics in Seventeenth Century England*, t. 285.

delw. A'r ddelwedd gyffredin o Iddew a feddent oedd o'r Iddew fel twyllwr ariangar a gwrthgristionogol, un o'r bobl y dywedodd Crist wrth eu tadau, Ioan 8:44, 'O'ch tad diafol yr ydych chwi, a thrachwantau eich tad a fynnwch chwi eu gwneuthur.' Ond gallai Menaseh ben Israel ysgrifennu at ei gymrodyr yn 1655 a dweud nad oedd y Saeson yn elynion iddynt mwy eithr eu bod yn

> excellently affected to our nation, as an oppressed people whereof it has good hope.[21]

Pam? A ddarfu i ddisgwyliadau milenariaid y cyfnod ddylanwadu ar lywodraethwyr a thrigolion y wlad yn gyffredinol? Go brin – o leiaf tan y 1640au, pan gyhoeddwyd gweithiau Thomas Brightman ar led, a'r pryd hynny go brin iddynt ddylanwadu ar feddwl neb nad oedd eisoes yn credu yn yr Ail Ddyfodiad yn frwd ac yn llythrennol. Fel gyda phob coel, cafwyd rhai enghreifftiau rhyfedd o broffwydo cwbl loerig. Dyna achos Thomas Tany, eurych yn Llundain, a hawliodd na ddarfu iddo sylweddoli mai Iddew o lwyth Reuben ydoedd tan i Dduw ymweld ag ef ym mis Tachwedd 1649 a dweud wrtho am newid ei enw i Thearau John. Yn 1564 yr oedd ef a'i ddilynwyr yn trigo mewn pebyll, weithiau yn Lambeth, weithiau yn Greenwich, yno'n cyhoeddi eu bwriad i gasglu'r Iddewon ynghyd a'u tywys i'r Wlad Sanctaidd ac i ben Mynydd yr Olewydd. Achos arall nid annhebyg oedd achos John Robins, yr hwn a wadodd y dwyfoldeb a dadogodd ei ddilynwyr arno, ond yr hwn hefyd a hawliodd iddo gael ei orchymyn gan yr Ysbryd Glân i arwain byddin o 144,000 o Iddewon, yn wŷr a gwragedd, eto i Fynydd yr Olewydd, lle bwydai hwy â manna, ac yna i goncro Jerusalem.[22] Gwŷr gwallgof y ddau, meddir, a gwŷr a garcharwyd. Nid oeddynt yn llawer mwy gwallgof na dwsinau o gredinwyr eraill. Eu pwysigrwydd yw iddynt ddwyn achos yr Iddewon i'r newyddion, fel petai.

Rhoddwyd sylw pellach i'r Iddewon yn yr ail ganrif ar bymtheg yn herwydd yr Hebraeg. O'r Dadeni ymlaen, o'r diddordeb cychwynnol mewn cyfieithu o'r hen ieithoedd i ieithoedd brodorol Ewrop, datblygodd yn Lloegr ac mewn gwledydd ar y cyfandir ddiddordeb mawr mewn iaith fel iaith, ac fel cangen o'r diddordeb hwnnw

---

[21]Katz, op. cit., t. 8.

[22]Ibid., tt. 107-9, 117; Thomas, *Religion and the Decline of Magic*, tt. 161-2.

ddiddordeb athronyddol yn yr angen am iaith iwnifersal neu fyd-eang a fynegai realiti yr un mor berffaith ag y mynegasai Adda ef pan roddodd enwau mor synhwyrlawn ar anifeiliaid y maes (Llyfr Genesis 2:19, 20). Er bod y diwinyddion o'r farn fod athrylith yr iaith Addafol hon wedi'i difetha yn y Cwymp, er eu bod yn amau a oedd ei naturioldeb dwyfol wedi'i drosglwyddo i'r Hebraeg, ac er i'r Beibl ddweud bod yr ieithoedd wedi'u cymysgu yn Nhŵr Babel, eto tybid y gellid uniaethu'r Hebraeg ag iaith Adda. Os felly, os siaradai Iddewon y dydd yr un iaith â'n tad Adda, yna hwy oedd ceidwaid y Gair gyda'r hwn y creodd Duw y byd.[23] Cyfrifoldeb ac anrhydedd go uchel! Lliwiodd y syniad hwn agwedd nifer o Saeson at yr Iddewon, yn enwedig o ran yr hyn a ddisgwylid ganddynt yn y Milflwyddiant. Darfu iddo hefyd roi hwb nid ansylweddol i astudiaethau Semitig yn Lloegr, astudiaethau a oedd yn gymysg o'r gwrthrychol ac o'r mytholegol. Ar y naill law, cyhoeddwyd gramadegau Hebraeg. *Gate . . . to the Holy Tongue* (1654-55) gan William Robertson yw'r enwocaf un. Ar y llaw arall, credid yn gyffredinol fod pob cenedl wedi cadw yn ei hiaith ei hun, hyd yn oed ar ôl cymysgiad yr ieithoedd, ryw weddillion o'r Hebraeg, a'i bod gan hynny – ac i'r graddau hynny – yn etifedd yr hen Israel.[24] Canlyniad hyn oll oedd gogoneddu'r Hebraeg, dileu'r hen anfri a fwriasid yn draddodiadol ar yr Iddewon, a gosod arnynt fri newydd, yn ysgolheigaidd ac yn ysbrydol.

Dyma, ynteu, rai o syniadau cyfnod a chymdeithas Morgan Llwyd am yr Iddewon, dyma'r agweddau a'r disgwyliadau a luniai ei farn ef a'i debyg arnynt. A phennaf disgwyliad Llwyd a'i debyg, fel y nodwyd o'r blaen, oedd mai tröedigaeth yr Iddewon a arwyddai ddyfodiad y Diwedd. Eithr pur ychydig o'r milenariaid a aeth ati i fanylu ar union

[23]Katz, op. cit., Pennod 2 "Babel Reversed," *passim*; yn arb. tt. 45, 50, 53, 60. Cafwyd cynlluniau cymhleth i sefydlu'r iaith fyd-eang y soniwyd amdani. Yr astudiaeth safonol ohonynt yw J. R. Knowlson, *Universal Language Schemes* (Toronto a Buffalo, 1975).

[24]O blith awduron yr ail ganrif ar bymtheg, Charles Edwards, fel y gwelsom yn y penodau cynt, biau dal a manylu ar y syniadau hyn yn Gymraeg, er, wrth gwrs, y ceir cryn drafod ar berthynas yr Hebraeg a'r ieithoedd newyddach gan y dyneiddwyr ganrif a hanner canrif o'i flaen. Lluniodd ef lyfryn ar berthynas agos yr Hebraeg a'r Gymraeg, sef *Hebraismorum Cambro-Britannicorum Specimen* (?1676). Gweler hefyd *Y Ffydd Ddi-ffuant* (1677), tt. 150, 394-420. Ar dt. 420-1 dywed Edwards ymhellach fod 'cryn gyssondeb rhwng yr Iuddewon a'n cenedl ni mewn cerdd. Clywais hwy [meddai] yn eu synagog yn canu'r Salmau Hebraeg ar y cyfrwy dônau i'm tŷb i ac sydd arferol yn ein gwlâd ni ar ddechrau'r Natalig, a chalan Mai.' Ni wn sut nac ym mha le – Llundain, os rhywle – y cafodd Edwards fynediad i synagog yn y blynyddoedd crefyddol-anoddefgar hynny.

fodd a dull y dröedigaeth hon. Ceir yn Thomas Brightman sôn am sychu o Euphrates fel y gallai'r garfan gyntaf o Iddewon ddychwelyd i Jerusalem o'r dwyrain – ond ymarferiad breuddwydiol mewn cludiant cenhedlig yw hynyna yn hytrach na rhagleniad ysbrydol-wleidyddol, sef y math o gynllun a ddisgwylid er mwyn hybu mewnfudiad yr Iddewon, a'u Cristioneiddio. Ond wrth gwrs breuddwydwyr oedd y milenariaid, nid cynllunwyr cymdeithasol.

Ni ddigwyddodd fawr ddim. Er cynnal cynhadledd yn y Neuadd Wen yn Rhagfyr 1655 ni phasiodd y senedd ddeddf ar y mater. Am yr ychydig Iddewon a ymsefydlodd o'r newydd yn Lloegr a Chymru, cawsant fendith bersonol Oliver Cromwell ar eu dyfodiad. A dyna'r oll. Fel y lluosogodd problemau'r Gymanwlad oerodd tân y disgwyl – er bod deng mlynedd eto tan 1666.

Buom yn hir gyda'r Iddew. Fel y cofir, trydydd amod dyfod y Diwedd oedd ei droi ef at Grist. Ceir amod neu ragflaeniad arall yn ogystal mewn llawer o ysgrifeniadau ar y pwnc hwn, sef (4) yr amod fod yn rhaid concwerio'r Twrc. Y mae Morgan Llwyd yntau yn sôn amdano, nid ym mhob cyfeiriad at y Diwedd, ond er hynny y mae ganddo. Yr oedd y Twrc yn hen hen elyn i Gristionogaeth, wrth gwrs, ac yn yr ail ganrif ar bymtheg yr oedd y darllenydd o Sais, fel y darllenydd o Gymro ar ôl 1667, yn dra chyfarwydd â'i gymeriad, ei anfadwaith a'i anghred. Genhedlaeth dda cyn i'r Diwygiad Protestannaidd ymosod ar yr Eglwys Gatholig o'i mewn, yr oedd y Twrc wedi ymosod arni o'r tu faes. O leiaf, dyna sut y dehonglai propagandwyr y Protestaniaid gwymp Caergystennyn, hen brifddinas Cristionogaeth y Dwyrain, yn 1453. Adlewyrchwyd casineb y Protestaniaid tuag at yr inffidel mewn nifer o lyfrau Saesneg tra dylanwadol, *English Myrror* George Whetstone (1586), *Generall Historie of the Turkes* Richard Knolles (1603), *Mahommedis Imposturae* William Bedwell (1615) ymysg eraill, – ac o rai o'r llyfrau hyn y tynnodd Charles Edwards y penodau ar Fahometaniaeth a geir yn *Y Ffydd Ddi-ffuant*. Ond casineb ideolegol ydoedd y casineb hwnnw i gryn raddau, canys er yn gynnar yn yr ail ganrif ar bymtheg yr oedd cryn fasnachu rhwng Lloegr a'r Lefant (ys gelwid y rhan honno o'r byd). Cynhelid y fasnach honno fel arfer drwy ganolwyr Iddewig. Yr oedd cysylltiad arall hefyd rhwng yr Iddewon a'r Twrciaid, cysylltiad nid dibwys: ym Mhalestina y trigai'r rhan fwyaf o'r Iddewon, a'r Twrciaid y pryd hynny a reolai Balestina.[25] Mewn ffordd, ni ellid tröedigaeth yr Iddewon heb yn gyntaf sicrhau darostyngiad y Twrciaid.

Yn "Gwrandawed pob Cymro" y ceir cyfeiriad Morgan Llwyd at goncwerio'r Twrc. Ym mhedwerydd pennill y gerdd honno ceir enwi tri o'r amodau uchod gyda'i gilydd. Gan mor hyfryd o rythmig yw'r gân (tan y ddwy linell olaf un), a chan mor ddeniadol y cyflwynir ynddi gataclysm dychrynllyd y Diwedd, fe'i rhoddaf yma yn ei chrynswth (fel y'i hargraffwyd gan T. E. Ellis):

Gwrandawed pob cymro, ar sydd a chlust iddo
 a meddwl da gantho at ganu,
Rwi'n gweiddi ar lasddydd. Dihuned y gwledydd
 Mae genif fawr newydd i Gymru.

Mae 'r holl ysg[r]ythurau, ar taerion weddia
 ar Dayargrynfâu yn dangos
fod cwymp y penaethiaid, a Gwae yr offeiriaid
 a Haf y ffyddloniaid yn agos.

Mae 'r blodau yn tyfu, ar ddayar yn glasu
 ar Adar yn canu yn ddibaid.
Pregethwyr iw 'r Adar, a phobloedd iw 'r ddayar
 ar blodau iw 'r hawddgar ffyddloniaid.

Y Pab a ddifethir, Ar Iddew a elwir
 ar Twrk a ddymchwelir yn greulon,
y Cyntaf yn Rhufain, yr Ail yn y dwyrain
 ar trydydd ynghoelfain yr afon.

Deg teyrnas a heidiant, ei Milwyr a hedant
 Tref Rufain a dynnant ir adfyd.
Sef Brit. Ffraing Hung. Scotland Den. Russ.
 Germ. a Pholand
A Hispaen a Swedland yn unfryd.

Galwad i ddihuno sydd yma, am fod proffwydoliaethau'r Ysgrythurau ar fin cael eu cyflawni. Ym Mathew 24:7 y cyfeirir at

[25]Hill, op. cit., tt. 280-1. Gweler A. C. Wood, *A History of the Levant Company* (Rhydychen, 1935) ac S. P. Chew, *The Crescent and the Rose: Islam and England during the Renaissance* (Efrog Newydd, 1937).

ddaeargrynfâu. Erbyn canol yr ail ganrif ar bymtheg, daliai Llwyd, fel ei gymhreiriaid sectyddol i gyd, na wiw disgwyl i arweinyddion y wlad brysuro'r Diwedd. Am na ellid ymddiried ym mrenin Lloegr i wneud hynny, nac yn yr Eglwys Anglicanaidd yr oedd ef yn ben mewn enw arni, sef am na ellid ymddiried yn yr hen Sefydliad, fe'u difethid (y 'penaethiaid' a'r 'offeiriaid'). Fel y mae'n digwydd, dienyddiwyd yr Archesgob Laud yn 1646, a'r Brenin Siarl I yn 1649. Â'r arweinyddion wedi methu, nid oedd neb ond y merthyron a allai gyflawni'r gofyn, sef y credinwyr syml. Eu haf hwy sydd 'yn agos'. Byddant hwy drwy'r drin a ddaw yn mwynhau'r gynghanedd honno a ddylai fod rhwng y byd creëdig a'r bobl a roes Duw i drigo ynddo, byddant mewn gardd las baradwysaidd. Hyn tra cyflawnir yr amodau angenrheidiol, difetha'r Pab, galw'r Iddew, dymchwel y Twrc.[26] O ran deall ystyr y pennill olaf, awgrymaf droi yn ôl at y dehongliad Archeraidd o ran gyntaf yr adnod honno yn Llyfr Daniel 7:24 sy'n sôn am y deg corn: 'A'r deg corn o'r frenhiniaeth hon fydd deg brenin, y rhai a gyfodant.' – '. . . and about that time,' ebe John Archer am ddechreuad grym y Pab, 'some of the ten Kingdoms in *Europe* began to arise'. Wrth eu henwi y mae Morgan Llwyd yn enwi o leiaf ddwy a oedd o hyd yn wledydd tra Phabyddol, ond prin y gwyddai ei wrandawyr lawer am hynny. Prin, mewn gwirionedd, oedd nifer y Cymry a ddeallai fawr ar gyfeiriadaeth ei gerdd. Eithr nid yw hynny'n tynnu dim oddi wrthi, nac oddi wrth y grym dychmygol hanesyddol mawr a yrrai ei hawdur i ddisgwyl ei Arglwydd.

'Ymffrostio yn ddiau nid yw fuddiol i mi,' meddai Paul yn ei Ail Epistol at y Corinthiaid, 12:1, 'canys myfi a ddeuaf at weledigaethau a datguddiedigaethau yr Arglwydd.' Yn wahanol i nifer o'r awduron hynny ar hyd y canrifoedd a oedd wedi disgwyl y Diwedd, nid yw Morgan Llwyd chwaith yn ymffrostio. Deil y daw'r Deyrnas, ac y caiff y saint y cyfle i'w mwynhau gyda'r Crist Iesu yn y cnawd. 'Mae dynion gwych (Hiliogaeth yr hen *Jacob*) yn barod i godi allan o'r pridd,' ebr ef, 'ag er hyny o'r nefoedd y descynnant.'[27] Y Cristionogion i gyd a olyga

[26]*Gweithiau Morgan Llwyd o Wynedd [i]*, t. 83. Dau o ystyron 'coelfain' yn ôl *Geiriadur Prifysgol Cymru* tt. 532-3, yw 'efengyl' neu 'awdurdod, . . . gwirionedd': dweud y mae Llwyd, y mae'n debyg, fod y Twrc yn cael ei ddymchwelyd drwy ei daflu i afon yr efengyl, lle bodda yn nyfroedd awdurdod uwch nag ef ei hun.

[27]*Gweithiau Morgan Llwyd o Wynedd [i]*, t. 121.

wrth 'hiliogaeth Jacob' yn y fan hon, ond ni fanyla ar natur aduniad y corff a'r enaid. Nac ar y modd y cyflawnid amodau'r Diwedd, gan gynnwys tröedigaeth yr Iddewon. Pan ddiddymwyd y Senedd Hir yn 1653 yr oedd ef yn un o hyrwyddwyr Cymreig mwyaf blaenllaw y senedd a'i dilynodd, ac yn gwerthfawrogi arwyddocâd y ffaith mai 144 o aelodau fyddai ynddi: dywed Ioan y Difinydd fod yr angel a seliodd wasanaethwyr Duw 'yn eu talcennau' wedi selio 'cant a phedwar a deugain o filoedd o holl lwythau meibion Israel' (Dat. 7:6,7).

Yn wir, yn hytrach nag ymffrostio yn ei dybiaethau, cyn bo hir iawn y mae Morgan Llwyd yn mynd yn fwy cyfrin a chymhleth ynghylch y Diwedd, y mae fel petai'n cyfaddef na all meidrolyn o ddyn ddeall sut na modd y Milflwyddiant. Y mae awgrym cynnar ganddo ei fod yn amau ai materol a daearol fyddai'r Diwedd, sef yn y gerdd "Awake, O Lord, Awake Thy Saincts" a luniodd yn 1652. Yr un darlun ag arfer a geir yma – darlun o wae i Ewrop, 'Of plague, flame, sword, & hailstones great', ac o'r Arglwydd yn aredig y byd, yn hau ac yna'n cynaeafu gyda chynnydd llawn. Ond cymal cyntaf y pennill sy'n dilyn y disgrifiad cynaeafol hwn yw 'In number sixe if Christ comes not'. 1666 yw'r rhif chwech, y mae'n amlwg. Ond beth yn union y mae Llwyd yn ei feddwl? –

> In number sixe if Christ comes not
>   hee will kisse me before
> Hee will untye my natures knott
>   I shall be seene no more.

Awgryma'r tair llinell olaf fod Llwyd yn ystyried y gall y bydd wedi marw cyn 1666, ond ni thybiai fyth y byddai ei farw ef yn affeithio'r Ail Ddyfodiad. Fy awgrym petrus i yw ei fod eisoes, ar ôl myfyrio mwy ynghylch holl ddirgelwch amser, yn amau realiti materol y Dyfodiad hwnnw. Y mae "Awake, O Lord, Awake Thy Saincts" wedyn yn troi'n rhybudd cyffredinol ynghylch y farn a ddaw ryw dro ond na wyddys pryd.[28]

Ond beth yw tystiolaeth llyfrau rhyddiaith 1653, *Llythur ir Cymru Cariadus*, *Gwaedd Ynghymru yn Wyneb pob Cydwybod* a Llyfr y Tri Aderyn? Onid ydyw'r cyntaf yn dweud bod 'y wawr yn torri, ar

[28]Katz, op. cit., t. 117.

[= a'r] haul ar godi ar ynys Brydain' a'r ail yn dweud bod y 'wawr wedi torri, ar haul yn codi arnoch'? Ydynt; a gall mai amlygiad sydd yn y fan hon o'r syniad amseryddol-amwys hwnnw sy'n nodwedd nid anghyffredin ar y meddwl apocalyptaidd, sef fod y Diwedd eisoes wedi dechrau. Ni all y darllenydd cytbwys doeth lai na bod yn swil ac ofnus y tu fewn i gloriau Morgan Llwyd, ond y mae'n werth nodi bod yn y *Waedd* yn ogystal â'r datganiad hwnyna ynghylch toriad y wawr (trosiad, diau, am ddyfodiad y Deyrnas yn allanol), ddatganiad ynghylch mewnfodaeth symbolau hefyd.[29] Cyfeiriwyd uchod at y Protestaniaid yn dehongli mai Pab Rhufain oedd y Bwystfil y sonnir amdano yn Llyfr y Datguddiad, Bwystfil yr oedd yn rhaid ei ladd cyn y deuai Teyrnas Iesu Grist. Purion.

> Mae llawer yn son am anifail yn nhref Rufain, ag am *Buttain* Eglwysig ar ei gefn: A gwir yw, yno y mae.

Ond nid peth allanol yn unig ydyw. Ebe Llwyd:

> mae'r anifail hwnnw, ar Buttain honno yn nghnawd pob dyn hefyd, ag yn fforestydd ei feddyliau.

Yn yr un modd y mae'n dweud bod 'mâth ar ddydd y farn y tu mewn i ddyn yn barod, er nad yw diwedd pob peth etto'. Y mae rhan gyntaf y frawddeg yn awgrymu mewnoli barn, ond y mae'r ail ran yn nodi y daw diwedd mewn ffordd arall.[30]

Yn ei lyfr Cymraeg olaf, *Gair o'r Gair: neu, Son am Swn*, a gyhoeddwyd yn 1656, sef un o'r blynyddoedd y dywedodd amdanynt y gallent fod yn flynyddoedd y Diwedd, y mae Morgan Llwyd yn gosod yn nhiriogaeth ddiamser yr ysbryd rai o'r arwyddion hynny o ddiwedd y byd y tybid eu bod cynt yn rhagddigwyddiadau gwrthrychol allanol.[31] Nid yw elfennau anhepgor y newidiaeth y bu'n ei disgwyl yn cyfrif yn awr fel yr oeddynt yn cyfrif o'r blaen. Gynt disgwyliai'r Protestant ynddo am ddinistr y Pabyddion, am goncro'r Twrciaid, am adfer yr Iddewon i Grist. Bellach, y mae hyd yn oed y

[29]*Gweithiau Morgan Llwyd o Wynedd [i]*, tt. 79-80.

[30]Ibid., tt. 137, 131-2.

[31]Y mae Goronwy Wyn Owen, "Morgan Llwyd a Milenariaeth," *Y Traethodydd*, cxlv. 615, Ebrill, 1990, t. 103, yn dal bod syniad Morgan Llwyd 'ynghylch realiti presennol teyrnas Crist yn y galon wedi dyfod yn oddrychiaeth erbyn 1655.'

rhaniad sylfaenol rhwng y Protestaniaid (fel ceidwaid y Wir Ffydd) ar y naill du, a'r Pabyddion a'r Twrciaid a'r Iddewon (fel gelynion y Wir Ffydd) ar y tu arall, wedi'i gyfannu. Wrth sôn am 'y GAIR tragwŷddol' a 'gwîr Air Duw,' y mae'n honni, gan roi'r bobloedd hyn o gredoau amhriod yn yr un gwersyll o annealltwriaeth, fod yr

> *Juddewon* a'r *Twrciaid* a'r *Rhufeiniaid* a'r *Protostanjaid* (*sic*) (a'r holl fân Ddyscŷbljon danynt hwŷ) a phawb ar sŷdd yn bŷw yng Oleuni Rheswm Dŷn ymhliscyn y Greadwrjaeth ymma (oni bŷdd Agorjad yr Ailenedigaeth ynddynt maent) hwŷ yn camgymeryd y Sŵn di-ddechrau di-ddïwedd ymma.[32]

Yr hyn a ddyfyd, heb os, yw y *gall* fod agoriad yr ailenedigaeth yn eneidiau Iddewon a Thwrciaid a Rhufeiniaid (sef y Pabyddion) megis yn eneidiau rhai Protestaniaid. Mwyach, gwêl nad o ran hil a gwaed a chred 'swyddogol' y dosberthir y cadwedig, ond o ran gogoniant enaid. Ac a chofio'r hyn a ddywedwyd am yr Hebraeg gynnau, y modd yr uniaethid hi ag iaith Adda, y ffwdan ymysg ysgolheigion i'w hawlio hi yn wreiddiaith i ieithoedd byw Ewrop yr ail ganrif ar bymtheg, a'r bri anachronistig a roed ar yr Iddewon am y tybid eu bod yn ei meddu, y mae'n arwyddocaol fod Morgan Llwyd wrth gyfeirio ati yn cyfeirio ati fel iaith yn yr ysbryd yn hytrach nag fel iaith ar y tafod. Wrth drafod y 'Gair', ebr ef:

> 'Rwi'n galw y GAIR ymma yr Jaith gyntaf, y wir *Hebraeg*, o Achos mai hwn oedd GAIR cyntaf Duw ymysg Dynjon nes dyfod *Babel* a chymysg: A hwn hefyd fŷdd yr Jaith olaf pan fo *Babilon* wedi cwympo. Mae ef yn Dafodjaith wastadol ynot ti, wrthytti, a phan ymwrandawech ag ef, fe a gwympa *Babilon* o'r tû fewn i ti . . .[33]

A hon, iaith iawn berthynas Duw a dyn, yw'r Hebraeg i'w dyrchafu, nid Hebraeg dysg brintiedig.

Wrth drafod y ddeubeth hyn fel hyn, sef wrth fwrw i lawr wahanfur y gwahaniaeth rhwng y Protestant da a'r bobloedd yr anelid i'w dileu neu eu diwygio, ac wrth godi Hebraeg Duw uwchlaw'r Hebraeg y gobeithid ei hennill gyda'r Iddewon, y mae Morgan Llwyd yn mewnoli profiad yr oedd ei gydfilenarwyr, fel ef ei hun am nifer o

[32]*Gweithiau Morgan Llwyd o Wynedd ii*, t. 172.
[33]Ibid., tt. 154-55.

flynyddoedd, wedi disgwyl ei gael yn brofiad 'allanol' o ryw fath. Y mae'n ddigon anodd i ddyn ddirnad y Diwedd fel peth allanol; y mae'n anos fyth ei ddirnad fel peth mewnol. Y cyfan a dybiai'r milenarwyr oedd eu bod yn wynebu 'trychineb terfynol.'[34] Y mae i ddiwedd allanol o leiaf ffin, y mae rhywbeth o raid yn digwydd, onid e nid ydyw'n ddiwedd. Am y diwedd mewnol, y mae'n anodd meddwl amdano'n ddim amgen na pharhad o ryw ymdrech anniffiniadwy yn yr ysbryd i adnabod yr Ysbryd, a hynny (gan ddilyn rhesymeg Llwyd yn *Gair o'r Gair*) mewn iaith a thrwy iaith sydd yn hŷn ac yn hydreiddiach nag iaith y Beibl, arwyddion o'r hwn a fu i Morgan Llwyd am gyfnod da yn alphabet ei apocalyptiaeth. Felly, yn ysgrifeniadau olaf yr awdur hwn a gyhoeddodd gyhyd fod hanes yn dod i ben, y mae hanes megis yn toddi'n Dduw-adnabyddiaeth nad oes a wnelo'r peth mwyach ddim â gorymdaith amser. Am ryw reswm gwleidyddol yn rhannol, nid hwyrach, ond rhaid ei fod yn ddyfnach rheswm na'r siom a gafodd yn Oliver Cromwell, fe gollodd Morgan Llwyd ei ffydd mewn digwyddiadau, ac o ganlyniad trodd y dyfodol cyfnewidfawr y bu'n disgwyl ymlaen ato yn ymarferiad yn yr enaid.

Gall ei ddarllenydd ddeall ymarfer ysbrydol yn llenyddiaeth Charles Edwards, oblegid pennaf ysgogiad ei fath proffwydaidd ef o hanes oedd cynnal hen berthynas gyfamodol yr Israeliad gyda Duw. Gan y gŵyr y daw amser i ben rywdro, gŵyr hefyd fod i bob digwyddiad hanesyddol arwyddocâd cosmig, mesuredig yn y Farn. Am ddarllenydd Morgan Llwyd, y mae'n darllen dro lyfrau sydd yn diengyd oddi wrth hanes, yn yr ystyr eu bod yn defnyddio hanes fel amserlen i nodi yr adeg y daw Nerth Nefol i ddisodli nerthoedd daear: 'canys yr hyn a ordeiniwyd,' ys dywed Daniel 11:36, 'a fydd.' Ond yna y mae'n darllen llyfrau a wad hyn (bu ond y dim i'r pin ysgrifennu ddweud a *wawdia* hyn) – llyfrau y mae amser ynddynt mor amhendant fel na ellir edrych ymlaen. Y mae fel petai ewyllys Morgan Llwyd wedi troi i mewn arni hi ei hun. Eto i gyd, nac anghofier bod y troad hwn hefyd yn ysgrythurol. Gellir dweud mai ymdrech 'yn yr ysbryd' i adnabod yr Ysbryd oedd disgwyl y Diwedd. Y mae'r cymal hwnnw'n dod o Lyfr y Datguddiad ei hun, 1:10.

[34]Morris, op. cit., t. 43.

5

PA WELEDIGAETH SYDD YN Y *DRYCH*?

Fy mwriad yw edrych ar gyfraniad (neu ddiffyg cyfraniad) Theophilus Evans i'r ffordd y gwelodd y Cymry eu hunain fel cenedl etholedig. Dywedais nad wyf i'n berffaith siŵr a yw'r weledigaeth feiblaidd ynglŷn â Chymru fel y'i ceir hi yn *Y Ffydd Ddi-ffuant* gan Charles Edwards i'w chael yn ei holl rym hanesyddol a diwinyddol yn unman arall ac eithrio yn adargraffiadau ei glasur ef. Yno yn anad unlle y cyhoeddir rhaglen o ddyheadau at y dyfodol sydd ynghlwm wrth ogoniant y gorffennol ac sydd yn ddibynnol ar ein hewyllysgarwch ni fel pobl i'w cyflawni. Rhaglen ysbrydol oedd hon, wrth gwrs, rhaglen o gyflawniadau i ryngu bodd Duw, i sicrhau boddhad ysbrydol i'r Cymry eu hunain, ac i ennill edmygedd 'y cenhedloedd o'u hamgylch'. Rhaglen ysbrydol, Israelaidd. Yn awr, y mae peth tebygrwydd rhyngddi â'r rhaglen – neu efallai yn yr achos hwn y dylid defnyddio enw llai pendant ei gynodiadau, a dweud bod peth tebygrwydd rhwng y rhaglen ysbrydol, Israelaidd hon â'r *disgwyliad* gwleidyddol, Brytanaidd sy'n gyffro mewn cryn dipyn o'n llenyddiaeth ganoloesol, ein 'llenyddiaeth hanes' a'n brudio, sef y disgwyliad yr adenillid i Gymru yr hyn a gollodd gynt.[1] Y mae'r ymwybod â cholledigaeth y Cymry yr un, yr ymwybod â siom, anffawd, annigonolrwydd, anewyllysgarwch, gwendid, – galwch ef a fynnoch. Yn ôl y naill schema neu fyth, yr olwg Israelaidd ar bethau, collasom ein braint yn y Ffydd; yn ôl y llall, yr olwg Frytanaidd ar bethau, collasom goron Llundain. Yn Charles Edwards, trinnir prif chwaraewyr y wleidyddiaeth Frytanaidd fel cymeriadau sydd o raid yn ddarostyngedig i Dduw Israel. Gyda golwg ar ymdrechion dramatig y Cymry yn erbyn y Saeson yn y chweched ganrif, er enghraifft, 'Duw', ebe Edwards, a roddodd y 'Maes ir Britanniaid mewn llawer brwydr', er iddo wneud hynny 'drwy ddewrder a phwyll Emrys Aurelianus, a'i frawd Uthr, a'i nai ef y brenin Arthur'.[2] Ond

[1]Gw. trafodaeth Dafydd Glyn Jones ar agweddau ar y pwnc hwn yn ei ddarlithoedd disglair *Gwlad y Brutiau* (Abertawe, 1990), a *Cyfrinach Ynys Brydain* (Darlith Radio Flynyddol BBC Cymru, 1992).

[2]*Y Ffydd Ddi-ffuant* (Rhydychen, 1677), t. 160.

gyda golwg ar yr unfed ganrif ar bymtheg, nid oes yn *Y Ffydd Ddi-ffuant* ddim ymorchestu Bosworthaidd yn nyrchafiad y Tuduriaid i'r orsedd. Yn hyn o wladgarwch, y mae Edwards yn gwybod ym mha le y saif, gydag Eseia a Jeremeia nid gyda Sieffre a Myrddin a Thaliesin.

Rhan o'r broblem gyda Theophilus Evans, ar y llaw arall, yr hanesydd a gymherir gydag Edwards mor aml, yw *na* ŵyr ym mha le y saif. Yr wyf yn dweud bod yma broblem, yn rhannol, am fod cynifer o'i ddarllenwyr ystyrlon wedi cael anhawster i'w ddosbarthu ac i iawn ddisgrifio ei waith Cymraeg pwysicaf, *Drych y Prif Oesoedd.* Y mae Saunders Lewis yn rhestru rhai dyfarniadau arno ar ddechrau erthygl a luniodd yn 1954 i'w amddiffyn. Egyr yr erthygl honno drwy nodi bod 'ysgolhaig yn ddiweddar mewn sgwrs ddarlledu' wedi dweud 'na fyddai *Drych y Prif Oesoedd* yn glasur mewn unrhyw lenyddiaeth oddieithr y Gymraeg.' 'Ni bu barn ysgolheigion eraill yn wahanol,' ebe Saunders Lewis:

> "hygoelus ac anfeirniadol," ebe *Hanes Llenyddiaeth Gymraeg*, "rhagfarnllyd ac anfeirniadol," medd y *Bywgraffiadur*, ac fe gofiwn oll am ragymadrodd S. J. Evans i argraffiad 1902.

Yr hyn a wnaeth S. J. Evans yn ei ragymadrodd byr, coeth oedd datgan na ellid edrych ar y *Drych* fel cyfraniad gwerthfawr i ymchwil hanesyddol am mai llyfr crefyddol ydoedd, a fwriadwyd yn bennaf fel apêl nerthol ond syber at y Cymry:

> a powerful though sober appeal to the people to reflect upon the evils of neglecting the true worship of God, and, to a lesser extent, the unwisdom of dissensions and paralysing divisions among Christians. The Welsh are to him God's chosen race under the New Dispensation, just as the Jews were under the Old. The histories of the two nations are therefore parallel.

Bron na welwch chi gyn-brifathro Ysgol Sir Llangefni yn rhoi C+ mewn inc coch amdano.[3]

[3]Saunders Lewis, *Meistri'r Canrifoedd*, gol. R. Geraint Gruffydd, (Caerdydd, 1973), t. 232. Samuel J. Evans (gol.), *Drych y Prif Oesoedd (second or 1740 Edition) Rhan I*, ail argraffiad (Bangor, 1927), t. xi. Yr hyn sy'n arbed Theophilus Evans ym marn S. J. E. yw ei ddawn lenyddol: 'he is the consummate artist whom generations of his fellow-countrymen have proclaimed to be in the first rank of Welsh writers' (t. xii).

Ond rhan, a rhan yn unig, o'r gwir am gynnwys *Drych y Prif Oesoedd* yw'r hyn a ddywedodd S. J. Evans; a dyna pam na ellir hawlio bod y weledigaeth hanes Iddewig-Gristionogol ynddo yn ei chyflawnder, fel y mae hi yn *Y Ffydd Ddi-ffuant*. Dadl Saunders Lewis yn yr erthygl y cyfeiriwyd ati gynnau yw bod Theophilus Evans yn byw mewn dau fyd, byd 'brut a breuddwyd beirdd a . . . storiawyr yr Oesoedd Canol' a byd 'gwladgarwch hynafiaethol a chrefydd ddiwygiedig' y Dadeni, ac mai 'dyna'r esboniad ar ffurf a chyfansoddiad *Drych y Prif Oesoedd* – dau futhos, dwy ran; stori'r genedl a stori ei chrefydd ar wahân.' Sef stori Ynys Brydain a stori'r Israel bresennol ar wahân. Ond ofnaf fod mwy o harddwch nag o wir help yn y thesis hwn.[4] Petai llyfr Theophilus Evans mor gytbwys-glir ei raniad â hynyna, nid achosai broblem i neb.

Heb os ac oni bai, o graffu arno, fe welwn beth o'r hyn a welodd S. J. Evans, ac fe welwn beth o'r hyn a welodd Saunders Lewis. Wedi'r cyfan, dywed yr awdur ei hun ei fod yn Rhan I yn traethu am 'Gyff-cenedl y CYMRU' a'r rhyfeloedd a fu rhyngddynt a phobloedd eraill, ac yn Rhan II am bethau 'a ddigwyddodd mewn perthynas i GREFYDD'.[5]

Gydag S. J. Evans fe welwn ar waith yr athrawiaeth Hen-Destamentyddol ynghylch ufudd-dod y bobl yn ennyn bendithion Duw a'u hanufudd-dod yn ennyn Ei lid. Y mae hi yma yn ei phlaendra, ydyw, yn y paragraff agoriadol hyd yn oed, lle daw Myrddin a Moses ynghyd (fel y lluniodd Theophilus bethau) i gydadrodd eu gwaeau:

> *Eu Hiaith a gadwant, eu Tir a gollant*, eb'r *Myrddin*. A phe ni's digiasem Dduw fel y gwnaethom trwy ein pechodau ffiaidd, ni chollasem ein Tîr chwaith. Ac o herwydd i ni gyffroi yr Hollalluog i ddigofaint, *Ni adawyd yn ychydig bobl, lle yr oeddym fel Sêr y Nefoedd o Luosowgrwydd, o herwydd ni wrandawsom a'r lais yr Arglwydd ein Duw*. Deut. 28.62.

Yr un egwyddor sy'n cynnal yr alarnad hir sy'n araf ddiweddu'r drydedd bennod lle'r adroddir hanes cyfnewidiol y 'Brutaniaid' o'r

[4]*Meistri'r Canrifoedd*, tt. 246-7. Gw. hefyd *Drych y Prif Oesoedd* (gol. Garfield H. Hughes), t. xxiii.

[5]Ibid., yr wyneb-ddalen wreiddiol.

amser y rhoddodd Garmon a Lupus y Ffichtiaid ar ffo y tro cyntaf hyd at ddyfodiad y Saeson. Dywed yr hanesydd: 'cyhyd ac y bu y Brutaniaid yn ofni Duw ac yn cilio oddiwrth ddrygioni, cyhyd ac hynny yr arhosodd y gelyn gartref. Ond pan ddechreuodd y Brutaniaid anghofio Duw, a'i addoliad, yno'r gelynion hwythau a ddechreuasant barottoi i ymweled a hwy.' Yn ateg i'w thesis y mae'n dyfynnu eto o Deuteronomium ac o lyfr ei hoff broffwyd, Jeremeia.[6] Ailedrydd Theophilus Evans beth o'r hanes hwn yn nhrydedd bennod Ail Ran y *Drych*, ac yno ailddywedir hefyd – yn naturiol – yr unrhyw rybuddion a gwersi: 'yn wîr ddiau,' ebr ef, 'pe canlynasai'r hên *Frutaniaid* y rheol efangylaidd honno, sef, gwasanaethu Duw gyda gwylder a pharchedig ofn, megis ac y dechreuasant, ni fuasai mo'r *Ffichtiaid*, na neb estroniaid eraill, fyth yn gallu eu gorchyfygu. Ond ysywaeth!' –

> Pobl ddrwg-fucheddol gan mwyaf oeddynt, ac yn gwneuthur yr hyn oedd ddrŵg yng ngolwg yr Arglwydd. *Am hynny, megis ac yr yssa y ffagl dân y sofl, ac y difa y fflam y mân-us; felly y bu eu gwreiddyn hwynt yn budredd, a'i blodeuyn a gyfodes i fynu fal llwch; am iddynt ddiystyru cyfraith yr Arglwydd y lluoedd, a dirmygu gair Sanct yr Israel*, Es.5:24.

Nid yw'n syndod fod hanesydd a roddai'r fath bwys ar bresenoldeb yr Arglwydd mewn hanes yn nodi mai 'y Scrythur Sanctaidd' yw 'yr unig Histori ddisiommedig' (er ei fod, gyda'r gydwybod fodernaidd a feddai, cydwybod y caf gyfeirio ati'n fyr maes o law eto, yn dweud bod rhai pethau 'a adawyd heibio gan yr Efangylwyr').[7]

Y mae'n dilyn o hyn fod Theophilus Evans yn hawlio cydweddiad rhwng hanes Israel a hanes Cymru – cydweddiad cyffredinol, ac, unwaith neu ddwy, gydweddiad neilltuol trwy gyffelybiaeth benodol. Megis pan fyn i'r 'Esgob a elwid *Dyfrig*' orchymyn dryllio Hengist y Sais 'yn dameidiau' gan hawlio'i fod yn canlyn '*Siampl y Prophwyd Samuel yr hwn pan oedd Agag Brenin Abimelec yn ei law a ddywedodd*, Fal y diblantodd dy gleddyf di wragedd, felly y diblentir

[6]Ibid., tt. 18, 59. Cf. "At y Darllenydd," A3 verso, brawddegau olaf y paragraff cyntaf: 'Yma y cewch weled, tra fu ein Hynafiaid yn gwneuthur yn ôl ewyllys yr Arglwydd, na thycciai ymgyrch un Gelyn yn eu herbyn: Ond pan aethant i rodio yn ôl cynghorion, a childynnrwydd eu calon ddrygionus, *Y Dieithr ag oedd yn eu mysc a ddringodd arnynt yn uchel uchel, a hwythau a ddesgynnasant yn issel issel*. Deut. xxviii, 43.'

[7]Ibid., tt. 185, 125.

dy fam ditheu ym mysc gwragedd. A Samuel a ddarniodd Agag ger bron yr Arglwydd yn Gilgal. I. Sam. 15.33. *Gwnewch chwitheu Anwylwyr yr un ffunud i* Hengist, *yr hwn sydd megis ail Agag*: Ac yno *Eidiol* Jarll Caer-loyw brawd *Dyfrig* yr Esgob, a ddrylliodd *Hengist*, yn dameidiau.'[8]

Oddi wrth rai cyfeiriadau ysgrythurol, megis y dyfyniad o Deuteronomium 28:62 uchod, oddi wrth rai cyfeiriadau yn y testun, megis hwnnw ar dudalen 61 lle geilw'r Brytaniaid yn 'ychydig nifer o drueiniaid methedig', ac oddi wrth y cydweddiadau hyn, y mae'n amlwg fod yn y *Drych* elfennau niferus o'r syniad am y Cymry fel cenedl etholedig. Ni ellir gwadu hynny.

Ac yna, dyna'r syniad am y Saeson fel gwialen yr Arglwydd, fel yr oedd yr Eifftiaid ac eraill yn wialennod ar gefn Israel yn yr Hen Destament. Y mae'r syniad hwnnw yma hefyd, ond nid yn ei holl nerth, eithr yn hytrach fel rhyw ymddiheuriad o ddamcaniaeth. Pan oedd y Saeson o dan arweiniad yr hagr Hengist, yr oedd ynddynt, ebe Theophilus Evans, y fath 'greulonder a ffalstedd anhygar' fel y rhyfeddai at 'larieidd-dra'r *Brutaniaid*' y pryd hwnnw. Ond tybia mai'r 'prif achos o larieidd-dra'r *Brutaniaid*' oedd bod Duw wedi dymuno lliniaru eu hysbrydoedd am fod yn Ei arfaeth Ef 'i ddewis Sainct ac Etholedigion' o blith y Saeson. Y mae ef yn derbyn taw Lloegr yw'r genedl etholedig. Y mae Theophilus Evans eisiau canmol y cymdogion: 'Ac amlwg ydyw eu bod mywn dysc a duwioldeb yn cystadlu un genhedl tan Haul wedi iddynt dderbyn y Grefydd Grist'nogol, (yn enwedig wedi adgyweiriad Crefydd) [sef ar ôl y Diwygiad Protestannaidd].'[9] Yr oedd Charles Edwards yntau wedi gorfod newid ei gân am y Saeson, ond nid oedd ef yn newid cywair, o'r lleddf i'r llon, mor rhwydd. Y mae Theophilus Evans yma, fel mewn materion eraill, fel petai'n dymuno glynu wrth un weledigaeth, ond yn methu â llwyr gydymffurfio â hi am fod gweledigaeth arall yn ei lygad-dynnu.

Sef, yn yr achos hwn, gweledigaeth yr haneswyr ysgolheigaidd newydd y mae Garfield H. Hughes yn sôn amdanynt yn y Rhagymadrodd gloyw a gofalus a luniodd i argraffiad 1961 o *Drych y Prif Oesoedd*. 'Buddiol,' ebe Hughes yno, yw cofio rhybudd yr

[8]Ibid., t. 84.

[9]Ibid., tt. 84-5.

ysgolheigion hynny mai 'hanesydd "o ddifrif" oedd Theophilus Evans, yn cyfrannu at hanes gwleidyddol a chrefyddol ei genedl'. Ond, meddai ymhellach, ac y mae mawr ddoethineb diduedd a di-nag yn ei eiriau, 'dylem arfer cymedroldeb yn ein gwerthfawrogiad ohono.'[10] Gŵr ifanc iawn oedd Theophilus Evans pan luniodd argraffiad cyntaf *Drych y Prif Oesoedd*, rhyw ddwy-ar-hugain oed, 'yn dymuno dyrchafu bri ei genedl', eto'n cael ei ddenu at y ddysg a wadai gynifer o'r chwedlau a luniasai'r Cymry am eu dechreuad a'u datblygiad, ac a waharddai i neb hawlio mewn hanes y patrwm o nodded nefol arbennig, a llid nefol arbennig, a hawliasai proffwydi'r Hen Destament, Gildas a Beda, Foxe ac Edwards. Oherwydd iddo ildio rhyw gymaint i'r ddysg hon y mae'n rhaid dal, yn groes i S. J. Evans, *nad* fel cenedl etholedig o dan yr Oruchwyliaeth Newydd, ac fel hynny'n unig, y gwelodd Theophilus Evans y Cymry. Oherwydd hynny hefyd y maentumir na allodd, chwaith, gydbwyso yn ei lyfr y 'ddau futhos' y soniodd Saunders Lewis amdanynt. Rhoddodd y ddysg newydd ynddo y diawlineb amheugar hwnnw sy'n gwneud ei ffraethineb yn erfyn mor finiog, ac sydd weithiau yn peri iddo watwar yr union beth ag y byddai (dan amgylchiadau eraill ac mewn oes gynharach) yn dymuno'i ddyrchafu.[11] Gŵyr y cyfarwydd fod ail argraffiad *Drych y Prif Oesoedd*, argraffiad 1740, yn fwy carlamus fyth ei ddifrïaeth. Ac nid oes gan y difrïwr wir Israel yn y presennol.

Da y dywedodd Dafydd Glyn Jones fod Theophilus Evans yn 'wfftiwr mor hwyliog'.[12] Yn aml, wfftia yn yr un darn paragraff y dysgawdwyr newydd y mae mor awyddus i'w hefelychu yn ogystal â'r croniclwyr cenedlaetholgar y mae mor ddyledus iddynt am ei ddeunydd. Cast cyffredin ganddo yw adrodd yn fanwl ac addurniedig un o straeon y gwŷr diwethaf hyn, ac yna fwrw amheuaeth arni. Er enghraifft, dyna'r tro hwnnw pan edrydd y stori am Arthur yn tynnu'r cleddyf o'r einion ac yn cael ei eneinio'n frenin. Ceir y sylw hwn wedyn: 'A'i [=Ai] stori wirioneddol neu chwedl dychymmygol ydyw hon, ni's gwn i.' Yna â rhagddo i nodi ei fod yn credu rhai pethau am Arthur a'i fod yn anghredu pethau eraill amdano. Daw'r paragraff i

[10]Ibid., t. xxxviii.

[11]'Diawlineb amheugar' meddaf i; 'direidi gwerinol' ebe Bobi Jones yn *I'r Arch [:] Dau o bob Rhyw* (Llandybïe, 1959), t. 104. Ond yr wyf i'n argyhoeddedig mai dysg nid natur a ddysgodd i Th. E. 'dynnu urddas' pethau.

[12]*Gwlad y Brutiau*, t. 15.

ben gyda'r datganiad pendant hollol – '*Ond ni bu* Arthur *ond tra fu*' – sy'n wadiad llwyr a gwrthchwedlonol o anfarwoldeb honedig Arthur.[13] Eithr cysegrir y tri pharagraff dilynol i fychanu'r rhai hynny a wadent ei fodolaeth. Yn Rhan II y *Drych* yr un modd y mae'n adrodd yn hir stori dyfodiad Joseph o Arimathea i Brydain, ac yn ei dwyn i ben drwy sôn amdano'n cael yn rhodd Ynys Afallon, lle'r 'adeiladwyd Eglwys heb waith dwylaw, ac a gyssegrwyd gan Ghrist ei hun er anrhydedd ei Fam y *Fair* forwyn.' Ond, ebe Theophilus, ar ôl iddo'u dweud, 'chwedlau pabaidd yw y rhai hyn, ac nid oes (i'm tŷb i) ddim gwirionedd ynddynt.'[14] Gwaith annifrif yw gwaith fel hyn – ie, er gwaith digrif iawn iawn mewn mannau, – gwaith sy'n ffrwyth amhendantrwydd amcan. Nid y Protestant ynddo yn ogymaint â'r modernydd sy'n amau hanes codi'r eglwys yn Afallon ac anfarwoldeb Arthur, yr un modernydd ag a ddywedodd am y bobl a etholodd '*Wrtheyrn* felltigedig' yn frenin am yr ail waith: 'Naill yr ydoedd y *Brutaniaid* yn ffyliaid digymmar y pryd hwnnw, neu *Ynys Brydain* oedd wedi ei rhag-ordeinio i'r *Saeson*.'[15] Ni ddywedasai'r un hanesydd Iddewig-Gristionogol y naill hanner na'r llall o'r frawddeg hon. Ymateb digofus dyn synhwyrol i ffolineb naturiol ei gyd-ddynion a geir yn ei rhan gyntaf. Yn yr ail y mae holl ymarostyngiad dyn sy'n gwawdio gwirionedd hen gred.

Dim ond deugain namyn un o flynyddoedd sydd rhwng trydydd argraffiad *Y Ffydd Ddi-ffuant* ac argraffiad cyntaf *Drych y Prif Oesoedd*, ond er eu tebyced ar un olwg, ar olwg arall y mae cenedlaethau o wahaniaeth rhwng eu hagweddau at hanes, sef y cenedlaethau na wnaeth Charles Edwards ddim sylw ohonynt, y cenedlaethau o haneswyr Prydeinig o William Camden i lawr a ddysgodd roi pwys ar bethau heblaw golud ysbrydol a gwae, a'r genhedlaeth ddiweddar o haneswyr Anglicanaidd nad adnabu ef.

Yma, wrth drafod dylanwad y Beibl ar y dychymyg hanesyddol Cymreig, y peth pwysicaf un i'w nodi am *Drych y Prif Oesoedd* yw bod yr hanes politicaidd ynddo (Rhan I) yn dod i ben gyda lladd Llywelyn ap Gruffydd yn 1282. Mewn gwirionedd, y mae'r hanes yn dod i ben gyda marw Arthur saith gan mlynedd ynghynt. Ar ôl

[13] *Drych y Prif Oesoedd*, t. 92.

[14] Ibid., tt. 141-2.

[15] Ibid., t. 75.

disgrifio darganfod ei fedd 'tua diwedd teyrnasiad *Harri*'r ail' a dweud ei bod yn 'ormod tasc' iddo adrodd yn neilltuol 'am Weithredoedd *Arthur*', i bob pwrpas dyry Theophilus Evans ben ar y mwdwl yn y fan honno, a chyfeiria'r neb a chwenycho 'hanes gyflawn am helynt Tywysogion Cymru' i ddarllen Cronicl Caradoc o Lancarfan, Cronicl y mae'r 'coppi perffeithiaf' a welodd ef ohono (meddai) ym meddiant ei noddwr, William Lewes o'r Llwynderw. Y mae'r awdur yn gosod terfyn ar hanes y ffydd yn Rhan II hefyd yn o fuan, ychydig ar ôl dyfod Awstin a'i Babyddiaeth yma, gan adael y Cymry 'yn nhywyllni Pabyddiaeth, megis yn *nyffryn cysgod angau*.' Y tro hwn y mae'n cysuro'r neb a fynno wybodaeth am a ddigwyddodd i'w gyndadau wedyn drwy ddweud ei fod 'yn bwriadu cyfieuthu gwaith y Parchedig Ddoctor *Nichols*', sef *Defensio Ecclesiae Anglicanae* Henry Nicholls (1707/8).[16] Ddwywaith, wele'r hanesydd yn peidio â'i hanes, ac yn amddifadu'r darllenydd o lawer o wybodaeth am yr hyn a alwn ni yn Oesoedd Canol; ac er a addawo, nid yw'n osio llunio dim am y cyfnod diweddar chwaith. Hyn eto yn awgrymu na allai gynnal y weledigaeth Israelaidd i sôn am Gymru ddiweddarach na'r Oes Chwedlonol.

Gan bwyll, meddir. Chwarae teg, onid drych y *Prif* Oesoedd (sef yr Oesoedd Cynharaf) a addawyd i ni? Ac onid yw cwyno am ddiffyg cynnwys nas crybwyllir ar y label yn annheg? I raddau, ydyw. Ond dim ond i'r graddau y derbyniwn mai *pastiche* o lyfr hanes yn y traddodiad Iddewig-Cristionogol yw'r llyfr hanes hwn. Pennaf pwynt yr hanes hwnnw fel y'i ceir yn y Beibl ei hun, yn y traddodiad Brytanaidd ac yn y traddodiad Protestannaidd, yw ei fod yn peri i'r presennol adnabod y gorffennol er mwyn y dyfodol. Nid oes i'r *Drych* na phresennol na dyfodol, na phenllanw na pharhad. Gan fod iddo ddwy ran, er a ddyfyd Saunders Lewis, ni ddaeth yr hanesydd a'r diwinydd yn un fel y maent yn y Pumllyfr ac yn y proffwydi ac yn Gildas ac yn Charles Edwards, a chan nad oes iddo bresennol na dyfodol, ni all fod ynddo broffwydo. Y mae, ynteu, y tu faes, neu efallai y tu hwnt, i'r dychymyg Israelaidd.

[16]Ibid., tt. 94-5, 218, xxii.

6

DAU ARTHUR APOCALYPTAIDD?

Yr wyf yn dymuno neidio tros ddwy ganrif a thraethu ar y modd y trafoda dau lenor o'n dwthwn ni agweddau ar y gorffennol a'r presennol a'r dyfodol, dau lenor sydd hefyd yn ymddiddori'n ddwfn mewn diwinyddiaeth ac mewn athroniaeth hanes. Y ddau lenor dan sylw fydd Pennar Davies a Bobi Jones. Edrychaf ar nofelau dyfodolaidd y naill ac epig hanes y llall: yn achos Pennar Davies *Anadl o'r Uchelder*, *Mabinogi Mwys* a *Gwas y Gwaredwr*; ac yn achos Bobi Jones *Hunllef Arthur* (yn llawnach na chynt).

Cyn imi fynd at Davies & Jones goddefer imi nodi eto rai pethau amlwg am y modd yr ymdrinnir ag Amser yn y Beibl, a hynny am fod y pethau hyn yn creu'r cyd-destun dychmygol y gweithia'r ddau lenor ynddynt. –

1) Nodi mai cenedl ddi-rym a luniodd yr Ysgrythurau, cenedl na allai ei deall ei hun nac esbonio rhyfeddod ei pharhad ac eithrio drwy ei gosod ei hun mewn hanes, drwy ddisgrifio'r pethau a ddigwyddodd iddi mewn Amser mewn perthynas â'i Duw byw gweithredol. Yr oedd y genedl hon a oedd ynghlwm wrth Dduw drwy hanes yn wastad yn gorfod ystyried a oedd yn cyflawni ei chenhadaeth. Yn ei methiant, datblygodd athrawiaeth 'y gweddill cyfiawn,' y sicrheid drwyddo, o leiaf yn ddamcaniaethol, ryw fath o barhad i'r genedl Iddewig a'i hystyriai ei hun yn genedl etholedig ond a ymddygai fel unrhyw genedl arall o ddynion.

2) Nodi i'r Cristionogion cynnar fabwysiadu'r syniad fod Duw yn llywio cwrs amser er budd Ei ddewis bobl ac i'r Eglwys yng Nghred weld ei holl aelodau'n ddewis bobl Duw. Ond tybiodd sawl cenedl fodern ei bod hi hefyd yn etholedig. O'r dydd yr ailddarganfu Eusebius arwyddocâd cyfanfydol i hanes Israel drwy ei weld fel *praeparito evangelica*, hyd at y dydd y lluniodd Bobi Jones yn ei stydi yn Llangawsai *Hunllef Arthur* yn ddrych dychrynllyd o hanes Cymru, ni phylodd ac ni phallodd hud a her hanesyddiaeth Israel.

3) Nodi bod yn y Beibl, yn ogystal â phwys ar y gorffennol yn arwyddo i'r presennol gyfeiriad y dyfodol, bwys hefyd ar Ddiwedd

Amser. Sonnir amdano mewn llawer llyfr, ond nid yn olau: cymysgedd o arwyddion a ffigyrau sy'n dynodi'r Diwedd, a dichon ei bod yn anochel mai amwys ac amhendant yw'r syniad-ddigwyddiad. Yr Apocalyps, fel y'i gelwir weithiau.

4) Nodi bod llenyddiaeth apocalyptic yn wahanol i lenyddiaeth broffwydol. Sôn y mae'r bardd-broffwyd, o awdur Deuteronomium hyd at Gwenallt, am y dyfodol yn codi allan o'r presennol i fan cyfuwch â phinaclau'r gorffennol. Y mae'r apocalyptydd, ar y llaw arall, yn sôn am y dyfodol yn torri i mewn i'r presennol. Nid gwaith apocalyptig yw gwaith Bobi Jones yn ei hanfod ond gwaith proffwydol ac iddo elfennau apocalyptig (dyna pam y ceir gofynnod yn nheitl y bennod hon). Y mae gwaith Pennar Davies yn gwbl apocalyptig.

Yr ydym yn awr wedi cyrraedd man lle na allwn fynd rhagom heb nodi rhywbeth arall amlwg, nid am y Beibl y tro hwn eithr am barhad ei ddylanwad ar ddychymyg llenorion mewn oes wyddonol. Gyda llymder anysbrydol gellid dweud am lenyddiaeth broffwydol Bobi Jones fel am lenyddiaeth apocalyptaidd Pennar Davies eu bod yn anachronistig. Eithr nid yw'r ansoddair hwnnw yng ngeiriadur unrhyw fardd. Onid e, pwy a dybiai o gwbl fod Theophilus Evans yn werth ei ddarllen? A bod ystyr am byth i olwg Homer a Ioan y Difinydd ac awdur y Mabinogi a Morgan Llwyd ar y byd? Yn wir, y mae awduron fel Pennar Davies yn fwriadus yn ymwrthod â dulliau modern o ddehongli hanes ac yn *dewis* ysgrifennu mewn dull a modd arbennig, y tu fewn i feddylfryd hynafol osodedig, am eu bod eisiau manteisio i'r eithaf ar yr estyniad traddodiadol o ystyr a berthyn i'r dewis ddull neu'r dewis fodd hwnnw. Gyda golwg ar Bobi Jones, y mae lle i faentumio ei fod ef yn dal mai gau wybodaeth yw'r math o hanes dogfennol a berchir fel hanes proffesiynol diweddar, ac na cheir ynddo'r 'gwir' a berthyn i hanesyddiaeth yr Ysgrythur.

Ond yr wyf yn sôn amdanynt yn gyffredinol cyn manylu ar y gweithiau y dymunaf eu cyflwyno i chi.

Fel y dywedais gynnau, y gweithiau gan Pennar Davies y dymunaf eu trafod yw'r tair nofel *Anadl o'r Uchelder* ([1958]), *Mabinogi Mwys* (1979), a *Gwas y Gwaredwr* (1991). Y mae cynifer o flynyddoedd rhwng yr ail nofel a'r gyntaf a chynifer wedyn rhwng y drydedd a'r ail fel na ellir tybied bod yr awdur wedi eu cynllunio fel trioleg. Ond y mae'n wybyddus taw'r llinynnau a dynnir ynghyd yng nghwlwm eu mawrbwnc hwy yw'r pynciau y bu'n myfyrio arnynt drwy gydol ei yrfa. Perthynas yr unigolyn â Duw, ei berthynas â'i rieni, yna â'i gariad (neu ei chariad) ac â'i wraig (neu â'i gŵr), ac yna'i berthynas â'i blant, sef addoliad a thras a serch a chariad a pharhad.

Perthynas Duw â duwiau eraill yn ogystal, a'r modd y daeth dynion mewn gwareiddiadau gwahanol i ddirnad drama amseroedd Duw a'r duwiau, sef hanes a metahanes. Ac nid mewn llenyddiaeth yn unig y mynegodd ei syniadau am hanes a pharhad. Mewn ysgrif yng Nghyfrol Deyrnged y Prifathro R. Tudur Jones yn 1986, y mae Pennar Davies, heb ffuglennu, yn gofyn yn anogaethol fel hyn:

> Oni ddylem weddïo, mewn oes o baratoi dinistr-niwclear, am adfywiad rhyfeddol o hen obaith y Cristionogion cynnar am ddiwedd y byd (I Cor. 15:24) a dyfodiad Teyrnas y Cariad Dwyfol yn ei holl gyflawnder?[1]

Eisiau troi ofn ac anobaith y seciwlariaeth sydd ohoni yn 'obaith llachar' fel yn 'oes Pedr a Phaul' y mae, meddai ef, 'y gobaith am ddiwedd buan yr oes bresennol a dyfodiad Dydd yr Arglwydd.' Os gall y pregethwr mewn gwaed oer drafod y Diwedd, y mae'n hawdd i'r pregethwr fel nofelydd wneud hynny.

Yng nghanol y pumdegau yr ysgrifennwyd *Anadl o'r Uchelder*. Gosodwyd ei digwyddiadau ym mlynyddoedd olaf yr ugeinfed ganrif, sef yn y cyfnod yr ydym ni'n awr yn trigo ynddo, diwedd y mileniwm. Cyn bo hir, bydd y nofel ddyfodolaidd yn nofel hanes! Gŵr o'r enw Marcel Breton yw adroddwr y naratif, a chanddo ef y clywn fod rhai Cymry yn dal, ar sail simsan Salm 90:4 ac Ail Epistol Pedr 3:8, y digwyddai Atgyfodiad yr Eglwys 'yn fuan ar ôl diwedd y flwyddyn 2,000, onid, hyd yn oed, yn union ar ddiwedd y flwyddyn honno.'[2] Megis y cododd Iesu o'r bedd y trydydd dydd, felly y cyfyd yr Eglwys hithau yn nechrau'r trydydd mileniwm. Yr hyn a geir gan Marcel Breton yw adroddiad am y crwsâd ysbrydol yng Nghymru sy'n corffori'r disgwyliad milflwyddiannol hwn.

Crwsâd yn cael ei arwain gan ddyn o'r enw Elias John yw hwn, er nad Elias John a wêl ei lwyddiant. Rhagredegydd ydyw ef i arwr arall.

[1]W. T. Pennar Davies, "Y Weinidogaeth," E. Stanley John (gol.), *Y Gair a'r Genedl [:] Cyfrol Deyrnged i R. Tudur Jones* (Abertawe, 1986), t. 110.

[2][Pennar Davies], *Anadl o'r Uchelder*, ([Abertawe, 1958]), t. 61.

Y mae ei enw'n dangos hynny. Cyfuniad ydyw o enw un o broffwydi mawr yr Hen Destament ac enw Ioan Fedyddiwr (heblaw ei fod hefyd yn John Elias o chwith). Yr oedd ymhlith yr Iddewon yn amser Ioan Fedyddiwr obaith am Feseia a fyddai'n wleidyddol lwyddiannus yn ogystal ag yn ysbrydol lwyddiannus, un a fyddai'n arwain y bobl i waredu'r wlad o'i gormeswyr Rhufeinig. Y mae'r un gobaith am warediad gwleidyddol yn *Anadl o'r Uchelder* (er, ni thrafodir beth yw pwynt ennill brwydr wleidyddol os yw teyrnas Crist gerllaw). Er bod ganddi ei senedd sâl ei hun, rhan ddarostyngedig o deyrnas fawr Anglosacsonaidd sy'n cynnwys yr Unol Daleithiau, Canada a Phrydain, yw Cymru. Ei gwir reolwyr yw'r Tri Chyngor Diogelwch Rhanbarthol yn y Deheudir, y Gogledd a'r Dwyrain, sy'n ymdrechu 'i ddifodi pob Cymreigrwydd'. Llywydd Cyngor y Gogledd yw Nahum Flewelling. Seisnigiad amlwg o Lywelyn yw ei gyfenw: bradwr o Lywelyn ydyw. Am ei enw bedydd, enw Nahum yr Elcosiad ydyw, awdur y 'llyfr gweledigaeth' yn yr Hen Destament a ddywed mai 'yr Arglwydd sydd yn dial ac yn berchen llid'. Drwy gydweddiad, cysylltir y toster a ddisgrifir yn llyfr Nahum gyda llywodraeth Flewelling, megis y cysylltir drygioni egrach Llywydd Cyngor y Deheubarth, Wyndham Gytun, gyda'r ffaith mai llysenw ei wraig ef, Trwdi, ymysg cynulleidfaoedd Elias John, yw Jesebel, cawres o bechod gydag 'oesoedd maith' o brofiad a nerth a chyfrwystra uwchddynol ynddi. Y mae *regime* y bobl hyn yn hyrwyddo 'pob trythyllwch' yn yr uchel leoedd.[3] Nid yw'n rhyfedd o gwbl fod lluoedd y llywodraeth yn cau am Elias John fel y cauodd Herod a'i lu ar Ioan Fedyddiwr.

Wele, lluniwyd Cymru *Anadl o'r Uchelder*, hi a'i gorthrymwyr ymerodrol a'i Jesebel a'i chwislingiaid, eto yn ail Israel, o ran ei bod yn rhannu â hi nodweddion gwleidyddol a moesol, hefyd o ran y bydd y Gwaredwr yn cael Ei eni ynddi. Os yn Israel y daeth y Gair yn gnawd, yng Nghymru y rhyddheir 'Gair y Broffwydoliaeth' ddiwethafiaethol, 'y Gair a fyddai'n tanseilio colofnau caer yr Anghrist'.[4]

Ni ddaeth eto. Fel y nodwyd gynnau, ail Ioan Fedyddiwr yw Elias John. Y ffigwr Crist-debyg y disgwylir amdano yw Arthur Morgan, y

[3]Ibid., tt. 81, 96, 194.

[4]Ibid., t. 174.

daw Elias John ar ei draws ar ôl iddo gilio o'r Deheubarth i'r Gogledd a chychwyn ymgyrch Crist yng Ngwynedd. Yn *Anadl o'r Uchelder* ychydig iawn o le a roddir iddo. Gwaredwr ar-ei-ffordd ydyw, Meseia eto-i-ddod. Y prawf arno pan ddaw yw ei fod yn mynd drwy'r 'diheurbrawf cyflawn' a osodir gan ei ragredegydd, Diheurbrawf yr Arch, ys gelwir ef. Byddai Elias John yn mynd ag arch led-wen gydag ef i'w gyfarfodydd pregethu. Ni raid dweud mai'r symbol amlycaf o achubiaeth yn yr Hen Destament yw Arch Noa, a ystyrid gan y Cristionogion fel cysgod o'r Crist, a'i drws yn gysgod o'r archoll yn ystlys y Croeshoeliedig. Yn ddiweddarach daeth yr Eglwys ei hun yn wrthdeip i'r arch. Yn *Anadl o'r Uchelder* rhoddir pwys mawr ar yr arch led-wen:

> Y roedd yn rhaid i'r dychweledigion i gyd i orwedd yn yr arch am dri munud yr un, a neilltuwyd oedfaon cyflawn a hir at y pwrpas hwn; ond dewisai Elias ddyn ifanc i fynd drwy'r diheurbrawf cyflawn o nos Wener hyd at fore'r Sul. Ni chaniatâi i ferched gael y profiad hwn, ond yr oedd yn fodlon iddynt ymgymryd â'r ddefod fer.[5]

Prin bod eisiau dweud taw Arthur Morgan yw'r dyn ifanc.

Os ychydig o le a roddir iddo yn *Anadl o'r Uchelder*, ef yw prif gymeriad *Mabinogi Mwys*. Holl gynnwys y nofel hon yw 'amgylchiadau genedigaeth a magwraeth Arthur,' amgylchiadau sy'n cyfateb bob yr un i'r 'hanesion yn Efengylau Mathew a Luc am enedigaeth a mebyd yr Iesu.'[6] A dweud y cyfiawn wir, y mae'r cyfatebiaethau hyn yn fformiwläig o amlwg yn y nofel. – Meinwen y fam (ail wraig Eifion y tad) yn beichiogi'n annisgwyl, y ddau yn penderfynu cael eu baban cyntaf ym mro eu hynafiaid (cymharer y geni ym Methlehem, nid Nasareth), Meinwen yn dioddef poenau esgor ymhell o'i llety, ac o ganlyniad yn gorfod '[g]ofyn am fenthyg llofft i ddod â['r] babi i'r byd' (coffa da am y stabal); wrth i'r babi gael ei gario o ddrws y tŷ i'r cerbyd a'i cluda i gartref ei berthnasau, clywir lleisiau 'cŵn, cathod, ieir, moch, defaid a gwartheg o bell ac agos yn moliannu'r bywyd yr oedd ef bellach yn gyfrannog ohono' (adlais ac adlun o'r anifeiliaid yn y stabal ym Methlehem). Yn nes

[5]Ibid., t. 174. Ceir trafodaeth hir gan Forgan Llwyd ar ystyron yr arch yn *Gweithiau* [*i*], tt. 195-210.

[6]Pennar Davies, *Gwas y Gwaredwr* (Abertawe, 1991), t. [9].

ymlaen y mae'r bachgen Arthur, yn un-ar-ddeg neu ddeuddeg oed, ar ei flwyddyn gyntaf yn yr ysgol uwchradd, yn siarad â Rishi Puw, cyfaill i'w fam ac un o feddylwyr gwleidyddol amlycaf Cymru, ac yn siarad yn y fath fodd ag i beri i'w fam ddatgan, ''Dw i ddim yn deall popeth mae'r hen grwt yma'n ddweud,' gan eilio eto benbleth Mair mam yr Iesu pan draethodd Ef wrth ddoctoriaid y deml, Luc 2:41-52.[7] Mewn cyferbyniad â chyffro egnïol mawr *Anadl o'r Uchelder*, y llyfr hwnnw y dywedodd R. M. Jones yn ysmala amdano fod 'pwdin reis yn baragon lluniaidd wrth ei ochr', y mae destlusrwydd y cyfochreddau a geir yn *Mabinogi Mwys* yn daclus-lonydd ac yn ddiddynamig.[8]

Er mai trafod diwethafiaeth – neu a gawn ni ddweud blaen-ymylon diwethafiaeth? – yr ydym yn y llyfrau hyn, pan ddisgrifir bachgendod yr arweinydd a gaiff Cymru yn y milflwyddiant, yr hyn a roddir iddo yw bachgendod tebyg i fachgendod yr Iesu ar ei ddyfodiad *cyntaf* i'r byd. Am fod Iesu'r Ail Ddyfodiad (y mae'n debyg) yn ffigur goruwchnaturiol tu-allan-i-amser, ni all fod iddo fachgendod, na datblygiad nac aeddfediad. Y cwestiwn a gyfyd o ystyried hyn yw a ellir disgwyl i Arthur Morgan, ac yntau'n gaeth i gnawd fel petai, gyflawni unrhyw beth gwir ysgytwol tros ei bobl a'i wlad? Dyna ddisgwyliad Elias John. Dyna hefyd ddisgwyliad Eifion, tad Arthur, a Meinwen ei fam. Athro Ysgrythur mewn ysgol uwchradd yw Eifion Morgan ac awdur cyfres o lyfrynnau ar y proffwydi Hebreig. Y mae perthynas yr amseroedd – y gorffennol, y presennol, a'r dyfodol – o'r pwys mwyaf yn ei feddwl ef. Wrth fyfyrio ar feichiogrwydd ei wraig, myn fod 'eu presennol hyfryd yn dibynnu hefyd ar y dyfodol, ac yn yr ystyr yna yr oedd yn amherffaith.' Meinwen ei wraig, yr ail Fair, biau dweud: 'Dydyn ni ddim i fod i anghofio'r dyfodol.'[9]

Ond sut ddyfodol a gafwyd? Cais i ateb – ac i beidio ag ateb – y cwestiwn hwnnw yw trydedd nofel Pennar Davies am Arthur Morgan, *Gwas y Gwaredwr*. Marcel Breton yw adroddwr y naratif yn hon fel yn

[7]Pennar Davies, *Mabinogi Mwys* (Abertawe, 1979), tt. 11, 16, 25, 28, 146-7.

[8]R. M. Jones, *Llenyddiaeth Gymraeg 1936-1972* (Llandybïe, 1975), t. 130. Yr un peth sydd yn annestlus yn *Mabinogi Mwys*, ac annestlusrwydd anffodus ydyw o gofio bwysiced gan yr awdur bwysleisio Crist-debygrwydd Arthur Morgan, yw'r gyfeiriadaeth ysbeidiol, ond cyson ysbeidiol, at ffigyrau o Bedair Cainc y Mabinogi a rhai o'r chwedlau Cymraeg eraill. Diau eu bod yn rhan o gynhysgaeth ddiwylliannol yr awdur, ond ymyrraeth ydynt yn y gwaith.

[9]*Gwas y Gwaredwr*, tt. 13, 11, 152.

yr *Anadl* (nid enwir adroddwr naratif *Mabinogi Mwys*), Marcel a gyfenwyd yn Joel gan ei fam ei hun a chan fam Arthur, sef enw un arall o broffwydi'r Hen Destament, wrth gwrs. Erbyn hyn, y mae'n hen ŵr pedwar ugain oed, yn trigo mewn byd ecwmenaidd lle'r etholir Pab newydd bob blwyddyn gan holl Gristionogion y ddaear. Gan mai crwt oedd Marcel Breton pan gyfarfu ag Arthur Morgan y tro cyntaf (ac yr oedd hwnnw, fel yr Iesu, yn caru plant) a chan iddo dreulio cyfnodau hyfryd yn ei gwmni yn nyddiau olaf ei fywyd pan oedd yn ddeuddeg oed, o osod ymgyrch Elias John yn nawdegau'r ugeinfed ganrif, yr ydym, yn *Gwas y Gwaredwr*, ymhell yn yr unfed ganrif ar hugain. Gall fod mor hwyr â'r flwyddyn 2070. Bu'r diwedd y bu Elias John yn traethu amdano yn hir iawn yn dyfod, a'r nef newydd a'r ddaear newydd y bu Arthur Morgan yn proffwydo amdanynt.

Cofion am weithredoedd, athrawiaethau, a dywediadau Arthur yw *Gwas y Gwaredwr*, ond ar ôl ei darllen ni allwn ddweud ein bod ni fawr callach ynglŷn â'r hyn a gyflawnodd. Do, bu'n gwasanaethu ymhlith 'cleifion a chlebion a chloffion'; do, bu'n 'cael hwyl felys wrth sôn am y weledigaeth a fuasai'n ysbrydiaeth i laweroedd o blant dynion trwy'r oesoedd, gweledigaeth Dinas Duw, y Jerwsalem newydd, yn disgyn o'r nef oddi wrth Dduw ei Hunan'; do, bu'n gwadu ei fod yn anarchydd; ac, oedd, yr oedd 'traserch dyrchafedig' rhyngddo a Gwenllian Edwards, y '*demi-mondaine*' enwog, ail Fair Magdalen yr *Anadl*.[10] Eithr ni symudwyd yr hen ddaear ac ni sefydlwyd y ddaear newydd. Nid ymdeimlir â chwyldro nac â chwalfa. Yr hyn a erys yw'r ymdeimlad â disgwylgarwch parhaol. Y mae pobl fel pe baent yn byw mewn diwedd oesol. Er ennill ecwmeniaeth (sef, fe ellir tybied, yr hyn sy'n cyfateb ym meddwl Pennar Davies i ddychweliad yr Iddewon a thröedigaeth y cenhedloedd), 'disgwyl,' ebe Marcel Breton, 'yr wyf o hyd'. Ac y mae'n disgwyl mewn oes sydd o hyd, fel yr oedd hi yn nyddiau Elias John, yn oes 'y chwalfa . . . yng Nghymru ac yn y byd.' Fel Morgan Llwyd ein dychymyg yn y blynyddoedd byr a gafodd ar ôl 1655/56, y mae'n dweud:

> Erbyn hyn, nid oes gennyf ryw lawer o argyhoeddiad ynghylch y dyddiadau a'r amgylchiadau dychmygol a gynigir fel arwyddion y

[10]Ibid., tt. 63, 64-5, 69, 67.

> wawr ddisgwyliedig. Oni ddywedwyd wrthym gan y Nasaread na ddylem geisio arwyddion? . . . rhaid [rhoi] llai o bwyslais ar yr amseroedd a'r prydiau a mwy o bwyslais ar sicrwydd ac ansawdd y fuddugoliaeth a ddaw –

'ac,' meddai, fel rhyw ôl-nodyn dyneiddiol nad oes iddo gynsail yn y gweledigaethau dinistriol ac adfywhaol a geir yn y Beibl nac yn ysgrifeniadau apocalyptiaid y canrifoedd:

> rhaid [rhoi] llai o bwyslais ar yr amseroedd a'r prydiau a mwy o bwyslais ar sicrwydd ac ansawdd y fuddugoliaeth a ddaw – ac ar gyfathrach y galon sydd yn fwy nag amser ac angau.[11]

Ar un olwg, cop-owt go iawn, yntê? Y mae'r pwyslais hwn ar gariadusrwydd yn cymryd lle'r weledigaeth apocalyptig megis yn bradychu holl bwynt y llenyddiaeth, fel petai Ioan y Difinydd, ar ôl ei holl sôn am fwystfilod a sêr syrthiedig ac Armagedon, yn penderfynu eu hanghofio i gyd er mwyn rhoi cusan ar dalcen y wraig drws nesaf.

O holl elfennau'r weledigaeth hanes Iddewig-Gristionogol, yr un peth arall a erys yn *Gwas y Gwaredwr* yw'r olwg garedig ar Gymru – yr olwg or-or-garedig ar 'Gymru fach a all fod, o ran y gwerthoedd a'r nerthoedd ysbrydol, yn Gymru Fawr', ys dywed Marcel Breton. Tua diwedd y gwaith y mae gan yr awdur-adroddwr baragraff sydd, yn ei gymysgedd o gariad rhwydd a chas cyferbyniol, gystal disgrifiad â dim o'r olwg ar Gymru'r dychymyg hanesyddol a ddenodd gynifer o'n beirdd Saundersaidd a Gwenalltaidd, ac a ddenodd, fel y cawn ni weld yn y man, Bobi Jones yntau. Y mae'r hyn sydd i ni, a drig ynddi beunydd, yn ddisgrifiad delfrydol o Gymru – y Gymru 'rydd' a all fod yn 'ysbrydoliaeth i genhedloedd eraill' (hynny yw, y siampl o Gymru), y Gymru drysorfawr ei gorffennol, a'r Gymru ysbrydol-a-ddaw – y mae'r disgrifiad hwnnw i Arthur Morgan ac i Marcel Breton yn gyraeddadwy, bron na ddywedwn yn realiti ysbrydol, yn rhan o strwythur dinesig a chrefyddol y Jerusalem Newydd. 'Yr oedd Arthur', chwedl ei gofiannydd, 'yn hoffi sôn am Gymru,' –

> weithiau'n dawel ac yn garuaidd, weithiau'n llym ei gollfarn ar ei diffyg menter a'i diffyg ymroddiad a'i diffyg gofal am drysor mawr ei hetifeddiaeth a'i gweledigaeth, ac weithiau – yn aml iawn – yn llawen

[11]Ibid., t. 15.

> wrth gofio trysorau ei llên a gorawen ei chân ac angerdd ei hiraeth am y wlad sydd well. Gwyddai, wrth reswm, fod dwy agwedd ar yr hiraeth yma, yr hiraeth am y gorffennol cyfoethog ac amrywiol a'r hiraeth am y Gymru newydd ac am laeth a mêl y gyfeillach fendigaid a oedd ynghadw gan ei Dewi a'i Duw. Gallai rhai o'i gefnogwyr siarad am yr 'hiraeth' yma braidd yn ddirmygus, ac yr oedd Arthur ei hunan ambell dro, ar adegau o siom a diflastod, yn gyfrannog o'u dirmyg; ond at ei gilydd mynnai feddwl am Gymru fel gwlad fach yr oedd ganddi ran anrhydeddus i'w chwarae yn nrama gosmig rhagluniaeth y Goruchaf. Yn ei raddfa o werthoedd yr oedd bywyd cenedl fechan o'i gwreiddiau hyd at flaenau ei brigau a diliau ei blodau, yn anhraethol werthfawrocach na'r holl ymerodraethau crafanglllyd ac ymffrostgar sydd wedi llychwino hanes y ddynol ryw.[12]

Mewn disgrifiad o'r fath, y mae'r delfrydol mor bell oddi wrth y profiadol fel y mae'n rhaid gofyn a oes iddo rym symudol. Cymru'r farn a'r fendith Israeledig yw hi o hyd, ond rhyw Israel wedi'i diberfeddu o wir ias ac o wir boen, Cymru-Israel idealistig. A gellid meddwl bod yr ymerodraeth a'i crafangodd, Anglosacsonia, mor anghynefin i'r map ag yw Ruritania. Am nofelau dyfodolaidd yr awdur cyffrous hwn, gellir dweud eu bod yn drwm gan draddodiad a phatrwm, ond bod pwysau'r patrwm wedi gwasgu'r anadl allan o'r ddwy nofel olaf.

Yr oedd Pennar Davies yn gwybod yn iawn beth a wnâi wrth ddewis Arthur a Morgan yn enwau ar ei arwr. Arthur, wrth gwrs, yw'r brenin chwedlonol y disgwyl Cymru ei atgyfodiad, a Morgan yw Pelagius, yr heretic mawr a fwriodd ei gysgod dros gynifer o ganrifoedd yr Eglwys. Dymunai Pennar Davies gyfuno ym mherson Arthur Morgan y disgwyliad chwedlonol cenedlaethol am ddeffroad gyda'r sicrwydd y deuai hwnnw heb ormod o sôn am achubiaeth ddiweithredoedd. Y mae Arthur Morgan yn fath ar Grist er nad Crist ydyw, ac y mae'n fath Cymreig ar Grist, yn gyflawniad hen ddyheu, ac, i'r graddau hynny, yn ddiwedd darogan. Gan fod Pennar Davies yn y nofelau hyn, fel mewn cynifer o'i weithiau eraill, yn llawen gyfuno cymeriadau beiblaidd gyda chymeriadau cyffelyb neu gytras o chwedloniaethau eraill, Cymreig, Gwyddelig, Aztec, Groeg, Lladin, y mae'n deg ei ddisgrifio fel mytholegwr cymharol, canys dyna yw.

[12]Ibid., t. 157

Arthur-ddefnyddiwr arall ein llenyddiaeth ddiweddar yw Bobi Jones, Calfinydd na dderbyniai'r disgrifiad 'mytholegwr cymharol' mor rhwydd. Ym mhennod olaf ond un ei gerdd hir *Hunllef Arthur* (1986), y mae llais sy'n cynrychioli'r meddwl Cristionogol uniongred yn rhybuddio un o artistiaid Arminaidd syrcas yr ugeinfed ganrif, etifedd Pelagius, fel hyn:

> Cadw ni rhag y Moesol, rhag Myth Cymharol,
> Rhag Gwaelod Bod, y rheswm marw, . . .[13]

I Bobi Jones, unig Achubydd pob pechadur yw'r Crist Tragwyddol, Uniganedig Duw.

Gwelwn yn syth fod defnydd Bobi Jones o Arthur yn ei *Hunllef* yn wahanol i ddefnydd Pennar Davies ohono yn ei nofelau. Nid ail Grist ydyw o gwbl, er na pheidia'i grëwr hwnt ac yma â darn-nodi bod tebygrwydd rhyngddo â'r Crist, megis pan sonia 'am Arthur / Y rholiwyd carreg oddi ar ei amrant' ym Mhennod XVII, llinellau 672-3, darlun sy'n rhwym o'i gysylltu ym meddwl y cyfarwydd â Iesu'r bedd gwag. Na, y mae Arthur Bobi Jones yn bawb ond Crist. Ef yw pob prif gymeriad yn y gerdd. Ond gan ei bod yn anodd onid yn amhosibl i neb nas darllenodd ddeall beth a olygaf wrth hyn heb imi yn gyntaf ddisgrifio'r gerdd, cystal imi wneud hynny.

Dehongliad o hanes Cymru ar hyd yr oesoedd yw *Hunllef Arthur*, dehongliad o rawd y genedl hon fel y'i gwelir trwy ddychymyg neu grebwyll 'un dyn heddiw,' ys dywed ei hawdur mewn cyfweliad yn rhifyn mis Mehefin 1986 o *Barddas*. Dealled y darllenydd o'r dechrau fod hanes a rhawd y genedl iddo ef yn cynnwys ei barddoniaeth a'i chwedloniaeth yn ogystal â'i chronicl o ddigwyddiadau mewn gwleidyddiaeth, dysg a chrefydd: y mae Catraeth y bardd a Geraint ac Enid yr awdur rhyddiaith yma, fel y mae'r Tuduriaid a'r Diwygwyr Methodistaidd yma. Olrheinir yr hanes o frwydrau Arthur ei hun hyd at yr ugeinfed ganrif; ond, o raid, detholiad ydyw, hanes cynrychioliadol. Yn awr, cyflwynodd Bobi Jones yr hanes fel cyfres o olygfeydd sy'n digwydd yn yr hunllef a gaiff Arthur ac yntau'n cysgu yn ei ogof. Y mae Arthur yn byw ein hanes yn ei hunllef. Yn wir, ei hunllef ef ydyw'n hanes. Yn 'amryfath' (ys myn y bardd), y mae

[13]Bobi Jones, *Hunllef Arthur [:] Cerdd* (Llandybïe, 1986), t. 220. Pennod XXII, llinellau 241-2.

Arthur yn ymddangos ym mhob pennod o'r gwaith. Ef yw Dafydd ap Gwilym, neu o leiaf y mae Dafydd ap Gwilym yn Arthur yn yr ystyr ei fod yn awr ac eilwaith yn filwr sydd yn gwarchae Dyddgu a Morfudd. Ef yw Owain Glyndŵr, ef yw Harri Tudur, ef yw Charles Edwards, Twm Siôn Cati, David Lloyd George. Mewn nifer o benodau, y mae mwy nag un cymeriad yn Arthur, ac fel y gellwch fentro y mae hynny'n ddryslyd braidd. Arthur yw'r teip; ef hefyd yw pob anti-teip. Teipolegol yw'r gerdd, heb os:

> Myfyrier am droadau ceinciau hir
> Yr hunllef ac fe welir fod pob tro
> Yn ateb tro, a goleddf gyda goleddf
> Yn ymgodi i gyfeiriad gwyn . . .

Dywedais fod y bardd wedi cyflwyno'i weledigaeth i Arthur. Eithr deil nad efe nac Arthur biau'r weledigaeth mewn gwirionedd, ond Duw, 'yr Un a'i rhoes mewn penglog', yr Hwn hefyd a ddisgrifir fel 'y Tad a roes ganiatâd i dynnu'r llun'.[14]

Yr hyn a wna yma yw hawlio'r *Hunllef* i'r dychymyg hanesyddol Iddewig-Gristionogol. Ceir nifer o elfennau'r dychymyg hwnnw ynddi. Er enghraifft, dyna'r syniad llywodraethol o genedl heb erioed gyflawni ei haddewid. Disgrifir rhai o'i hymdrechwyr gorau, pobl megis Gwilym Hiraethog a Michael D. Jones, fel gwŷr a negyddodd unrhyw bosibilrwydd o iawn flodeuad, am iddynt fabwysiadu delfrydau amherthnasol i'w hachubiaeth neu am iddynt ymadael â'i thir. Er bod yn yr hanes rai arwyr, Dafydd ap Gwilym, Owain Glyndŵr, Charles Edwards, catalog o fethiannau yw'r gerdd gan mwyaf. Nid yw Cymru yn ddim ond rhyw 'damed tom' o wlad ddifwynedig, rhyw 'bâm / O hunanladdiad' yng ngardd syrthiedig y byd, gwlad â'i gwerin yn ymgreiniol gerbron materoliaeth ac estroniaeth. Nid rhyfedd felly mai gwatwar a gogan a beirniadu y mae'r bardd drwyddi, difenwi ac absennu a gwawdio fel y mae Hosea ac Amos yn difenwi ac absennu a gwawdio. Ac eto gwawd ydyw, meddai'r bardd, sy'n ffrwyth cariad, gofal, carc. Hynny yw, gwawd nodweddiadol Israelaidd. Ym mhennod olaf yr *Hunllef*, y mae'r bardd yn trafod tôn ei gerdd (a'i gerydd), ac ebe fe:

[14]Ibid., tt. 9-10. I, ll. 84-7, 53, 115.

Mae hi'n estyn llaw ddidwyll o gyfeillgar, ond dwrn yw'r llall.
Y peth puraf ambell waith yw fy mhoerad. A'i hegni liw nos
Yw cynganeddu awyr Cymru'n weddus i'w anadlu eto.[15]

Bid a fo am effeithlonrwydd y fath foeseg, felly y mae yn y dychymyg hanesyddol ysgrythurol. A bid a fo am ymateb y bobl sy'n gwrando'r fath gerydd – y mae gweision yr Arglwydd yn argyhoeddedig y bydd eu diwedd yn dangnefeddus.

Y symbol am y diwedd hwnnw yn *Hunllef Arthur* – a dyma elfen arall o'r dychymyg hanesyddol ysgrythuraidd – yw'r ddinas wen, y Jerusalem nefol.

Tu hwnt i amau y mae dinas wen
Nas cyrraidd y sawl na wisgodd yn briodol
Wyndra.

Eilwaith meddir:

Tu hwnt i amau y mae dinas wen
Lle disgyn myfyrdodau sy'n amgenach
Na chredu pen, . . .

Y mae'r ddinas yn nod, yn sylwedd terfynol. Y mae hi hefyd yn gynhaliaeth ysbrydol: 'Y ddinas hon yw'r galon yn y genedl.'[16] Cysyllter â hyn y pwyslais ysgrythurol ar batrwm mewn hanes ac ar ogoniant eto-i-ddod y genedl fethedig. Y bardd ei hun, fel y proffwydi gynt, sy'n gosod ei batrwm ei hun, neu, ys mynnent hwy, y proffwydi a Bobi Jones, Duw sy'n ei osod ac yn rhoi'r ddawn iddynt hwy ei weled. 'Pwy a edrydd ddim / Yn union fel y bu?' gofyn y bardd un tro. Iddo ef, twpsyn o hanesydd yw hwnnw a faged o'r Dadeni Dysg ymlaen i weld yn wyddonol, i fethu â gweld ôl llaw'r Goruchaf yng nghyd-ddigwyddiadau'r ddaear, ac i wadu gwerth yr ailadroddus mewn hanes. Y mae'r hanesydd hwnnw'n 'ddall i'r ffordd mae'n mynd', ac yn rhy 'brin ei grebwyll i ddirnad plot.' Fe ddown yn ôl at y plot ar ôl sylwi ar y drafodaeth ar hanes a geir ym Mhennod XII lle disgrifir helynt Charles Edwards a'i wraig Abigail, a benderfynodd ymadael ag ef tua 1666. A chofio'r hyn a ddywedwyd uchod am

[15]Ibid., t. 91. IX, ll. 750-1; cf. Robin Lane Fox, *The Unauthorized Version*, arg. llyfrau Penguin (Harmondsworth, 1992), t. 320. *Hunllef Arthur*, t. 234. XXIV, ll. 400-2.

[16]Ibid., t. 16. I. ll. 704-6, 719-21; t. 17. I. ll. 750.

Charles Edwards yn gweld hanes Cymru fel hanes Israel, nid yw'n syn nac yn afresymol fod Bobi Jones yn peri iddo ddweud mai 'Cymru a ddadlennodd' iddo'i nwyd grefyddol: wrth astudio croniclau am Gymru 'fe droes / Y dryswaith ffeithiau . . . / Yn oddaith gweld.' Ond gweld y mae'r hanesydd duwiol â'r 'llygad mewnol'. Drwy'r llygad hwnnw, meddir, a thrwy'r llygad hwnnw'n unig y llwydda neb

> I ddarllen yn y tryblith trwblus amlwg
> Anamlwg batrwm meddwl Un a fu
> Cyn bod 'na anhrefn yn cwmpasu'r terfyn
> Â'i weledigaeth hanesyddol wyry

– sef patrwm Rhagluniaeth.[17] Ym Mhennod XIII, y bennod nesaf, mewn gwrthgyferbyniad i 'oddaith gweld' Charles Edwards (*tân mawr*, *coelcerth* yw *goddaith*), ceir '"gwybod" oer' y mathemategydd Robert Recorde, a saif tros bob gwyddonydd ffeithgarol, ac a gyfeddyf tros bob gwyddonydd (o leiaf yng nghlyw y bardd) fod arno

> awch i drechu Duw a chwant am fod
> Yn Ei le am funud, lled ddisodli'i law;
> Ac ateb hynny yw fy holl swyddogaeth.
> Hyn hefyd yw gwiw ddoniau pob gwyddoniaeth.

Y mae 'pob gwyddoniaeth' yn cynnwys hanes modern, wrth gwrs, yr hanes na all 'ddirnad plot.'[18]

Rhagluniaeth biau'r plot. A'r Arfaeth yw'r plot. A'r unig hanesydd â'i gwêl yw'r hanesydd o Gristion â'i 'lygaid mewnol' ac â'i grebwyll – gair pwysig yn *Hunllef Arthur*. Yma, crebwyll yw'r ddawn ddwyfolroddedig i iawn-synied am bopeth a fu, sydd, ac a fydd. Er mor fethiannus a gwael yr hyn a fu yn hanes Cymru, y mae'r bardd-hanesydd crebwyllog yn gallu dweud ar ddiwedd ei gerdd y bydd goleuni yn yr hwyr:

> Lle bo'n rhaid ymroi
> Fan yma ar y llawr mewn mwcws dail,
> O'r hunllef – drwy gwsg ailadroddus hir
> A phyllau mân a phryfetach – mi enir rhywbeth.[19]

[17] Ibid., t. 49. V ll. 691-2; t. 116. XII, ll. 495-9, 512-5. Ceir hanes Charles Edwards a'i wraig yn [Charles Edwards,] *An Afflicted Man's Testimony Concerning His Troubles* (? Llundain, 1691), tt. 8-9; gw. D. Llwyd Morgan, *Charles Edwards* (Caernarfon, 1994), tt. 4-5.

[18] *Hunllef Arthur*, tt. 130, 135. XIII, ll. 117, 564-7.

[19] Ibid., t. 239. XXIV, ll. 863-6.

Y mae'r optimistiaeth ddiwethafiaethol hon yn lloriol i'r neb a rwyfodd gyhyd drwy donnau hallt yr *Hunllef*, ond ni allwn lai na'i derbyn, oblegid yn y gyfundrefn Gristionogol o feddwl byddai'r cyfan yn ofer, y creu, y groes, pob proffwydoliaeth, pob gwers hanes, pe na enid rhywbeth. Bron na ddywedir mai holl bwynt datguddiad yw datguddio yn y diwedd wefr yn hytrach na gwae. Chwedl y bardd ei hun yn gynnar yn ei gerdd, yr ydym yn gallu syllu ar 'eigionrwydd' yr Arfaeth –

> Ar lif anferthedd nad ŷm wrtho'n ddim
> Ar y tonnau i-aros-pryd

– am ein bod ni'n gwybod bod pob 'colli' yn 'ennill yn ein hanes.'[20]

Ond a ydym yn gwybod? *Hawlio* gwybodaeth y mae'r bardd hwn, *hawlio* gweledigaeth, *hawlio* crebwyll, trwy ffydd, trwy fod yn ffyddlon i'r math o weledigaeth hanes a geir yn y Beibl, ac i'r deipoleg a ddefnyddiodd canrifoedd Cred i gysylltu'r Ysgrythurau â'i gilydd ac wedyn â hanes yr Eglwys. A hawlio'n ddethol. Hawlio'r Diwygiad Protestannaidd am ei fod er lles, a gwadu (a gwawdio)'r Dadeni Dysg am ei fod yn aflesol, er mai ef mewn ffordd a roes i ni'r Gair yn ein hiaith. Hawlio bod gennym ni'r 'cenhedloedd caeth' yn ein bychandra di-rym ddyletswydd i'w chyflawni, ond bod y gwledydd ymerodrol, Lloegr a Sbaen, fel yr Aifft ac Asyria gynt, yn ffiaidd. Hawlio'n ddethol, a hawlio'n ddeublyg. Mewn dau ddarn ym Mhennod III sy'n nodweddiadol ddyfaliadol y mae Bobi Jones yn traethu ar ddulliau Duw o'i ddatguddio'i Hun a'i Drefn i ni. Dechreua'r darn cyntaf fel hyn:

> Byth ni bydd Duw yn gwneud dim byd llythrennol:
> Llathra'i ynni eira, a gwyddom ni
> Nad ydyw'n meddwl eira. Meddylia Duw
> Ar lwfer ac ar goeden ddu. Pan ieua'i
> Egnïon gwanwyn drwy'r mân egin, wiw
> I neb gamddeall a thybied yn jocôs
> Nad yw fawr fwy na newid tymor tir.
> Tu ôl i'r geiriau llariaidd yn y deilios,
> Fe glywn gyfieithu'i fwriad Ef: ac wele
> O dan y bont mae llond Ei ddŵr o ras

[20] Ibid., t. 10. I, ll. 142-5.

Yn rasio adre'n taflu'i olchion plu
Yn llun afradlon rhadlon. Does dim disgwyl
I Ysbryd anweledig ymysg brigau
A chreigiau caled foddio byth ar fod
Yn drwm lythrennol.

Y mae'r ail ddarn yn dilyn yn union syth ar ôl y cyntaf, ac yn agor fel hyn:

Eto, bydd Duw bob amser mor llythrennol:
Wrth yngan môr, mae'n llond ein pen o fôr.
Does dim amheuaeth o gwbl na all ef fod
Yn ddim ond môr. A glaw yw glaw bob dafn:
Mae'n dweud yn blwmp mor blaen ei laid a'i laca
Wrth rusio rhwng ein crys a'n gwegil heb
Ddianc i symbol.[21]

Wele, y mae'r Duw a bâr i'r bardd hwn wybod yn Dduw arwyddluniol ac yn Dduw llythrennol. Yn arwyddluniol ac yn llythrennol Ei ddewis ffordd o'i fynegi ei Hun drwy hanes, sydd ar yr un pryd yn ddigwyddiad ac yn ddehongliad, sydd yn cynnwys ac yn datguddio. Ebr y bardd:

Hanes fu un ffordd
Y bu'n llefaru wrth y byd drwy gorff
A gododd ddaear solet. Sail ein sêl
Yw gwaed a lifai'n groch ei ffrwd goch-fudr
Ar draws y pren.

Ac ebr ef wedyn:

Duw felly fu erioed
Yn datgan ffeithiau'n frau wrthrychol: etyl
Greadur rhag ymfythu'n ddyfais fewnol.[22]

Y mae'r datganiad olaf hwn ynglŷn â datguddiadau Duw Hanes yn atal creadur o ddyn rhag creu ei fythau mewnol ei hun yn dra arwyddocaol, oblegid gwrthod a gwadu'r meddylfryd modern y mae, a datgan mai peth gwrthrychol ac absoliwt yw'r Gwir, nid peth

[21]Ibid., t. 31. II, ll. 729-43, 749-55.
[22]Ibid., t. 31. III, ll. 755-61.

goddrychol a pherthynol. Un o'r pwyntiau mawr a wna'r hanesydd syniadau Marjorie Hope Nicolson yn ei llyfrau yn gyson yw hwn, – sef y gwyddom ni ein bod yn gwneuthur cyfatebiaethau (*analogies*); ar y llaw arall, credai'n cyndeidiau mai'r hyn a alwn ni'n gyfatebiaeth oedd y *gwir*, y gwir a arysgrifodd Duw yn natur pethau.[23] Felly Bobi Jones, yn *Hunllef Arthur* y mae'n gyndadol o ffyddlon i arysgrifen Duw.

A phwy a wâd ei hawl i fod felly? Mewn llenyddiaeth y mae rhyddid i awdur weld a dweud fel y myn. Un o briodoleddau llenyddiaeth yw ei bod hi o hyd ac o hyd *yn* ffyddlon i bethau o'r gorffennol – i syniadau, delweddau, chwedlau, cymeriadau a ailbobir ac a ailgylchir yn barhaus. Yr oesoledd hwn (a welir yn Arthur Pennar Davies fel yn Arthur Bobi Jones) sy'n peri y gall llenyddiaeth nodi posibilrwydd o rywbeth amgen o hyd. Am ei bod hi'n gymharol ddigyfnewid y gall hi gyfleu cyfnewidiaeth. At hyn, y mae'r ffaith fod beirdd a llenorion yn niwedd yr ail filflwyddiant mor awyddus ac mor abl i lunio gweithiau y mae arnynt stamp diymwad y Beibl gyda'i olygweddau anfodern ar y byd a'i bethau – y mae hynny'n dangos pa mor annibynnol ar wyddorau, ie, ac ar y dyneiddiaethau eraill y gall llenyddiaeth fod.

[23]Marjorie Hope Nicolson, *The Breaking of the Circle [:] Studies in the Effect of the "New Science" on Seventeenth-century Poetry* (Efrog Newydd a Llundain, 1960), t. 126.

III

. . . MEWN UN GANRIF

7

Y BEIBL A BEIRDD OES VICTORIA

Dewisais ganolbwyntio ar Oes Victoria am nifer o resymau; ond, fel y gwelwn wrth fynd rhagom, y mae'r rhesymau hynny'n clymu gyda'i gilydd. Yn hanes llenyddiaeth Gymraeg, dyma'r cyfnod a wnaeth fwyaf o ddefnydd o'r Beibl, o bob cyfnod, – hynny yw, os mesurwn wrth y llath (byddai dyfynnu'n llawn rai o awdlau a phryddestau ysgrythuraidd yr oes luosillafog honno yn ddigon i'n heneiddio'n syfrdan). Ef hefyd yw'r cyfnod mwyaf 'annisgwyl' ei ddefnydd o'r Beibl, yn yr ystyr ei fod yn wahanol i ddefnydd y canrifoedd cynt ohono. A dyma'r cyfnod yr ydym ni heddiw yn ei adnabod leiaf. Er i genedlaethau'r ugeinfed ganrif etifeddu myrdd o syniadau'r bedwaredd ganrif ar bymtheg am fywyd, ac er bod ein bywyd ni yr hyn ydyw i gryn raddau yn herwydd y modd y trefnodd Oes Victoria ei meddwl, prin iawn yw'r gweithiau llenyddol o'r oes honno a drysorwn am eu gwerth fel mynegiant i'r meddwl hwnnw.[1] Yr ydym ni sy'n darllen Cymraeg ac yn mawrygu'r traddodiad llenyddol Cymraeg yn gwybod yn bur dda am lawer o farddoniaeth feiblaidd beirdd blaenaf y ddeunawfed ganrif, emynau Williams Pantycelyn, Dafydd William, Thomas Williams Bethesda'r Fro ac emynau Ann Griffiths. O ran hynny, yr ydym yn weddol gyfarwydd ag emynau rhan gyntaf y ganrif ddiwethaf hefyd, gweithiau gorau David Charles Caerfyrddin, Robert ap Gwilym Ddu, Pedr Fardd. Y gweithiau ysgrythurol *eraill* a berthyn i'r ganrif honno sy'n ddieithr i ni – gweithiau y rhoddai eu cyfansoddwyr fel arfer fwy o bwys arnynt nag a roddent ar eu hemynau, sef y llu awdlau, pryddestau, cywyddau, englynion, a phenillion o bob math a gynhyrchid, weithiau ar gyfer cystadlaethau eisteddfodol, weithiau yn ddigymell.

Daethai bri unwaith eto ar farddoni yng Nghymru. Yr oedd cyffro cân y Diwygiad Methodistaidd ar y naill law, a'r cymhelliad awenyddol a gynrychiolid ar y llaw arall gan arwraddolwyr Goronwy Owen – yr oedd fel petai'r ddeubeth hyn wedi deffro'r hen awydd

[1]Pethau ysgafnaf y cyfnod a gadwasom, caneuon Ceiriog, er enghraifft, a'r unawdau poblogaidd. O gofio pa mor gapelgar (yn arwynebol, beth bynnag) oedd y Cymry, y mae'n syndod cyn lleied o'r rheini sy'n trafod Duw a Christ.

Cymreig i ganu, ond i ganu'n od, ar lefel nad oedd yn werinol nac yn uchelwrol, ar ryw lefel ddidraddodiad rywsut. Ymffurfiai yma ddiwylliant barddol newydd, cymhleth, diwylliant barddol a ddaethai erbyn canol y ganrif yn grefyddaidd ac yn faterolaidd yr un pryd. Ond er y bri ar farddoni, brau oedd y bri a roddid i feirdd. Dof yn ôl at y 'crefyddaidd' yn y man – hynny fydd pennaf pwnc y bennod hon, – ond gyda golwg ar y materolaidd, ni raid gwneud mwy na dyfynnu'r hyn a ddywedodd Hywel Teifi Edwards yn "Baich y Bardd." Ebr ef:

> Mae'r meddylfryd meintiol, masnacheiddiol, y ffydd ddigwestiwn mewn gwybodaeth ddefnyddiol, ffeithiol, y dibristod o'r deallol a'r dychmygus sy'n nod amgen Philistiaeth, yn cael daear fras yng Nghymru ar ôl 1847 . . . Ac o safbwynt yr effaith a gafodd hynny ar ddiwylliant Cymru ni ddioddefodd neb yn fwy na'r bardd.

Dywed Hywel Teifi Edwards hefyd fod yr 'argyfwng ('crisis of confidence' neu 'loss of nerve' y byddai'r Sais yn ei alw) a waniodd hyder y bardd Cymraeg o'r 50au ymlaen i'w ddeall yn bennaf yn nhermau'r adwaith i'r Llyfrau Gleision enbydus a ledodd trwy Gymru ar ôl 1847.'[2] A minnau'n bwriadu cynnig esboniad arall ar wendid y bardd Cymraeg, y mae'n naturiol y buasai'n well gennyf i ddweud bod yr argyfwng awenyddol i'w ddeall *yn rhannol* nid *yn bennaf* yn nhermau'r adwaith i'r Llyfrau Gleision. Yr oedd a wnelo'r argyfwng â rhywbeth dyfnach na chariad at gynnydd: yr oedd a wnelo'r peth â sylfaen ffydd. Dull effeithiol R. Tudur Jones o nodi hynny yw datgan bod Oes Victoria yn oes o brysurdeb a phryder, – ei bod, yn ddiwylliadol ac yn ddiwydiannol, yn weithgar weithgar, eithr drwy hynny yn arteithiol ofidus, yn eneidiol a deallusol, yn ei chylch hi ei hun.[3] A chyda golwg ar y beirdd, yr oedd gŵr y 'Social Section' yn yr Eisteddfod Genedlaethol, Hugh Owen, yn ogystal â gŵr yr Adran Ddiwinyddol yn y bywyd cenedlaethol, Lewis Edwards, â'u llach arnynt, y naill am mai ar lafur mesuradwy y gosodai werth, a'r llall am 'mai mewn barddoniaeth y mae y duedd . . . i gredu mewn llwyddiant heb ddim llafur yn dyfod i'r golwg yn fwyaf cyffredin.'[4]

[2]Hywel Teifi Edwards, *Codi'r Hen Wlad yn ei Hôl* (Llandysul, 1989), t. 31.

[3]Gw. dalen-deitl R. Tudur Jones, *Ffydd ac Argyfwng Cenedl [:] Cristionogaeth a Diwylliant yng Nghymru 1890-1914. Cyfrol I. Prysurdeb a Phryder* (Abertawe, 1981).

[4]Lewis Edwards, *Traethodau Llenyddol* (Wrecsam, [1867]), t. 7.

Ergyd Lewis Edwards oedd bod ymenyddwaith ac ysbrydwaith (hynny yw, adnabod a mynegi gwir brofiad) yn brin yng ngwaith prydyddion y dydd.

i. Beiblgaredd y Beirdd

Y mae'n bryd troi atynt a dechrau eu deall – deall y beirdd hyn a ganodd am ryw ddwy neu dair cenhedlaeth, naill ai ar bynciau diamheuol a diriaethol ysgrythurol, megis "Ioan ar Ynys Patmos" a "St. Paul," neu ar bynciau yr oedd yn hawdd eu dehongli'n ysgrythurol, pynciau haniaethol fel "Cariad," "Gobaith," "Hunan-Aberth," "Dyn."

Pam? Beth oedd y cymhelliad i ganu ar bynciau fel hyn? Y mae'r ateb yn gymharol syml ac eto'n gyfansawdd.

(*i*) Yn gyntaf, yr oedd y beirdd yn ysgrifennu ar bynciau beiblaidd am mai pobl a etifeddasai ddyhead enwog Goronwy Owen i ysgrifennu epig Gristionogol oeddynt. 'If I had time to spare,' meddai'r alltud hwnnw yn Donnington, 1752, 'my chief desire is to attempt something in Epic Poetry'.[5] Yr oedd ei gywydd i'r "Farn Fawr" yn siampl fechan, bwysig i lawer ohonynt. Tybiasai Goronwy Owen – ac yr oedd y syniad yn bur ffasiynol yn ystod rhannau helaeth o'r ail ganrif ar bymtheg a'r ddeunawfed ganrif mewn rhai cylchoedd llenyddol yn Lloegr ac yng ngwledydd y Cyfandir – fod i awdur epig Gristionogol bwysigrwydd ysbrydol amgen nag epigwr paganaidd, er ei fod, fel ei olynwyr yng Nghymru Oes Victoria, yn meddwl yn uchel o Homer a Fyrsil.

Arwydd o'r parch a'r bri a roddid i Goronwy Owen gan ei olynwyr oedd eu bod yn aml yn ei enwi yn yr un gwynt â'r ddau fardd clasurol mawr. Er enghraifft, fe'i enwir mewn awdl anfuddugol ar y testun "Cystudd, Amynedd, ac Adferiad Job" yn Eisteddfod Freiniol y Gordofigion yn Lerpwl, 1840, gan Cawrdaf, yr arlunydd a'r argraffydd; er, ei ddiben ef wrth restru'r beirdd yw canu clodydd Job ei hun fel bardd cynharach, rhagorach na'r drindod a'i dilyna:

> Canai emyn cyn Homer,
> Eiliai bwngc cyn Virgil bêr;

[5] J. H. Davies (gol.), *The Letters of Goronwy Owen (1723-1769)* (Caerdydd, 1924), t. 7.

Hwn oedd wybr Awen ddibrin
Nefol gerdd, yn fêl a gwin;
Gwiw geinfawl y Gogynfardd
Yrai'n fud Oronwy Fardd, . . .

Y mae Hwfa Môn yntau, genhedlaeth yn ddiweddarach, yn rhoi ei le i Goronwy Owen yn ei awdl ar "Y Bardd," mewn olyniaeth sydd unwaith yn rhagor yn dechrau gyda Job ac sy'n dirwyn i lawr drwy Dafydd (y Salmydd) ac Eseia, drwy feirdd Groeg a Rhufain, at feirdd Cymru, Gwynedd, Môn, yn y drefn yna.[6] Y mae'r gwahaniaeth Goronwyaidd rhwng yr epigwyr paganaidd a'r epigwyr Cristionogol yn mynd ar goll yma, fel y mae'n mynd ar goll yn "Awdl Barddas" Eben Fardd. Er dechrau gyda Moses a Dafydd, dywed Eben nad i hen genedl Israel y perthyn yr awenydd mwyaf dan y nef. Yn hytrach, 'Aeth awen accw at yr ethnicwyr':

Ar ôl Duw, i ni'r ail dad
Oedd HOMER, yn ddiymwad
Homer ydyw'r mawr awdur
A phob bardd byw'n gyw y gwr: . . .
Drwy gred, ie, daear gron,
Sefyll y mae yn safon.

Yna enwa Fyrsil, Tasso, Milton, Williams Pantycelyn, a chyfeiria at Goronwy Ddu o Fôn a Dewi Wyn o Eifion.[7] (Teg nodi wrth fynd heibio, mewn tamaid o feirniadaeth i aros pryd, na fyddai Milton na Williams na Goronwy Owen ddim wedi diraddio'u Duw trwy Ei osod mewn cymhariaeth gyda Homer. Ansynhwyrus iawn oedd *antennae* ysbrydol y rhan fwyaf o ysgrythurfeirdd Oes Victoria.)

O blith beirdd y cyfnod modern, awdur *Paradise Lost* oedd prif arwr beirdd Oes Victoria, fel Goronwy Owen o'u blaen. 'Milton's Paradise Lost is a Book I read with pleasure,' meddai ef unwaith, 'nay with Admiration, and raptures: call it a great, sublime, nervous, &c. &c, or if you please Divine Work, you'll find me ready to subscribe to anything that can be said in praise of it'.[8] Ar gyfer Eisteddfod

[6]*Gwyddfa y Bardd; sef Gwaith Awenyddol y diweddar Brifardd W. E. Jones (Cawrdaf)* (Caernarfon, 1851), t. 74. *Gwaith Barddonol y Parch. Rowland Williams (Hwfa Môn)* (Llannerch-y-medd, 1883), tt. 56, 57, 59, 61-3.

[7]*Gweithiau Barddonol, &c. Eben Fardd* (Bryngwydion, [1873]), tt. 188-90.

[8]*Letters of Goronwy Owen*, t. 39.

Genedlaethol Dinbych 1860 gofynnwyd am '[g]yfansoddiad' o 'feddylddrychau godidog, cyffelyb, os oedd bosibl, i waith Milton.' Yn y polemig o ragymadrodd a luniodd Golyddan i'w argraffiad o'r arwrgerdd aflwyddiannus "Iesu" a luniodd ar gyfer yr Eisteddfod honno, hawlia i'r beirniaid ddweud ar ei ben fod 'darnau o'r gân yn deilwng o'u cymmharu â chyfansoddiadau Milton a Dante'.[9] Os felly, dadleua, cawsai gam.

(*ii*) Yr ail reswm dros ymlyniad cynifer o feirdd y cyfnod wrth y Beibl yw mai dysg a diwylliant Beibl-ganolog oedd ganddynt. Plant yr Eglwys Wladol a phlant y capeli Anghydffurfiol a'r Ysgol Sul oeddynt. Er eu bod yn enwi Homer a Fyrsil ac yn cyfeirio at feirdd eraill o'r hen fyd, nid oes yn eu gweithiau ddim ond ychydig o dystiolaeth a ddengys eu bod yn gyfarwydd â'u cynnyrch hwy. Ond y mae eu cynefindra â'r Beibl – beth bynnag am natur eu dealltwriaeth a'u gwerthfawrogiad ohono – yn amlwg, yn eu dewis destunau, a hefyd yn eu hamddiffyniad ohono. Anghyffredin odiaeth yw cael yng ngwaith yr un ohonynt olwg ar y Beibl sy'n rhychwantu Amser, awdl neu bryddest a wêl gwmpawd yr Arfaeth, holl Gynllun Duw, diben hanes. Ac yn hytrach na gweithiau fel *Y Ffydd Ddi-ffuant* Charles Edwards a *Golwg ar Deyrnas Crist* Williams Pantycelyn sy'n gweld megis o dragwyddoldeb i dragwyddoldeb yn deipolegol-gysylltiadol, ac sydd gan hynny'n hollgynhwysol, yr hyn a geir yw golwg gyfyngach ar amser a hanes. Ond gan mor boblogaidd y traethu ar hanes cynt, y mae'n naturiol fod yn rhai o'r cerddi hyn syniadau a safbwyntiau nid annhebyg i syniadau a safbwyntiau a geir gan Charles Edwards, er eu bod yn cael eu cyflwyno naill ai'n ddigyswllt neu'n orffansïol.

Er enghraifft, y syniad diwyrni mai da iawn o beth oedd dyfod y Diwygiad Protestannaidd i ryddhau dynion o gloffrwym Pabyddiaeth. Am hynny y sonia Eben Fardd yn "Awdl ar Werth Rhyddid," 1832. Rhyddid yw'r hon y 'baeddwyd' ei hwyneb 'gan Babyddiaeth', yr hon yr annedwyddwyd ei byd gan y 'Babilon fawr', ac yr arteithiwyd ei gwerinwyr Cristionogol ym Mhrydain gan y 'Bwystfil Rhufeinig' – tan i'r cedyrn Wycliff, Luther a Chalfin ddod, gan osod i fyny 'ryddid cydwybod' ym Mhrydain a chreu hefyd y cyfle i 'Anfon Bibl i fan na

[9] Golyddan, *Arwrgerdd 'Iesu,' sef pryddest 'Ioan,' yn Eisteddfod Dinbych, MDCCCLX* (Caergybi, 1861), t. ix.

bu'.[10] Rhyw adlais o *Acts and Monuments* John Foxe mewn cynghanedd a geir yma. Fel y'i ceir yn ddigynghanedd ac yn ffug-Filtonaidd mewn pryddest ryfedd ac ofnadwy ". . . ar Dr. William Morgan" a enillodd wobr ym Metws-y-coed i Gwilym Cowlyd yn 1859. Ni cheir yn y naill gerdd na'r llall ddim ymwybod â nerth hanes, dim ond cyfeiriad at ran o'i ddrama – a honno'n rhan gymharol ddiweddar.

Y mae cerdd Gwilym Cowlyd yn agor gyda disgrifiad o'r anhrefn foesol a chrefyddol yr oedd Cymru ynddi yn yr Oesoedd Canol, heb Feibl. Yna y mae'n adrodd am lais (nas enwir) yn codi i 'ddeisebu'r nefoedd' i gyhoeddi 'geiriau'r gyfraith lân / Trwy holl derfynau'r byd cyfannedd.' Yn ddiymdroi, y mae Duw yn cyhoeddi ei fod eisoes wedi dewis rhywun arbennig i gyfieithu'r Gair i'r 'GOMERIAID', ac wele y mae'n anfon angylion gwarcheidiol i lawr 'I FACHNO dlawd, fynyddig' i wylied trosto yn ei fabandod a'i fachgendod. William fab John a Lowri Morgan yw hwn, wrth gwrs. Dilynir ef i'r coleg; a thra'i fod ef yno'n astudio rhoddir i'r darllenydd beth o hanes lloegi merthyron Mari, hanes dyfod o Elizabeth i'r orsedd, pasio Deddf Cyfieithu'r Beibl, a gwaith William Salesbury. Eir â William Morgan yn y man i Lanrhaeadr-ym-Mochnant, lle cafodd (fel y gwyddom) drafferthion gyda'i blwyfolion. Yn ôl Gwilym Cowlyd, Satan a'u cynhyrfodd i godi yn ei erbyn. Eithr bychan o boen a greodd Satan y tro hwn. Eto i ddod y mae'r dymestl uffernfawr. Sef yn 1588, pan yw llawysgrif William Morgan yn barod 'i'w anfon i ddwylaw'r Argraphydd'. Y pryd hwnnw, y mae'r 'Hen Felzebub' yn y Gethern yn galw'i lu ynghyd mewn cynhadledd fawr, i ystyried beth i'w wneud â Morgan – sydd erbyn hyn, wrth gwrs, yn personoli daioni Protestannaidd y Beibl Cymraeg printiedig. Fel yn *Paradise Lost* Milton ac fel yng "Ngweledigaeth Uffern" Ellis Wynne, yn eu cynhadledd y mae'r diawliaid yn eu tro yn gosod eu cynlluniau gwrthddaionus gerbron, ond nid oes dim un yn tycio. Yna llefara'r Gŵr Drwg ei hun, a chynnig y dylid anfon llengoedd Pabyddol 'Philip o Sbaen' i goncro Prydain cyn y gellid argraffu Beibl William Morgan. Tra oedd un dyn bach 'yng Nghaerludd' yn 'diwyd olygu' a chywiro'i broflenni, yr oedd wyth mil ar hugain o 'filwyr calonog' ar

[10] *Gweithiau Barddonol, &c. Eben Fardd*, tt. 34-42

eu dyfrllyd daith i'w atal. Ond wrth gwrs yr oedd Duw ar ochr yr un dyn bach, Duw a'i holl angylion, ac unwaith y datododd Ef 'wregys y ffyrnig elfenau,' fe ddrylliodd 'ar gythrym holl fawredd Yspaen.'[11] Wele, ym mhrydyddwaith Gwilym Cowlyd nid yw'r Armada yn ddim ond dyfais ddieflig aflwyddiannus i rwystro'r Cymry rhag cael Beibl yn eu hiaith.

Beth a wneir o gerdd fel hon? A oes unrhyw gyfiawnhad tros roi lle iddi mewn astudiaeth ddifrifol? Oedd, gwir ei wala, yr oedd ei hawdur yn ŵr hynod. Yn 1865 gwelodd Gwilym Cowlyd yn dda i sefydlu gorsedd beirdd mewn gwrthwynebiad i Orsedd Beirdd Ynys Prydain, ac am flynyddoedd wedyn bu'r orsedd honno o dan ei arweiniad archdderwyddol ef yn seremonïa mewn gwrtheisteddfodau a gynhelid yn yr awyr agored ar lan y llyn yr enwyd hi ar ei ôl, sef Llyn Geirionydd – 'ger cartref tybiedig Taliesin Ben Beirdd,' chwedl *Y Bywgraffiadur Cymreig*. Gan ei fod yn tybied ei fod yn ddisgynnydd iddo, enwodd Gwilym Cowlyd ei fab yn Taliesin. At hynny, credai fod Ioan yr Apostol, awdur y Bedwaredd Efengyl, wedi ymsefydlu mewn cell ar lan Llyn Geirionydd, ac mai ystyr yr enw hwnnw oedd 'trigfa Gair Duw'.[12] Yn herwydd yr arwyddion hyn o hynodrwydd – onid yn wir o hurtrwydd, – oni ddylid anwybyddu'i bryddest a dweud mai lol-mi-lol gorffwyllaidd ydyw? Tybed? Paham y mae hi'n rheitiach derbyn y chwedl am Joseff o Arimathea am ei bod yn hen ac yn rhan o'n traddodiad (er ei bod yn gelwyddog), a diystyru'r chwedl am Ioan am ei bod yn fwy newydd? A pha hawl sydd gan neb i drafod yn synhwyrol ddeongliadau herfeiddiol wrth-hanesyddol Bobi Jones yn *Hunllef Arthur* yn un o'i benodau, a pheidio â thrafod 'hanes' hedegog Gwilym Cowlyd mewn pennod arall? Wedi'r cyfan, y mae rhyw anocheledd deniadol yn "Pryddest ar Dr. William Morgan." Yn wir, y mae'r weledigaeth sydd ynddi yn un â gweledigaeth yr awduron Iddewig hynny yn yr Hen Destament a uniaethai hanes y genedl gyda hanes eu gwŷr crefydd athrylithgar. Ac megis na allai'r Iddewon ddim gwahanu'r digwyddiadau pwysicaf yn eu hanes oddi wrth y troeon hynny y defnyddiodd yr Arglwydd weithredoedd dynol a naturiol i'w bwrpas moesol Ef Ei Hun, felly Gwilym Cowlyd yn yr achos hwn.

[11]*Y Murmuron: sef crynodeb annetholedig o gynnyrchion awenyddol W. J. Roberts, (Gwilym Cowlyd)* . . . (Llanrwst, 1868), tt. 38-53.

[12]G. Gerallt Davies, *Gwilym Cowlyd 1827-1904* (Caernarfon, 1976), tt. 149ff., 156.

Disynnwyr? I rai ohonom ni yn ein sobrwydd seciwlar, disynnwyr heb os. Ond nid yng nghyd-destun hawlfawr hanesyddiaeth Gristionogol yr oesau.

Ymwneud â myth ein cynhaliaeth y mae'r rhan fwyaf o'r gerdd. Ynddi hawlir bod Duw, fel Duw Israel yn yr Aifft, fel Duw Israel yn y gaethglud, wedi gweithredu'n oruwchnaturiol trosom, er mwyn i ni yn 1588 gael Ei Air yn ein hiaith. Tua diwedd y gerdd, hawlir rhywbeth arall hefyd, rhywbeth ynglŷn â myth ein nod. Lle gwelodd – a lle gwêl – llenorion hanesaidd fel Charles Edwards mai rhywbeth eto-i-ddod yw gogoniant y Cymry, sef nod i'r gweddill ffyddlon gyrchu ato, honna Gwilym Cowlyd fod ei Gymru ef eisoes yn ogoneddus, eisoes yn baradwys efengylaidd, yn Ganaan ysbrydol yn wir, – a hynny o ganlyniad uniongyrchol i ddyfodiad y Beibl i'n plith. Dyma benillion clo'r gerdd lle nodir hynny:

> Pa beth a wnaeth Gymru y fan ag yw'r awrhon?
> Mor lawn o wybodaeth a nefol fendithion,
> Yn dawel artrefle i hêdd a chysuron,
> A'i gweddus drigolion, yn berchen pob braint.
>
> Ple tarddodd y rhyddid, a'r pur-egwyddorion,
> Wna Gymru'n ddysgleiriach nac un parth o'r byd,
> Pa fodd yr ymlidiwyd, llid, trais, ofergoelion
> A Phabaeth i lwyr ebargofiant yn nghyd?
> Edrychwn yn ol, ac ni raid wrth atebiad,
> Mae ffrydle pob bendith, a gwraidd pob sefydliad
> Daionus, yn arwain yn ol i GYFIEITHIAD
> Y BIBL I'N HIAITH, heb un eithriad, i gyd.[13]

Cofier mai trafod yr ydym gymhelliad beirdd Oes Victoria i ganu ar bynciau beiblaidd. At (*i*) eu hawydd Goronwyaidd i gynhyrchu epigau Cristionogol, ac at (*ii*) y ffaith mai pobl wedi'u codi mewn diwylliant Beibl-ganolog oeddynt, ychwaneger y cymhelliad hwn, sef (*iii*) eu hargyhoeddiad mythig-hanesyddol mai'r Beibl a greodd y ddelfryd o Gymru yr oeddent hwy yn ei mawrygu. Ni welais gan neb ond Gwilym Cowlyd ddehongliad mor frawychus ddramatig o'r amgylchiadau a roes i ni ein Beibl, eithr ceir nifer o feirdd i fynegi

[13] *Y Murmuron*, t. 53.

pwysigrwydd ei gyhoeddi, a'i effaith ar Babyddiaeth. Dyna Emrys, y gweinidog Annibynnol, yn "Gwladgarwch," yr awdl a enillodd iddo gadair yn Llundain yn 1855, yn dweud mai

Anrheg dêg oedd rhoi gair Duw
I'r uniaith Gymry annuw, –
I ddenu hen Gymru gaeth
O'i bodd o wyll Pabyddiaeth.[14]

Yr un modd, Dyfed, y pregethwr Methodist. Yn yr awdl ar "Y Beibl Cymraeg" a enillodd iddo gadair Eisteddfod Genedlaethol 1889, y mae yntau hefyd yn dal mai'r Beibl a waredodd Gymru o Babyddiaeth:

Y Gwir dihalog a'i gariad helaeth
Gyrhaeddai bebyll a gwraidd y Babaeth;
Cywir a thrwyadl bwnc yr athrawiaeth
Gyhoedd ysgydwodd ei gau ddysgeidiaeth;
O law deg y Beibl y daeth – digofus
Boenau adfydus ar ben Defodaeth.

Drwy'r Beibl, enillodd y Cymro gysylltiad uniongyrchol â Duw:

Ymaith! bob gwan ddylanwad, – a ddringodd
  Rhyngwyf a fy Ngheidwad;
 Ymâd, O! dwyll, mae Duw Dad
 Mwy'n siriol â mi'n siarad.

Bellach – a dyma eilio honiad Gwilym Cowlyd ynghylch bendigedigrwydd y Cymry – nid oes genedl debyg iddi:

Ar faes rhagoraf Iesu, – diguro
 Ydyw gwerin Cymru . . .[15]

Efallai taw Islwyn biau mynegi'r ddelfryd hon symlaf pan ddywedodd yn ei farwnad i David Jones, Treborth:

---

[14]*Ceinion Emrys: sef Gweithiau Barddonol y diweddar Barch. W. Ambrose, (Emrys,) Porthmadog* (Dolgellau, 1876), t. 26.

[15]*Gwaith Barddonol Dyfed I* (Caerdydd, 1903), tt. 119, 122.

Amheua'r ymwelydd wrth rodio dy dir,
Ai daear ai nefoedd wyt Gymru, yn wir.[16]

Y mae gan Tafolog yntau awdl ar "Y Beibl Cymraeg" (un o awdlau anfuddugol 1889, y mae'n debyg) sy'n cynnwys rhai o'r syniadau ymhonnus uchod a geir gan Eben Fardd a Dyfed, sy'n cyffwrdd ag Armada Gwilym Cowlyd, ac sy'n tra-dyrchafu Cymru fel y mae Gwilym, Dyfed ac Islwyn yn ei thra-dyrchafu. Maentumia ef fod Eglwys Rufain wedi selio'r Gair megis y seliwyd yr Iesu yn Ei fedd, ac na chafwyd dim gwaredigaeth hyd oni ddarfu i 'Wyckliff addien' oleuo pobl yn y ffydd. Daeth Luther i'r amlwg wedyn; ac yn Lloegr ymgymerodd Tyndale a Coverdale â chyfieithu'r Beibl, gwaith a wnaed yn rhannol yng Nghymru gan William Salesbury. Yn ystod teyrnasiad Mari, meddai Tafolog, nid oedd yn '[nh]ud ddi-Feibl ein tadau' ddim un merthyr (y mae'n amlwg na ddarllenasai *Y Ffydd Ddi-ffuant*): 'I Dduw, y Ngwalia, ni chadd angylion'. Ond unwaith y cafwyd Beibl William Morgan, Beibl y dywedir iddo ddod o'r wasg 'yr un dydd' ag y curodd Francis Drake Armada Sbaen, dechreuwyd trawsnewid Cymru. Eithr nid tan y daeth y Beibl hwnnw'n rym bywiol yn y bobl y troes y wlad yn wlad wen. Yr awgrym yn siŵr yw mai pregethu'r cenedlaethau diweddar a'i diwygiodd mewn gwirionedd, cenedlaethau 'Anthemau Llangeitho' chwedl Islwyn. Ebe Tafolog:

Ar y papur, er pobpeth,
Ni fai'r Beibl ond ofer beth
I'r wlad, – parhai'n Gymru lom
Heb blannu y Beibl ynnom; –
Ei gymreigio ym mhregeth
Moes Gwalia, fu'r penna' peth: –
Beibl yn y bobl eu hunain
Droes Gymru gu'n Gymru gain.[17]

[16]*Gwaith Barddonol Islwyn* (Wrecsam, 1897), t. 257. A gofia'r darllenydd gân y grŵp hwnnw o Drawsfynydd, Y Pelydrau, a oedd mor boblogaidd ddiwedd y chwedegau? Ei byrdwn oedd: 'Dw-i ddim isio mynd i'r nefoedd, /Mae Cymru'n well na hi.'

[17]Evan Davies (gol.), *Gwaith Tafolog* (Dolgellau, 1909), tt. 512-22. Y mae Tafolog, t. 512, yn brolio bod y Beibl Cymraeg 'Yn blaenu Beiblau hanes', tipyn o nonsens y mae'n rhaid ei dderbyn fel honiad truenus gan ddyn a phrydydd a oedd yn ymwybod ag israddoldeb ei bobl.

Y mae'n fwy na thebyg fod y darllenydd ymhell cyn hyn wedi cael ei daro gan naïfder y farddoniaeth y dyfynnais ohoni, gan naïfder ei hiaith a naïfder ei meddwl. Yr hyn a olygaf wrth naïfder iaith yw na cheir yn y farddoniaeth hon y defnydd trosiadol, symbolaidd na sacramentaidd o iaith a ddisgwylir fel arfer mewn barddoniaeth, – neu a gawn ni ddweud a ddisgwylir mewn barddoniaeth y mae ei meddwl yn brofiad. Byddaf i bob amser yn rhyfeddu taw'r un un a ysgrifennodd yr awdl arobryn ar "Y Beibl Cymraeg" yn Aberhonddu, 1889, a'r llinellau 'Y mae gras ac anfarwoldeb /Yn diferu drosto'i gyd.' Y mae llinellau'r emyn yn fynegiant o amgyffrediad profiadol: trosiad dwys a geir ynddynt, trosiad yn creu neu'n mynegi darn o fyd. Am hynny, y mae'r llinellau, mewn ystyr arbennig, yn ddarganfyddiad. Ond yn yr awdl, fel yn y darnau eraill a ddyfynnwyd yn y fan hon, y mae'r awdur yn mynegi rhywbeth a ganfu ac a ddeallodd mewn ffordd arall cyn iddo ef ei fynegi mewn barddoniaeth.[18] Yn ironig iawn, y mae iaith y farddoniaeth hon mor wahanol i iaith y Beibl ag y gall iaith fod. Yn y Beibl y mae metaffor a symbol a stori yn bentyrrol luosog ond nid felly yn y farddoniaeth. A chaf fy nhemtio i awgrymu bod a wnelo'r gwahaniaeth hwn yn y defnydd o *iaith* â naïfder *meddwl* y beirdd hefyd. Prydyddiaeth ddadleuol, prydyddiaeth safbwyntiol, erfyniol hyd yn oed, prydyddiaeth sydd yn dyheu am gymeradwyaeth cytundeb, ydyw'r gwaith y buom hyd yma yn ei drafod, nid prydyddiaeth brofiadol.

Nid yw hynny'n ddim syndod, achos yr oedd ei hawduron yn byw ac yn prydyddu mewn oes y daeth ei phoen enaid yn ddiarhebol gan gymaint o gernodio a fu ar ei ffydd hen. Pedwerydd cymhelliad beirdd Oes Victoria tros ganu ar bynciau beiblaidd a thros ganu (os canu) am y Beibl ei hun, oedd (*iv*) eu bod yn dymuno gwrthymosod ar y grymoedd hynny yn ystod y bedwaredd ganrif ar bymtheg a feirniadodd y Gair ac a fwriodd amheuaeth ar ei wirionedd. Y dymuniad hwnnw a barodd i un bardd-bregethwr (a ddylsai wybod yn well), Hwfa Môn, ddyrchafu'r Beibl – nage, 'pob sill' ohono – i fod cyfuwch â'i 'Awdur' a'i Brif Wrthrych:

---

[18]Trafodaeth ar y pwnc hwn yw *Religion and Imagination* John Coulson (Rhydychen, 1981) yn bennaf. Gw. yn arbennig tt. 15-33.

Y mae pob sill o'i eiriau ef,
Yn fwy na'r byd, yn fwy na'r nef;
Mae llythrenau 'i air bob un
Yn gymaint ag yw Duw ei hun.[19]

Bardd mewn braw biau datgan dwli diwinyddol fel yna.

ii. Argyfwng Ffydd

Gan mai'r bwriad yn yr adran hon yw trafod ymateb y beirdd beiblgar i argyfwng ffydd eu hoes, ni raid manylu'n ormodol ar yr argyfwng ei hun. Gwyddoniaeth a hanes sy'n cael y bai amdano. Ond er mai gwyddoniaeth a hanes fel y'u cyflwynwyd i'r cyhoedd yn nawnddydd Oes Victoria a'i creodd, y mae gwreiddiau'r argyfwng yn hŷn o dipyn.

Gyda golwg ar ran gwyddoniaeth yn hyn o waith, rhaid mynd yn ôl i'r unfed ganrif ar bymtheg i ddechrau, at y mathemategwyr mawr Copernicus a Galileo, y rhai, wrth beri gweld nad y ddaear oedd canol y greadigaeth, a arweiniodd rai athronwyr i weld nad dyn oedd canol y greadigaeth chwaith. Newton wedyn, yn ail hanner yr ail ganrif ar bymtheg, yn diffinio cyfundrefn o astronomyddiaeth a estynnodd 'y greadigaeth i faint llawer mwy' na'i ragflaenwyr, 'yn ei llanw hi â mil mwy o fydoedd mawrion ac ardderchog nag a feddyliwyd erioed o'r blaen', ac yn cynnig esboniad ar ei symudiad.[20] Yn araf y daeth pobl i ddirnad oblygiadau ysbrydol a chrefyddol y datblygiadau astronomaidd hyn, yn rhannol am y barnai nifer mawr o feddylwyr fod y nefoedd – a'r nefoedd honno'n awr yn ddi-ben-draw – o hyd yn datgan gogoniant Duw. Pan gyplyswyd y posibilrwydd na ellid uniaethu, fel yn y Beibl, y Creawdwr deddfreolaidd a luniodd y cyfanfyd oll gyda'r Duw personol ac ymyraethol y buasai'r Eglwys gyhyd yn pregethu Ei Rad Ras – y pryd hwnnw y dechreuodd credinwyr cyffredin deimlo'r ergyd gosmolegol a roes gwyddoniaeth i wareiddiad Cristionogol y canrifoedd. Ymddengys nad yw Williams Pantycelyn yn cael dim trafferth i uniaethu'r 'ddau Dduw' yn *Golwg ar Deyrnas Crist*, ond y mae'n cyfeirio'n chwyrn yn ei ragymadrodd

[19] *Gwaith Barddonol y Parch. Rowland Williams (Hwfa Môn)* (Llannerch-y-medd, 1883), t. 382.

[20] *Golwg ar Deyrnas Crist* (Caerfyrddin, 1764), t. 31; *Gweithiau William Williams Pantycelyn I*, t. 30.

i'r gerdd honno at y Deistiaid, sef y ffilosoffyddion hynny a gredai mai yn Llyfr Natur ac nid yn Llyfr y Bywyd y deuid i adnabod Duw orau. Eithr nid Duw Byw'r Efengyl dragwyddol oedd Hwnnw. Gwyddonwyr rhyddymofynnol y ddeunawfed ganrif oedd y Deistiaid. Y mae Thomas Jones o Ddinbych yntau yn cyfeirio atynt. Yn y rhagymadrodd i *Merthyr-draith* (1813), deil ef mai 'yspryd aflan' a gododd ei ben yn Ffrainc ac a ledodd wedyn i wledydd eraill oedd Deistiaeth. Gobeithio, meddai, mai 'oes fer a rhwysg bychan a fydd i'r fath gablydd anghenfilaidd'.[21] Gobaith yn erbyn gobaith oedd hwnnw. Daeth gwyddoniaeth yn fwyfwy parchus ac yn fwyfwy derbyniol. Yn wir, fel yr âi'r bedwaredd ganrif ar bymtheg rhagddi, cafodd yr argraff a wnaeth darganfyddiadau gwyddonol ar y meddwl crefyddol a chymdeithasol ei chryfhau gan y bri newydd a roddid ar wyddoniaeth fel y cyfryw, a chan yr argyhoeddiad fod yr ysbryd ymchwilgar a gynrychiolid ganddi ar y cyfan yn llesol.[22]

Os yr ergyd gosmolegol oedd ergyd fawr gyntaf gwyddoniaeth fodern yn erbyn y gwareiddiad Cristionogol traddodiadol, yr ail oedd yr ergyd fiolegol. Â Charles Darwin y cysylltir hon fel arfer, â'r ddamcaniaeth ynghylch esblygiad, yr hon a ddinistriodd yr hen ddadl y gellid nesáu at Dduw trwy'r cynlluniau a oedd yn amlwg yn Natur, ac a wadai hefyd wrth gwrs yr athrawiaeth sylfaenol gysurlon honno ynghylch creu dyn ar lun a delw Duw gan Dduw ei hun, Genesis 1:26-27. Nid Charles Darwin oedd y cyntaf i 'ddarganfod' damcaniaeth esblygiad: yr oedd Francis Bacon a Descartes dros ddau can mlynedd o'i flaen wedi bwrw amheuaeth ar stori'r Creu; yr oedd ei dad-cu Erasmus Darwin hefyd wedi cyhoeddi damcaniaethau nid cwbl anghyffelyb iddo yn ei ddydd ef; a Lamarck, y naturiaethwr o Ffrainc, y camddehonglir ei waith ar esblygiad organig weithiau fel Darwiniaeth elfennol. Ond llyfr mawr Darwin, *The Origin of Species* (1859), a gyflwynodd ddamcaniaeth esblygiad drwy ddetholiad naturiol lawnaf a chyfoethocaf a mwyaf argyhoeddiadol. Darfu i T. H. Huxley fynd rhagddo wedyn i boblogeiddio Darwiniaeth, a thrwy

[21] Thomas Jones, *Diwygwyr, Merthyron, a Chyffeswyr Eglwys Loegr, ynghyd a'r Prif Ddiwygwyr yn Scotland, a Gwledydd Tramor; . . . hefyd Crynodeb o Hanes Eglwys Crist, hyd amser y Diwygiad Protestanaidd* (Dinbych, 1813), t. vii.

[22] Raymond Chapman, *The Victorian Age [:] English Literature and Society 1832-1901* (Llundain, 1968), t. 308.

hynny greu cyffro meddyliol ac ysbrydol enbyd.[23] Bu dadlau mawr cyhoeddus rhwng gwyddonwyr a chrefyddwyr, nes tybied o'r oes oedd ohoni fod gwyddoniaeth a chrefydd benben â'i gilydd. Am Darwin ei hun, dylid nodi nad ef oedd achos y rhwyg dybiedig rhwng gwyddoniaeth a chrefydd, ond yn hytrach ei hachlysur. Ni ddywedodd Darwin ddim am grefydd. 'But Darwin finally made it probable,' ys dywed Owen Chadwick, 'not that the history of Genesis was legend (which was probable already if not certain), but that the moral apprehensions founded upon that history had to be restated if they were to survive.' Fel y dywed Owen Chadwick eto, symbol oedd Darwin. Ychydig a'i darllenodd, a phur ychydig a'i deallodd. Ond ni waeth am hynny: daw syniadau yn rhan o'n tybiaethau pan *nas* darllenir. Y mae darllen cydwybodol yn ymarferiad mewn codi cwestiynau – fel y dengys sylwadau Ioan Pedr, yr hwn a ofynnodd mewn erthygl yn *Y Traethodydd* yn 1872 'nid a yw damcaniaeth ymddatblygiad *yn gyffredinol* yn safadwy, ond a yw'r arweddiad neilltuol ohoni a gynigir gan Mr. Darwin felly?'[24] Gwelodd ef 'wendid' y ddamcaniaeth, gwendid y 'cysylltiad coll' fel y'i gelwir.

Eithr yr oedd gwyddorau eraill hefyd yn cyfrannu at y teimlad o fod tan warchae a boenai'r crefyddwr traddodiadol ym mlynyddoedd canol y bedwaredd ganrif ar bymtheg. Rhwng 1830 a 1833 cyhoeddodd Charles Lyell ei *Principles of Geology*, gwaith a ddangosodd fod y greadigaeth yn filiynau o flynyddoedd oed, ac nad yn y flwyddyn 4004 O.C., sef y dyddiad a roes James Ussher ar ymyl y ddalen gyferbyn â dechrau Llyfr Genesis, y creodd Duw y byd. Yn wir, tan i Ddarwiniaeth ddatblygu'n symbol o gynnydd gwyddoniaeth, daeareg nid bioleg oedd y pwnc poblogaidd y ceisiai athrawon yr Eglwys godymu ag ef. Dengys Harri Williams yn ei lyfr da fel y ceisid '*cysoni* daeareg â'r Beibl' i ddangos 'nad oedd dim yn Genesis yn groes i'r hyn a ddywedai'r daearegwyr' – ond y mae hyd yn oed trefn ail ran y frawddeg hon yn dangos pwy oedd â'r llaw uchaf. Erbyn chwedegau'r ganrif yr oedd Lyell a Darwin gyda'i gilydd wedi dangos ei bod hi'n

[23]Gillian Beer, *Darwin's Plots [:] Evolutionary narrative in Darwin, George Eliot and Nineteenth-century Fiction*, arg. Ark Paperbacks (Llundain, 1985), t. 12. Owen Chadwick, *The Victorian Church II* (London, 1970), t. 20. Chapman, op. cit., tt. 308-9, 313.

[24]Owen Chadwick, *The Secularization of the European Mind in the Nineteenth Century*, arg. Canto (Caergrawnt, 1990), t. 174. Beer, op. cit., t. 6. Harri Williams, *Duw, Daeareg a Darwin* (Llandysul, 1979), t. 69.

bosibl fod yn Natur gynllun ar wahân i ddyn, 'both plot previous to man', ys dywed Gillian Beer, 'and plot even now regardless of him.'[25] Nid yw Natur yn agored iddo, nac, o raid, yn perthyn iddo. A mwyach, ni all, fel Adda, enwi'r anifeiliaid fel pethau darostyngedig iddo.

Er hyn, rhywbeth arall a achosodd i'r Graig symud, nid Lyell yn 1833, nid Darwin yn 1859, ond yr haneswyr a'r beirniaid hynny o'r pumdegau ymlaen a aeth ati i edrych ar y Beibl fel casgliad o destunau hanesyddol, ac a'i cafodd yn brin, yn anghyson, ac yn chwedlonol neu'n gelwyddog. Tan hynny, nid oedd neb wedi gosod y Beibl o dan chwyddwydr.[26] Ond unwaith y gwelid cysgod o anghywirdeb ynddo, yr oedd gofyn nodi hyd a lled y cyfeiliornad. Dechreuwyd trafod yn fanwl awduraeth a dyddiadau ei lyfrau, eu perthynas â'i gilydd ac â dogfennau a thystiolaethau allanol 'eraill'. Fel y bwriodd daeareg a bioleg amheuaeth ar y Creu, daeth daeareg hefyd i fwrw amheuaeth ar y Dilyw. Achosodd ymchwil uwch-feirniaid yr Almaen (i gychwyn) boen a phenbleth, fel y gwnaeth llyfr yr Esgob Colenso ar Bumllyfr Moses. Er dywedyd o R. Tudur Jones fod 'arweinwyr meddwl yng Nghymru'n bur siriol ynglŷn â'u gallu i amddiffyn y Beibl yn foddhaol', dywed hefyd ei bod yn anodd iddynt 'wneud cyfiawnder â lle dychymyg, dameg a chwedl yn hanes dyn a'i ffydd.' Mynnent, meddai, ddehongli Caniadau Solomon yn alegorïaidd neu ddelweddol; ar y llaw arall, methent â derbyn bod elfennau chwedlonol yn Genesis a Job a Jona.[27] Yn 1863 cyhoeddodd Ernest Renan yn Ffrainc lyfr ar fywyd yr Iesu a oedd eto'n nodedig iawn, nid o ran ei gyfraniad i ddiwinyddiaeth ond o ran y modd y cyflwynodd y *dyn* Iesu ac y rhoes gychwyn ar gyfres o astudiaethau ynghylch bywyd yr Arglwydd a hepgorai'r goruwchnaturiol. Yn herwydd hyn eto, yr oedd yn anodd gan y Cristion cydwybodol addysgedig iawn wybod sut i drin mythau, barddoniaeth, damhegion, a gwyrthiau'r Gair. O dipyn i beth, profid bod rhannau o

[25]Ibid., t. 47. Beer, op. cit., t. 22. Gan Harri Williams, yn un, op. cit., t. 66, y ceir y stori ddoniol (i ni) am y pregethwr enwog Spurgeon yn mynd o gylch y wlad i ddarlithio yn erbyn Darwin ac yn gosod *gorilla* wedi'i stwffio y tu cefn iddo ble bynnag yr âi. Yn ystod y ddarlith âi ato'n ysbeidiol, 'rhoi iddo "gernod ddwys", a dweud "Dwyt ti ddim yn perthyn i mi"!'

[26]Chadwick, *The Victorian Church II*, tt. 3, 57ff.

[27]R. Tudur Jones, "Astudio'r Hen Destament yng Nghymru, 1860-1890," *Efrydiau Beiblaidd Bangor II [:] Cyfrol Deyrnged i Dafydd R. Ap-Thomas*, gol. Gwilym H. Jones (Abertawe, 1977), tt. 153-4, 162. Gw. hefyd Harri Williams, op.cit., tt. 21, 27, 54.

ddysgeidiaeth draddodiadol yr Eglwys yn 'ffeithiol ddi-sail,' a chan hynny yr oedd yn rhaid iddi ystyried bwrw ymaith rai daliadau, ac ar yr un pryd warchod a chadw'r hyn a oedd yn ystyrlon iddi, er bod hwnnw mewn ieithwedd yr oedd ei hystyr yn prysur ddarfod amdani.

Yr ydys yn cyffredinoli'n arw iawn iawn yn awr, wrth gwrs. Ni wneir yma fawr mwy nag agor cwr y llen i'r darllenydd gael cip ar yr anifail cymhleth a lechai yng nghorneli meddwl pawb. Yr oedd llawer o bobl gyffredin na wyddent ddim am faterion trwblus beirniaid a bygythwyr y Beibl tan y darllenent amdanynt yn y papurau newyddion (a symleiddiai'r pwnc bob tro, bron); ac yr oedd pregethwyr hyd yn ddiweddar yn y ganrif a oedd naill ai'n 'dal i gynnal eu cred mewn safon wrthrychol' ac yn y 'Beibl anffaeledig' neu a barchai ac a garai eu cynulleidfaoedd fel na ddymunent darfu ar eu meddyliau.[28] Yn ddychanus-feirniadol y dywedodd Daniel Owen yn *Enoc Huws* fod y Parchedig Obediah Simon 'er ys tro bellach . . . wedi traethu cryn lawer ar *evolution*, negyddiaeth, ac anwybodydd-iaeth, ac wedi son tipyn am agnosticyddiaeth' ac am 'wrthddadleuon annghredinwyr' wrth bobl Bethel, na 'wyddai un o bob hanner cant ohonynt fod y fath wrthddadleuon wedi bod yn blino ymenydd neb erioed.'[29] Beth bynnag oedd canran y rhai gwybodus yn y pethau hyn, er bod Thomas Lewis, Bangor yn dweud mor hwyr â 1891 fod y Gymraeg yn amddiffynfa rhag llanw newydd o amheuaeth, ni allai pobl addysgiedig a darllengar ddim peidio ag ymdeimlo i ryw raddau neu'i gilydd â brath y feirniadaeth a gysylltid ag anffyddiaeth. Ar yr un pryd, prin y gallent ddirnad am fywyd nad oedd y Beibl yn warant iddo yn ei holl gyflawnder. Ond yr oeddynt eisoes – y mwyaf effro'n eu plith – yn gwybod na allent bellach ddim adnabod y Beibl drwy adnabod y Beibl yn unig. Wrth drafod meddylfryd beirdd Oes Victoria yn Lloegr yn y cyfnod hwn, ebe David Daiches:

> There is not a creed which is not shaken, not an accredited dogma which is not shown to be questionable, not a received tradition which does not threaten to dissolve.

Collasant, ebe R. Tudur Jones, yr argyhoeddiad fod 'gwirionedd sefydlog a digyfnewid', a'r argyhoeddiad fod 'gan ddyn y gallu trwy

[28] R. Tudur Jones, art. cit., t. 159; Chadwick, *The Victorian Church II*, t. 97.

[29] Daniel Owen, *Profedigaethau Enoc Huws*, t. 295.

reswm a datguddiad i ddarganfod y gwirionedd hwnnw.'[30] Lledodd teyrnas sgeptigiaeth. Daeth amheuaeth i'w hoed.

A hyn, cofier, mewn oes a gredai fod cyhoeddi optimistiaeth, mawrygu cynnydd ac ymhyfrydu mewn datblygiad, bron yn ddyletswydd. Er ofni pen draw Darwiniaeth a'i heffaith bell-gyrhaeddol ar eu cred, er ofni Darwiniaeth am ei bod yn bychanu dyn, daeth rhai pobl mewn rhai cylchoedd i'w choleddu fel damcaniaeth a oedd megis yn cadarnhau bod popeth a fu yn y gorffennol megis wedi prifio mewn ymdrech barhaus i gyrraedd y presennol, presennol yr oedd dyn yn feistr ar ei fater a'i fodd. Ond poen a diflastod dwfn oedd trafod amheuaeth. Yng Nghymru nid oedd gan 'arweinwyr Cristionogol y cyfnod . . . fawr glem' sut i'w drafod.[31] Y cwestiwn mawr i bawb yn wyneb herfeiddiwch a hyder gwyddoniaeth oedd ai dulliau'r gwyddonydd naturiol o ddarganfod y gwirionedd oedd yr unig ddulliau o'i ddarganfod. Os oedd dulliau eraill, pa fath o fewnwelediad a gynrychiolid gan yr hyn a elwid yn 'wirioneddau' crefydd, a gwirioneddau barddoniaeth hefyd, a sut ellid eu darganfod a'u mynegi hwy? Os oedd hi'n argyfwng ffydd, yr oedd hi'n argyfwng dirnadaeth a dychymyg yn ogystal. Buasai crefydd a llenyddiaeth yn gydymdeithion erioed, ond yr oedd dysgawdwyr grymus yn awr a ddadleuai nad oedd y cydymdeithiad hwnnw yn ddim ond un o ddamweiniau hanes diwylliannol Ewrop.

Am y beirdd yng Nghymru, amheuaf a oedd gan neb ohonynt (heblaw Islwyn, efallai) unrhyw lyfelaeth o'r angen am ddirnadaeth farddonol newydd. Yr oedd llawer o'u *barddoniaeth* yn newydd – yn yr ystyr ei bod o ran ei harddull a'i hidiom yn wahanol i'r hyn a gafwyd gan ein cynganeddwyr, ein hemynwyr a'n hawduron eraill cyn diwedd y ddeunawfed ganrif. Nid hwyrach mai Dafydd Ionawr yn ei swydd hunanbenodedig fel rhyw ail affwys i Goronwy Owen oedd un o'r cyntaf i fabwysiadu'r dull traethodol geiriog, tra ffansïol o ysgrifennu a ddaeth yn arferiad cyffredin ym mlynyddoedd canol y bedwaredd ganrif ar bymtheg – ond y mae eisiau gweithio'n fanylach o lawer ar bwnc iaith a dulliau ysgrifennu'r cenedlaethau hyn o feirdd cyn y gall neb ddweud yn fanwl ac yn iawn amdanynt. Y pwynt yr

[30]Harri Williams, op. cit., t. 11. David Daiches, *God and the Poets* (Rhydychen, 1984), t. 124. R. Tudur Jones, *Ffydd ac Argyfwng Cenedl II*, t. 16.

[31]Daiches, op. cit., t. 125. Beer, op. cit., t. 18. *Ffydd ac Argyfwng Cenedl II*, t. 9.

wyf i'n ceisio'i wneud yma yw na sylweddolodd ein beirdd fod a wnelo'r argyfwng ffydd y trigent ynddo hefyd â swydd *wreiddiol* y bardd, â'i allu traddodiadol i ganfod a gweithio profiad. O, yr oeddent hwy a'u hathrawon yn trafod dyletswydd bardd, a phriod iaith bardd, hyd yn oed statws bardd, ac yn ymrannu'n bleidiau digon blin wrth drafod y pynciau hyn. Ond fel yr oedd diwinyddion yng Nghymru yn ystod hanner cyntaf y ganrif yn rhy brysur yn dadlau â'i gilydd ar bynciau athrawiaethol i roi sylw i'r dasg o amddiffyn crefydd ei hun rhag yr ymosodiadau arni oddi allan, felly'n union yr oedd yr athrawon beirdd a'r beirniaid eisteddfodol (beirdd eu hunain, fel arfer) genhedlaeth yn ddiweddarach yn rhy eiddig tros eu syniadau a'u pleidwyr eu hunain i weld gwegi eu hymdrechion ac aneffeithiolrwydd sylfaenol eu math hwy o farddoniaeth fel mynegiant i feddwl a phrofiad dyn. Ni ellir – ac ni ddylid – bod yn rhy llawdrwm arnynt, oblegid er yr Oesoedd Canol pur ychydig o drafod damcaniaethol ar farddoniaeth a fu o gwbl yng Nghymru. Prin y gellid disgwyl i Gymru Oes Victoria, gyda'i haddysg brin a'i bryd ar gynnydd a'i diffyg hunanhyder a'i phrysurdeb cyflawniadol – prin y gellid disgwyl iddi hi ymgymryd â thasg mor wareiddiol bwysig, a hynny'n gymharol ddigynhysgaeth.

Uchod, dyfynnwyd R. Tudur Jones yn dweud nad oedd gan arweinwyr crefyddol Cymru fawr glem sut i drafod amheuaeth. I raddau, yr un bobl oedd y pregethwyr a'r beirdd. Yn nechrau'r ganrif fawr Anghydffurfiol enw drwg oedd i'r bardd, ond yn y man daeth yn ffigur o amlygrwydd ac o barch rhyfedd yn y gymdeithas Gymraeg. Pan ddechreuodd Dewi Arfon, a aned yn 1833, feddwl am fynd i'r weinidogaeth ar ôl blynyddoedd o weithio fel chwarelwr yn gyntaf ac yna fel athro, pryderai 'gyda golwg ar ddidwylledd ei amcanion'. Yr oedd 'rhan fawr o'i bryder yn cyfodi . . . am ei fod eisoes yn fardd ac yn llenor, ac yr edrychid yn aml mewn cylchoedd ag yr oedd ef yn bwriadu troi [ynddynt], ar gymeriad fel yr eiddo ef yn lled amheus.' Ond gan ddilyn athrawiaeth Goronwy Owen a'i olynwyr am fonedd yr awen, a chan gynysgaeddu'r athrawiaeth honno gyda'r syniad rhamantaidd am fardd fel gweledydd, buan y daeth Dewi Arfon i'w ystyried ei hun yn anfonedig nef fel bardd ac fel gweinidog. Yn ei awdl "Tywalltiad yr Ysbryd Glan ar Ddydd y Pentecost," dywed ei fod yn

Awenydd o dduwiol anian
Burwyd â gwlith yr Ysbryd Glân.[32]

Hwfa Môn yntau. Hawlia ef fod gwedd y bardd 'Yn ail i bryd angel, braidd', nes ofni o'r darllenydd mai'r gynghanedd draws sâl sy'n meddwl drosto. Ei waith yw '[g]wneyd glân oroian rydd, /Garedig i'w Greawdydd', yn rhannol trwy ddisgrifio Natur, yn rhannol trwy drafod 'helynt dynolion', gan dreiddio i'r nef ac i uffern.[33] Hynny yw, gwelai ei hun fel awenydd a chanddo ddawn i ddirnad y greadigaeth, dynol ryw, a'r pethau diwethaf. Ond ni roes y ddawn dybiaethol honno iddo ddim cymorth i drafod amheuaeth yn well fel bardd nag fel pregethwr.

Yn wir, wfftio at amheuaeth (ac at annuwioldeb hefyd) y mae'r beirdd yn aml, beirniadu amheuwyr, eu pardduo yn y dôn a ddefnyddir fel arfer i hwtian aelodau o blaid arall mewn etholiad seneddol, a'u bygwth â'r fall. Ceir ambell strôc. Ceir hefyd, yn naturiol, rai anogaethau duwiol, cymelliadau gobaith. Hwfa Môn biau'r *non-sequitur* hwn o englyn:

Annuw, ateb fy ngofyniad, – â phwyll,
A phaid â'th hyf haeriad;
A feiddi di, Atheistiad,
Wadu DUW, wadu dy DAD?

Y mae'n amlwg fod Hwfa Môn yn casáu â chas perffaith wrthwynebiad yr anghred i athrawiaethau traddodiadol crefydd, yn gymaint felly nes bod dicter ei grwsâd yn eu herbyn yn cael y gorau ar hynny bach o synnwyr aesthetig a feddai. Egyr yr awdl a enillodd iddo Gadair Genedlaethol Penbedw yn 1878, awdl ar "Rhagluniaeth," gyda disgrifiad o Dduw'n gosod allan Ei arfaeth '[y]n glir ar ei femrwm glân' a chyda disgrifiad ohono'n galw'i angylion ('Filiynnau nefol wynion') i'w gweinyddu. Yna ceir disgrifiad ohono'n llunio'r cyfanfyd a fydd yn llwyfan i'r arfaeth hon, disgrifiad pur ddieneiniad nad oes a wnelo fe ddim, wrth gwrs, â Lyelliaeth na Darwiniaeth. Ond yng nghanol y disgrifiad hwnnw wele ffrwd o huotledd hallt yn erbyn yr 'atheistiaid', y

[32]*Gweithiau Dewi: sef Cynhyrchion Barddonol a Rhyddieithol y diweddar Barch. David Jones (Dewi Arfon), ynghyd â Chofiant iddo gan y Parch. J. Owen, Penyberth* (Caernarfon, [?1873]), tt. xiii, 31.

[33]*Gwaith Barddonol y Parch. Rowland Williams (Hwfa Môn)*, tt. 47, 50.

'twyllwyr sibrydant allan, – nad oes /Yr un Duw yn unman'. Unwaith yn rhagor, nid oes gan Hwfa Môn unrhyw ddadl i'w chyflwyno, nid oes ganddo ddim ond traethiad rhetoregol digymorth-i-neb:

Gwelwed y coeg sylwedydd, – a chryned
Ië, gwrided o flaen ei greawdydd.

Goleuni dafla Rhagluniaeth – ein Duw,
Ar dwyll ei anffyddiaeth;
Ysa ei holl broffesiaeth: – gyr farnau,
A tharanau drwy fainc ei athroniaeth![34]

Er na chafodd Eben Fardd fyw i wynebu'r dadleuon crochaf a ddilynodd gyhoeddi *The Origin of Species* a thraethiadau Huxley arno, blinwyd yntau gan gwestiynau'r beirniaid, ond yn stroclyd y cyfeiria ef yntau at anghrediniaeth. Ysgrifennodd bedwar englyn diolch 'dros Moses Jones, Pregethwr yr Efengyl, am anrheg o Ellyn a roddasid iddo gan Mr. Price, Liverpool.' Hawlia'n ormodieithiol yn y ddau englyn cyntaf ei fod yn 'Ellyn nad rhaid ei well un tro.' –

Yn llwyn y farf, ellyn ni fu – o'i fath,
A'i fin heb waethygu;
A rhinwedd hwn ar ên ddu
Foesenaidd, sy'n fy synnu.

Nid hwyrach y dylai'r cyfeiriad hwn at Foses ein paratoi at y cymhwysiad moesol a geir yn y ddau englyn olaf. Dyma'r englyn olaf un:

Mi wn mai eisiau min moesol – yw'r achos
Na frawychem bobol,
I droi o'u hen ffyrdd budron ffol
A'u hen awydd annuwiol.[35]

Ni ellir bod yn sicr ai'r annuwiolion sydd fel y tlodion gyda ni bob amser ynteu creaduriaid yr ymosodiad cyfoes ar grefydd yw annuwiolion Eben Fardd yn y fan hon, ond y mae'n berffaith sicr taw myfyrdod ar yr olaf o'r ddwy garfan a roes yr "Englyn" nesaf a ddyfynnaf i Berw. Dysg, gwyddoniaeth, yr awydd am wybodaeth

[34] *Gwaith Barddonol y Parch. Rowland Williams (Hwfa Môn)*, Yr Ail Gyfrol (Y Bala, 1903), tt. 306, 118, 59.

[35] *Gwaith Barddonol, &c. Eben Fardd*, t. 66.

amgen – dyna'r pethau a sbardunodd ac a gyflymodd yr ymosodiad ar grefydd; ond, gan gymhwyso geiriau Solomon at y ddoethineb newydd, dywed y bardd nad yw'r pethau hyn o bwys i neb ddydd a ddaw:

"ENGLYN"

Pa fodd y mae'r doeth yn marw? Fel yr annoeth. – Solomon

Be'n awr yw'r dirfawr derfysg – a'r cry'aidd,
Er cyrhaeddyd mawrddysg!
Gorwedd oll wna gwŷr o ddysg
Yn eu beddau heb addysg.[36]

Gellir mynd trwy gyfrolau sawl bardd, a chael ynddynt lawer o linellau a phenillion ac weithiau ddarnau cyfain a ysgrifennwyd megis ymatebion i haeriadau dysg newydd y dydd, ac ambell droednodyn hefyd. Yng nghyfrol olaf y Parchedig Robert Ellis (Cynddelw), dywed yn ganoloesolaidd braidd mewn cerdd ar "Y Cread" ei fod yn dal i weld '*Melody*' yn y bydysawd, yn yr

Holl fydoedd, amgylchoedd gwawl,
Llawn neufedd, a'r llu nefawl –

ac mewn nodyn godre a gyplysir â'r cwpled hwn, ebr ef: 'Duw a orchymynnodd i'r cread fod, fel yn Gen i.'[37] I wrthateb ymhellach y gwŷr dysg, y mae'n nodi mai

Cefnfor mawr "uwchlaw gwybodaeth"
Ydyw cariad Iesu Grist;

ac yn wyneb y rhai hynny a fyn ymosod ar gysegredigrwydd a gwirionedd y Beibl, y mae'n cyhoeddi:

Mae Gair ein Duw'n fyth-fywiol, llawn o nerth,
Ac nid "llythyren farw", ffug di werth . . .[38]

Fel llawer, fe symleiddiodd Cynddelw broblemau meddwl ac enaid ei oes gan eu cyflwyno fel elfennau'r rhyfel tybiedig rhwng Crefydd a

[36]*Gweithiau Berw* (Penygroes, [1886]), t. 101.
[37]*Barddoniaeth Cynddelw* (Caernarfon, 1877), t. 113.
[38]Ibid., tt. 142, 127.

Gwyddoniaeth neu "Ffydd a Rheswm." Ceir cyfieithiad o benillion ar y testun hwn ganddo (nid enwa awdur y gwreiddiol):

> Dos! er na wyddost hyn a'r llall,
> Ni feddi fodd i wybod,
> Am natur, nerth, neu'r ddeddf ddiball, –
> Hyn eilw'r doeth yn Dduwdod.
>
> Nid ydyw deddfau'r bywyd maith
> Trwy anian amrywiedig,
> Ond arddangosiad gwych o waith
> Creawdwr doeth caredig.
>
> Dos ar dy liniau, – bydd yn ddoeth,
> A dysga'n lle pendroni;
> Yr hyn na ŵyr rhesymeg noeth
> Gei wybod wrth addoli.[39]

I'r dyn a fyn wybod, ac sy'n pendroni'n rhesymegol uwchben ei boen, prydyddiaeth ddigymorth iawn yw hon. Ond, fel yr awgrymais, nid yw Cynddelw'n wahanol i'r rhan fwyaf, nac i'w gyfoeswyr hŷn na'i gyfoeswyr ifainc ymhlith y beirdd. Elfed, er enghraifft. Gwir bod cryn swrn o'i ganu ef, yn delynegion yr ysbryd briw ac yn emynau'r Ysbryd Glân, o ran ansawdd awenyddol ac o ran cyfoeth a chymhlethdod profiad, yn rhagorach na dim a luniodd Hwfa Môn a Berw a Cynddelw (a thrafodir rhai o'r cerddi arwyddocaol hynny yn nes ymlaen yn y bennod hon), ond y mae ganddo hefyd gerddi sydd yn Fardd-Newyddol o ddi-glem ac sydd yn Gynddelwaidd o ddi-help a negyddol. Er cymryd arno ei fod yn 'dathlu gorfoledd byw' trwy ymgodymu â'i ryfeddod, 'codi cwestiynau o bob math amdano' y mae'r Bardd Newydd mewn gwirionedd, troi'r bydysawd yn ddyrysbwnc.[40] Yn Rhan IV y bryddest "Gorsedd Gras" a luniodd Elfed ar gyfer Eisteddfod Abermaw, 1888, yr hyn a glyw yw

> [l]lais yr oes yn holi, o dan bwys o bryder lleddf,
> Pa le mae swyddogaeth gweddi o fewn brenhiniaethau Deddf?

[39]Ibid., tt. 133-4. Harri Williams, op. cit., t. 93.

[40]*Ffydd ac Argyfwng Cenedl II*, t. 21; gw. hefyd D. Tecwyn Lloyd, "Y Bardd Newydd Gynt," *Ysgrifau Beirniadol III*, gol. J. E. Caerwyn Williams (Dinbych, 1967), tt. 71-85.

Dim ond un cwestiwn cynrychioliadol o'r myrdd cwestiynau y mae'r crefyddwr nerfus yn labordy ac yn arsyllfa'r gwyddonydd yn eu gofyn yw hwn yna, cwestiwn sy'n bradychu ei wrthgiliad oddi wrth ffydd ac oddi wrth gyfundrefn athrawiaethol ffydd. A'r ateb? neu'r atebion? Y mae'r atebion hwythau yn bradychu'r un gwrthgiliad. Atebion dyn truenus sydd â'i gefn at wal ddiadlam ydynt: (*i*) 'Mae gan Dduw Ei gyfrinachau', a (*ii*) 'Nid oes un amgyffred all esbonio Duw ond Duw Ei hun'.[41] Noder nad yw'r Beibl ddim ar gyfyl yr ateb.

Y gerdd Gynddelwaidd (yn ystyr gyfyng y bedwaredd ganrif ar bymtheg i'r ansoddair) negyddol gan Elfed y cyfeiriais ati yn y paragraff diwethaf yw'r gerdd "Peidiwch holi heddyw." Geiriau a ynganwyd '*ychydig cyn marw*' gan Golyddan yw geiriau'r testun, ac o 'enau' Golyddan y daw'r gerdd megis. Er bod yng nghorff y gwaith sôn am 'siomedigaeth' sy'n atgoffa dyn am Eisteddfod Dinbych 1860 a'r 'cam' a gafodd y bardd ifanc disglair yn y fan honno, siomedigaeth yr oes yw pwnc y gerdd mewn gwirionedd, y cam a gafodd enaid y dwthwn fel petai, difaoliaeth ysbrydol Oes Victoria. Nodir bod holiadau a phryderon a dadleuon, rhethreg gofid y bedwaredd ganrif ar bymtheg, yn peidio yn yr Angau. Bellach, ebe Golyddan, fel cynrychiolydd Cristionogol ei genhedlaeth:

Nid oes eisiau holi
  Na phryderu dim:
Duw ei hun yw'r ateb,
  Mae yn ddigon im'.

Ebr ef eto yn rhan olaf y gerdd:

Peidiwch holi heddyw!
  Na foed llais na llef;
Rhag i'm henaid golli
  Murmur cynta'r nef.

Mae y llen mor agos –
  Gall rhyw delyn fawr
Swnio'n wanaidd drwyddo –
  Gwell yw gwrando'n awr.

---

[41] *Caniadau Elfed* (Caerdydd, [1909]), t. 170.

Y mae'r holwr, y pryderwr, y dadleuwr, yn disgwyl ateb i'w bryder, terfyn tragwyddol ar y ddadl sydd wedi'i flino cyhyd. Ond beth a gaiff? Tawelwch.

> O dawelwch hudol! –
> Peidiwch holi dim!
> Dyma gyfrinachau
> Byd y seraphim!

(Yn yr argrafftai Victorianaidd a brintiai waith y beirdd, diau y tybiai'r cysodwyr mai ebychnod oedd yr ateb i bob gofynnod.) Yna y mae'r ymadawedig llesmeiriol yn cymryd arno dybied iddo glywed rhywbeth:

> Beth ddywedaist, – Iesu?
> Methais ddal y gair . . .
> O! llefara – eto,
> Anwyl Faban Mair!

A beth oedd yr hyn a ddywedwyd? –

> Ust! dim holi mwyach –
> Dyna'i ateb Ef.
> Bod yn dawel, dawel,
> Dyna ydyw'r nef.[42]

Wrth ddarllen y gerdd hon ni all y darllenydd beidio â meddwl am ddau beth. Yn gyntaf, y ffaith mai holi yw hanfod y farddoniaeth a ddaeth yn ffasiynol yng Nghymru'r blynyddoedd rhwng tua 1870 a dyfod o John Morris-Jones a T. Gwynn Jones i'w harbed. Barddoniaeth swnllyd ac ansoniarus i'w rhyfeddu ydyw barddoniaeth y Bardd Newydd. Y mae "Peidiwch holi heddyw" yn felfedaidd a melys o gymharu â lleng cerddi'r cyfnod. Yn ail, wrth darllen y gerdd fechan hon gan Elfed, y mae'n anodd peidio â meddwl am gerdd fawreddog Pantycelyn, 'O! llefara, addfwyn Iesu,' sy'n erfyn am glywed geiriau'r Crist, geiriau y mae'r bardd trwy ffydd yn gwybod y bydd eu hawdurdod hyfryd, er taweled ydynt, yn creu heddwch yn ei enaid, yn torri amheuaeth, yn symud ymaith 'ofon du a thristwch', ac

[42]Ibid., tt. 142-4.

at hynny yn peri i leisiau'r byd hwn dewi. Yng ngherdd Elfed, er ei thaweled, y mae yn y byd drwst holi o hyd; y nef sy'n ddistaw. Wrth iddo gynnig tawelwch yn hafan i'r cwestiynwr gofidus, go brin fod Elfed wedi meddwl iddo drwy hynny, yn anuniongyrchol ac yn anfwriadol bid siŵr, wadu hanfod ei ffydd, sef dyfod i'r byd y *Gair* yn Gnawd.

iii. Ystumio'r Ysgrythur

O ystyried y cyfnewidiad ysbrydol a diwylliadol a brofodd blynyddoedd canol y bedwaredd ganrif ar bymtheg, ac o ystyried y ffaith mai dynion duwiolfrydig oedd y beirdd Cymraeg bron bob un, nid yw'n syndod fod Tudno yn dweud am y Beibl mai ef a ddaw â'r 'byd at Wirdduw,' mai ef yw 'Bywyd enaid byd annuw.'[43] Nid yw'n syndod chwaith fod y beirdd wedi cyfansoddi llawer o brydyddiaeth a ddangosai olion yr ymosodiadau ar yr Ysgrythur a oedd mor boenus iddynt. Trafodir agweddau ar y brydyddiaeth honno yn yr adran nesaf. Yn yr adran hon, traethir ar wedd od iawn ar eu defnydd o'r Beibl – od yn yr ystyr fod eu defnydd barddonol o'r Beibl, a barchent mor frwd ac a amddiffynnent mor amrwd, yn ddefnydd mor hanfodol ddibarch, bron na ddywedwn mor wyrdröedig.

Efallai bod a wnelo'r defnydd barddonol od hwn o'r Beibl rywbeth â'r dirywiad a fu yn niddordeb pobl mewn diwinyddiaeth. Nid hwyrach y tybia rhai fod hyn yn beth rhyfedd iawn i'w ddweud am y bedwaredd ganrif ar bymtheg – hi a'i chapeli mawrion newydd, ei Hysgolion Sul lluosog, ei chymanfaoedd pregethu a'i chyhoeddiadau crefyddol dirifedi, – ond yr argraff a gaf i yw bod hyd yn oed traethu am yr efengyl wedi symud i gyfeiriad mwy llenyddol na chynt. Ni wadai neb fod cryn dipyn o fawredd pregethu Daniel Rowland yn y ddeunawfed ganrif, fel pregethu John Elias yn chwarter cyntaf y ganrif newydd, yn gorwedd yn eu rhethreg, yn athrylith eu dulliau mynegiant, yn nhrefn, addurniant a llafaredigaeth eu pregethau, ond yr oedd iddynt gynnwys athrawiaethol cadarn hollol yn ogystal. Moesol yn hytrach na diwinyddol yw pregethau mwyaf poblogaidd diwedd Oes Victoria – pregethau Elfed yn *Plannu Coed* (1894) yw'r

[43]Daniel Rowlands (gol.), *Telyn Tudno, sef, Gweithiau Barddonol Thomas Tudno Jones (Tudno)* (Wrecsam, [1897]), t. 228.

enghreifftiau mwyaf adnabyddus, – ac yn lle adeiladwaith adrannol, penawdol ac isbenawdol tra chyfoethog a chymharol gymhleth Daniel Rowland, yr hyn a geir ynddynt hwy yw pertrwydd telynegol, ymddangosiadol rwydd. O ran cynnwys, symudwyd oddi wrth gyflwyno'r Efengyl yn ddiwinyddol at gyflwyno apeliadau ysbrydol at gyngreddf a phrofiad. Yn ansoddol, symudwyd at *belles-lettres*. Daeth pregethau'n fwy o ysgrifau a storïau. Yn gyfochr â'r datblygiad hwn, daeth llenyddiaeth a fwriadwyd yn llenyddiaeth dduwiolfrydig, ac a fodelwyd ar yr Ysgrythur, i ymhoffi yng nghastiau a throadau'r 'dychymyg creadigol,' ys gelwir ef. Pe bai yng Nghymru fel yn Lloegr gorff sylweddol o lenyddiaeth seciwlar, dywedwn fod ein llenyddiaeth grefyddol neu gysegredig, aeres hen lenyddiaeth y Piwritaniaid a'r Methodistiaid Cynnar, yn prysur ymdebygu o ran ei thôn ac o ran ei thymer i'r llenyddiaeth seciwlar honno. Efallai, i raddau, bod yma gopïo Lloegr, ac efallai mai ysbryd yr oes sydd ar waith.

Ystyriwch y ffenomen hon mewn ffordd arall. Pa mor gyndyn bynnag oedd yr ysgrifenwyr hyn i dderbyn barn yr uwchfeirniadaeth newydd ar rannau'r Beibl, a pha mor groch bynnag oedd eu protest yn ei herbyn, fel yr âi'r ganrif rhagddi ni allent lai na sylweddoli gwirionedd y ffaith mai cyfansoddiad mewn geiriau – creadigaeth lenyddol – oedd datguddiad Duw Ei Hun: hynny yw, casgliad creëdig o lyfrau dethol a gyfosodwyd gyda'i gilydd ac a olygwyd tros gyfnod o rai canrifoedd, ac nid rhodd gyflawn a gafwyd o enau Duw ar untro oddi fry. O ganlyniad, tybed na ddaeth y beirdd-bregethwyr i dybied ei bod nid yn unig yn weddus ond yn werthfawr iddynt hwythau, fel yr ysgrythurwyr, daenu crefydd ar led drwy gelfyddyd geiriau, drwy ddyfeisiadau, drwy *artifice* – ond *artifice* awenus a fendithiwyd? Fel hyn, daeth y Beibl a oedd iddynt yn garn absoliwt hefyd yn waith i'w drin yn gymharol. Er ebychu trosto, yr oeddynt ar yr un gwynt yn manteisio arno, yn ei ddefnyddio'n ddychmygus. Yn wir, defnyddiodd beirdd Cymraeg Oes Victoria ef – ei hanesion, ei gymeriadau, ei ddigwyddiadau, ei ddamhegion, – yn helaethach na neb o'u blaen. Yn ystod y canrifoedd modern, sef er pan gyfieithwyd y Beibl i ieithoedd brodorol Ewrop, cymharol ychydig ohono a ail-luniwyd, yn bennaf am fod yr Eglwys Gristionogol yn ei ystyried yn gwbl sanctaidd. Do, cafwyd fersiynau niferus iawn o'r Salmau; cafwyd aralleiriadau neu grynodebau neu helaethiadau o ambell stori neu ddameg (yng ngwaith y Ficer Prichard, er enghraifft); a cherddi'n seiliedig ar Ganiad Solomon (hoff lyfr gan rai o emynwyr Methodistaidd y ddeunawfed ganrif); – ond swm bychan yw'r gweithiau hyn oll ynghyd mewn cymhariaeth â'r corff sylweddol o brydyddiaeth (a pheth ryddiaith) a gynhyrchodd y bedwaredd ganrif ar bymtheg ar draul y Beibl.[44]

Mewn gair, yr oedd yn awduron hyn yn ewn ar y Beibl (y mae'r ansoddair tafodieithol *ewn* yn mynegi'r hyn a olygaf yn well na'r *eofn* safonol). Yr oeddent yn ei drin yn rhyfygus bron. A hwythau'n cael eu gyrru gan awyddfryd epigol, a chan ryw argyhoeddiad fod eu llên yn pleidio'r ffydd, yn cyfoethogi dirnadaeth ddychmygus darllenwyr ohoni, a bod y gweithiau a gyfansoddent yn praffu'r amddiffynfa grediniol yn erbyn ymosodiadau'r beirniaid, yr oeddynt fel petaent yn gyfranogion o ymarferiad awenyddol anferth na allent ei arafu. Y mae gan Milton, neu yn hytrach pleidwyr diweddarach Milton, lawer i ateb drosto. Harold Bloom a ddywedodd fod Milton wedi ailweithio Moses 'by a transumption gorgeously expanding the Bible, or displacing it through condensation and perspectivizing.'[45] Ond yr oedd Milton yn athrylithgar dda! Sawl Milton sydd? Yn sicr, nid oedd dim un ymhlith beirdd Cymru y cyfnod a drafodwn ni yma. Er hynny, yn yr ymarferiad awenyddol hwn a oedd hefyd yn ymgyrch, cymerai'r beirdd ryddid i amrywio storïau'r Beibl, yn wir i 'wella' storïau'r Beibl er mwyn effaith ddramatig; i estyn ei hanesion am fod y gwreiddiol yn fyr ond er hynny'n feichiog o gyflenwadau posibl; hefyd i greu sefyllfaoedd newydd; ac i symud cymeriadau o'u priod lefydd a'u priod gyfnodau yn y Beibl i lefydd a chyfnodau eraill. Canlyniad hyn, yng ngeiriau cryfion Lawrence Buell, yw '[the] displacement of text by fiction.'[46] Yr hyn sy'n anodd i ddarllenydd yn niwedd yr ugeinfed ganrif ei goelio yw bod y darllenwyr hynny a ddarllenai Eseia yn cael boddhad hefyd o ddarllen pryddest Iolo Carnarvon ar "Esaiah" a bod y rhai a borai yn Llyfr Job yn gweld unrhyw rinwedd yn awdl Cawrdaf arno.

[44]Gw. arolwg Gruffydd Aled Williams, "Mydryddu'r Salmau yn Gymraeg," *Llên Cymru* XVI, 1 a 2, tt. 14-32, ac astudiaeth Siwan Non Richards, *Y Ficer Prichard* (Caernarfon, 1994).

[45]Harold Bloom, *Ruin and the Sacred Truths [:] Poetry and Belief from the Bible to the Present* (Caergrawnt, Mass. & Llundain, 1989), t. 93.

[46]Lawrence Buell, *New England Literary Culture [:] From Revolution through Renaissance* (Caergrawnt, 1986), t. 171.

Enwais Iolo Carnarvon am iddo ef, fel y mae'n digwydd, roi ei fys ar y pwynt hwn pan ddywedodd taw

> Y Beibl ym myd Llenyddiaeth yw yr huan;
> Efe yw duw y llyfrau; mae y cyfan
> Yn efelychwyr wrth ei grëadigaeth –
> Yn blant marwolaeth wrth ei iachawdwriaeth.[47]

Digon o waith fod yr hyn a ddywedodd yn y llinell olaf hon yn egwyddor bywyd iddo – onid e, ni byddai'r bardd ynddo wedi sengi ar yr Ysgrythur erioed. Ond o leiaf dyry gip inni ar gornelyn go olau o'i gydwybod lenyddol, golygfa brin, gofiadwy.

Beth am edrych ar ddetholiad o gerddi ystumiol i gynrychioli'r fydryddiaeth hon? Dewisir detholiad o gerddi a fydd yn dangos y modd yr ailweithiwyd darnau o'r Beibl, llythyren y Beibl ac ysbryd y Beibl, y tu fewn i fframwaith esthetig epigol neu ffug-epigol.

Er ei fod yn perthyn o ran ei oed i'r cyfnod o flaen y cyfnod yr ydym yn ei drafod, fe'm temtir i ddechrau gyda Dafydd Ionawr, am y rheswm syml fod ei gynnyrch yn esiampl amlwg i'r rhai a ddaeth ar ei ôl. Cyn diwedd yr hen ganrif, yr oedd ef wedi cyhoeddi *Cywydd y Drindod* (1793), y cywydd hiraf yn yr iaith Gymraeg, y cafwyd ail argraffiad ohono yn 1834, a'r *Mil-Blynyddau* (1799). Ei brif weithiau yn y ganrif newydd oedd *Joseph, Llywodraethwr yr Aipht* (1809) a *Cywydd y Diluw* (1821). Y mae'n arwyddocaol i Morris Williams (Nicander) yn 1851 olygu *Gwaith Dafydd Ionawr*, ac felly ddwyn ei ddeunydd a'i ddull i sylw newydd cenhedlaeth yr oedd ef eisoes wedi dylanwadu arni, ac i sylw cenhedlaeth newydd a fynnai fel efe wneud rhywbeth o'r Beibl.

I enghreifftio'r dull Ionawraidd o drin ei ddeunydd, trafodaf ddwy gerdd fer a argreffir yn y *Gwaith* yn yr adran a elwir yn "Barddoniaeth Gristionogawl." Enw'r naill gerdd yw "Ymddiddanion Prydhawnol Adda ac Efa" ac enw'r llall yw "Ymddiddanion Boreuol Adda ac Efa." Yn y drefn honyna y printir hwy. Ar ddechrau ymddiddan y prynhawn eglurir bod Adda ac Efa yn edrych ar yr haul 'yn ymachlud yn ei holl ogoniant' a'u bod yn trafod gyda'i gilydd 'ddaioni Duw, a

[47]J. J. Roberts (Iolo Carnarvon), *Breuddwydion y Dydd, mewn Barddoniaeth a Rhyddiaeth* (Wrecsam, 1904), t. 172. Er, nid awn i fy hun mor bell â dweud bod llyfrau'r beirdd hyn 'yn blant marwolaeth'.

phrydferthwch y Greadigaeth.' Ei ddaioni yn darparu'r fath ogoniant yn y greadigaeth yw'r pwnc, wrth gwrs, pwnc gweddus hollol i'r pâr cyntaf a'i gwêl. Ond yn fuan ar ôl y machlud y mae'r anifeiliaid a'r adar, ac eithrio'r eos, yn mynd i'w gorweddlefydd. Y mae Efa'n canmol yr eos. Tyn Adda sylw'i wraig at y sêr. A'r tro hwn, gofyn cwestiwn y mae Efa, cwestiwn am ystyr y greadigaeth na synnid ei glywed mewn Cymanfa Bwnc:

> I ba les mae bywiol lu
> Tyner y nef yn t'w'nnu
> Ar chwâl drwy yr uchelion?
> Pwy'n cysgu wêl y llu llon?

Pwrpas y cwestiwn yw rhoi cyfle i Adda ddangos ei wybodaeth ef am ddiben pethau. Diben y sêr, meddai, yw 'tywys' ein meddyliau ni

> hyd oleulawr Lys
> Y Duwdod, lle mae dedwydd
> Lon Ser yn moli'n eu swydd,
> Puredig Ser ysprydawl
> Pereidd-gor goror y Gwawl.

Ar ôl peri i Adda ateb yn helaeth i'r perwyl hwn, y mae'r bardd yn disgrifio Efa fel a ganlyn:

> Wrth wrandaw'n ddistaw di ddysg
> Nefawl, sylweddawl addysg,
> Goleuwedd ei wraig lawen,
> Dda'i nattur, oedd bur dros ben.

Y mae Efa'n awr yn cydnabod Adda yn athro iddi fel y mae Duw yn athro iddo ef:

> Ein Nêr yw'r Athraw têr tau,
> A mwyn athraw i minnau
> Wyd, Addaf, gwrandawaf di,
> Hael enaid, caf oleuni.[48]

Drannoeth, yn "Ymddiddanion Boreuol Adda ac Efa," y mae'r 'eidulion' (os caf fenthyca Cymreigiad Saunders Lewis) yn parhau.

[48]Morris Williams (gol.), *Gwaith Dafydd Ionawr* (Dolgellau, 1851), tt. 261-2.

Yn wir, yn y fan hon, datblyga'n stori serch go iawn. Deffroant, a moliannu'r Creawdwr am ei waith rhyfeddol yn syth: 'Mawl di-rag-fyfyriawl fu'. Â Adda rhagddo i ddangos i'w wraig ogoniant y ffrwythau a'r blodau a'r llysiau a holl fwystfilod y maes. Mawryga hi ei 'ymadroddion, doethion da' ef, a dywed yntau mewn ymateb fod ei geiriau hi yn rhagori ar 'fiwsig y goedwig i gyd'. Cân glod iddi, ei gwasgu a'i chusanu. Yna – gyda lledneisair o *euphemism* teilwng o Barbara Cartland – y mae Dafydd Ionawr yn dweud: 'Yn hawdd y gogwyddawdd Gwen.'[49]

Ni wn a ddarllenodd Dafydd Ionawr gerdd hir Williams Pantycelyn, *Golwg ar Deyrnas Crist*, ai peidio, a chael yno 'y stori am garu a phriodi Adda ac Efa'. Ond bid a fo am hynny, y mae'n bur sicr iddo ddarllen *Paradise Lost* Milton ar yr un pwnc. Cyfiawnhad barddonol Milton dros ddelfrydu perthynas y ddeuddyn yw ei fod drwy roi iddynt hyfrydwch serch yn ei gyferbynnu'n nerthol gyda'r alanastr a ddaeth i'w rhan pan ildiasant i demtasiynau Satan. Cyfiawnhad barddonol Williams Pantycelyn dros ddelfrydu perthynas y ddeuddyn, os derbyniwn awgrym Saunders Lewis, yw iddo ysgrifennu'r darn 'tua'r un adeg â stori wrth-ramantaidd Theomemphus a Philomela' a'i fod eisiau dangos i'w ddarllenwyr Methodistaidd na all 'fod rhamant ddi-niwl a serch naturiol diwenwyn ond lle nad oes euogrwydd'.[50] Rhoi i'r Cymry ran o'r hyn a roes Milton i'r byd oedd dymuniad Dafydd Ionawr, yn ddiau. Eithr ni ellir cilio oddi wrth y ffaith nad creadigaethau ar sail yr hyn a gafwyd yn Llyfr Genesis a gafwyd gan Milton na Williams na Dafydd Ionawr. Ni chaiff Efa ei chreu tan Genesis 2:22 (a daw'r bennod i ben gydag adnod 25). Erbyn dechrau'r drydedd bennod y mae'r sarff eisoes wrth ei gwaith. Erbyn Genesis 3:7 y mae llygaid Adda ac Efa wedi'u hagor, ac y mae'r diniweidrwydd na thrafferthodd awdur cynnil y rhan hon o Lyfr Genesis i'w ddisgrifio wedi'i golli. Gan hynny, creadigaeth ryngosodol yw pob darn o waith a ddarlunia'r diniweidrwydd hwnnw, oherwydd nis ceir yn y Beibl ei hun. Yn y man fe syrthiodd Adda ac Efa Milton ac Adda ac Efa Pantycelyn. Yng ngwaith Dafydd Ionawr deil Efa i fod yn 'Dda'i nattur', ac yn 'bur dros ben'. Nid yw hi chwaith yn cael arwain Adda i'r cwymp. Lle gwelodd yr Eglwys

[49]Ibid., tt. 263-4.

[50]Saunders Lewis, *Meistri'r Canrifoedd*, t. 277. Ceir 'eidulion' ar d. 279.

ddarn o ysgrythur yn esbonio'r hyn a alwodd diwinyddiaeth yn bechod gwreiddiol, mynnodd Dafydd Ionawr, yn wyrgam, osod rhamant.

Symudwn ymlaen at *Pryddestawd ar y Pentecost* Iorwerth Glan Aled a ddyfarnwyd yn orau gan Eben Fardd yn Eisteddfod Merthyr Tudful yn 1850, pryddest o 1014 o linellau, seiliedig, fel y dywed y testun, ar ail bennod Llyfr yr Actau. Dyma'r bennod lle disgrifir un o ddigwyddiadau rhyfeddaf a mwyaf dramatig y Testament Newydd, sef dyfod 'sŵn o'r nef' yn 'ddisymwth . . . megis gwynt nerthol yn rhuthro;' yna wele 'dafodau gwahanedig megis o dân' yn ymddangos i'r apostolion, a hwythau wedyn yn dechrau llefaru 'â thafodau eraill' (Actau 2:2-4). Y mae Luc, yr awdur, wrth gyffelybu'r nerth anghyffredin a deimlwyd ar y pryd hwnnw gyda gwynt a thân, yn gwneud ei orau i'w gyfleu mor naturiol ac elfennol ag y gellir. Un o ogoniannau llenyddol cyson y Beibl drwyddo yw nad yw ei awduron odid fyth yn cymhlethu dirgelwch drwy geisio'i esbonio na thrwy orfanylu arno. I'r gwrthwyneb i hynny, i feirdd beiblgar Oes Victoria, y mae pob dirgelwch yn destun syndod y mae'n rheidrwydd obsesiynol arnynt i ymyrraeth ag ef – weithiau trwy ei ddehongli, weithiau trwy ei gywreinio, neu drwy'r ddau ynghyd mewn ymorchestiad.[51]

Yn y gerdd hon ar y Pentecost nid digon – o bell bell ffordd – gan Iorwerth Glan Aled ailadrodd yr hyn a ddywed Luc, a disgrifio'n syml y gwynt yn rhuthro i'r oruwchystafell lle safai Pedr a'i gyfeillion. Myn yn hytrach honni mai'r un un yw'r gwynt hwn â'r gwynt hwnnw a chwythodd yn Eden, ar Sinai, ar Foreia, ac ar Ddydd yr Atgyfodiad, honiad digon teg o ran ei fod yn cysylltu'r nerth newydd hwn ag ysbrydiaeth a oedd y tu cefn i ddigwyddiadau mawr arwyddocaol eraill yn y Beibl (er, nid oes sôn o gwbl am wynt yn yr adroddiad am Abraham yn paratoi i aberthu Isaac, Genesis 22). Ar y llaw arall, y mae'n honiad sy'n bychanu arbenigrwydd y digwyddiad yn yr Actau. Myn y bardd hefyd, yn deipolegol, atgoffa'r darllenydd o'r hyn a ddigwyddodd yn Nhŵr Babel, sef cymysgu'r ieithoedd er cosbi'r cenhedloedd, a chyferbynnu hynny gyda'r act ryfeddol bresennol o roi i'r lluoedd a ddaethai ynghyd yn Jerusalem yr efengyl yn eu priod

[51] 'Ymorchestiad' yw un o'r geiriau gwiw a rydd Daniel Silvan Evans fel Cymreigiad o *elaboration*: *An English and Welsh Dictionary, . . . I* (Dinbych, 1852), t. 582.

ieithoedd eu hunain. Gan nad un iaith ond llawer a glywyd Ddydd y Pentecost, y mae'r ymdrech deipolegol hon yn mynnu gan y bardd ddehongliad symbolaidd o ystyr y Pentecost, ac felly y mae'n chwithig. 'Bu amser,' ebe Iorwerth Glan Aled,

> Bu amser pan gosbwyd y beilchion genedloedd
> Yn Babel, drwy gyflym gymysgiad yr Ieithoedd,
> Gwahanwyd meddyliau gan furiau ucheldeg,
> Nad allai yr Ysbryd ddim drostynt ëhedeg!

Y pryd hwnnw aeth un yn llawer. Yn awr,

> Daw'r ieithoedd yn un yn nhŵr yr efengyl,
> Ac enau gwir gariad red trwyddynt yn anwyl! . . .
> Athrofa y Duwdod agorwyd yn helaeth,
> Er dysgu un iaith drwy y fawr greadigaeth;
> Iaith cariad i bawb drwy y bröydd daearol,
> Nes uno'r cyfanfyd yn un galon ddynol.[52]

Y mae teipoleg yma yn torri'n rhydd o'i hangorfa gyngordiadol a thraddodiadol, ac yn dod yn rhan o gynhysgaeth drosiadol y bardd unigol.

Egyr "Ail Lyfr" *Pryddestawd ar y Pentecost* gyda'r datganiad hwn:

> Mawr oedd y disgwyliad mewn parthau amrywiol,
> Am weled Messia yn ffurf natur ddynol.

A'r hyn a geir am rai ugeiniau o linellau wedyn yw disgrifiad serolygol o ddyfod yr Iesu'n Faban i'r byd, ac o'i wrthodiad gan yr Iddewon a ddisgwyliai Feseia 'gwahanol'. Cyflwynir digwyddiadau bore'r Pentecost yn awr fel

> ail neges
> Gan Dduw at Iuddewon, er anghred ac afles.[53]

Dilynir y cyflwyniad hwnnw gan druth pur wrth-Semitig. Nid tan tua'r saith ganfed llinell y rhoddir i ni bregeth Pedr, yr hon yn y Testament Newydd sy'n cychwyn yn Luc 2:14 ac a ddaw i ben y tro

[52]Iorwerth Glan Aled, *Pryddestawd ar y Pentecost* (d. lle, ?1850), t. 10.
[53]Ibid., t. 11, 15.

cyntaf yn adnod 36, ond yr hon yn y bryddest a gymer ddau gant a hanner o linellau deuddegsill. Yr wyf i yma fel petawn yn gwneud yr un pwynt ag Eben Fardd yn ei feirniadaeth wreiddiol ar y bryddest yn yr eisteddfod ym Merthyr. Ebr ef:

> Braidd na feddyliem y buasai yn fwy priodol rhoddi Pregeth PEDR air yn air fel y mae yn y Bibl oddieithr yr hyn a fuasai ei mydru yn amrywio arni; . . .[54]

Mewn cymhariaeth â'r bregeth wreiddiol y mae crwydriadau traethodol y bregeth brydyddol yn ffugfawr a ffug-ddysgedig ac wrth gwrs yn Amhedraidd. Ond achwyn am un o'r seigiau wrth ganmol y wledd yr oedd Eben Fardd wrth ddweud yr hyn a ddywedodd ef. Efallai iddo dybied na ddylid newid llawer ar bregeth Pedr am mai Pedr ydoedd ac am fod ei bregeth yn llythrennol yn ysbrydoledig. Os felly, nid ystyriodd nad oedd safle Pedr, fel apostol, ddim mymryn yn uwch na safle Luc, awdur yr hanes. Y mae camaneliad beirniadaeth Eben Fardd yn tystio i'r cyfyng-gyngor yr oedd y beirdd hyn ynddo wrth drin defnyddiau mor amheuthun mewn dull mor llafurfawr. Pe baent yn parchu'r Beibl fel Gair na ddylid ymyrraeth ag ef, ni byddai ganddynt ddeunydd cân o gwbl. A beth ddeuai o'r epig Gristionogol wedyn?

Erbyn iddo draddodi'i feirniadaeth yn Eisteddfod Merthyr Tudful yr oedd Eben Fardd eisoes wedi cyfansoddi y nesaf peth at epig Gristionogol a gafwyd ganddo, sef ei gerdd hir ar "Yr Adgyfodiad" ar gyfer Eisteddfod Rhuddlan, 1850.[55] 'Yr Adgyfodiad yn cael ei olygu fel buddygoliaeth olaf Mab Duw, ar Satan' a drafodir. Yr un bardd-dybiaethau, yr un crachfeddyliau, yr un ehed-ddarluniau a geir ynddi hi ag a geir gan Iorwerth Glan Aled yn ei gerdd ferrach ef (y mae "Adgyfodiad" Eben tua 3000 o linellau). Y mae'r cyfaddefiad a wna ar y dechrau yn ymddangos fel gwedd ar foesgarwch y bardd epig:

> Rhy fawr a rhy uchel i ti [Awen] ac i minnau,
> Yw'r testun, mi ofnaf, i'w drafod yn oleu,
> Heb Yspryd y Bywyd i'm harwain, beth bynag, . . .

[54]Ibid., t. 1. Derwyn Jones, "Bywyd a Gwaith Iorwerth Glan Aled (1819-1867)," MA Prifysgol Cymru, 1955, t. 142.

[55]E. G. Millward, "Geni'r Epig Gymraeg," *Llên Cymru*, IV. 2, t. 65.

Ond y mae ef yn gwadu hynny:

> Nid ffurfiol ddynwared rhai'n galw ar dduw benthyg,
> A grëai paganfeirdd yn ngwyll eu dychymyg ydyw hyn.

'Na!' meddai, gan hawlio ysbrydiaeth ragorach na'r pagan:

> Na! mynwn, O Dduwdod! it' dreiddio fy anian,
> Ehangu fy enaid i'th gynnwys dy Hunan,
> Ac iro fy llygaid â Dwyfol elïon,
> I weled a dirnad bywhâd daearolion,
> I weled y belen oblygol yn angau,
> Yn prysur roi allan ei myrdd cenedlaethau:
> "Y pridd roed i'r pridd, a'r lludw i'r lludw,"
> Yn derbyn ymadferth, ac Angau yn marw!

Ac yna, megis i'w longyfarch ei hunan honedig-dduwgynhwysol am ddewis y fath fater i ganu arno, ebr ef:

> O! dyna brif-destun, pa raid wrth un eilwaith?
> Mae'n ddechreu a diwedd gwyrth Amser a'i heffaith![56]

Ie, dechrau a diwedd Amser yw'r testun, achos er mai pryddest ar yr atgyfodiad yn niwedd Amser ydyw, ni all Eben Fardd ymgadw rhag cyflwyno'n gyntaf '[g]ywir grynodeb /O oruchwyliaethau y Dwyfol ddoethineb' – hynny yw, disgrifiad o Arfaeth Duw, cynllun y Creu a'r Cadw.[57] Ceir ganddo ddisgrifiad o'r digwydd cyn y Creu hefyd, sef y gwrthryfel yn y nef; wedyn, y Creu a dyfod Crist i'r byd, oll mewn darlunwaith echrydus, oll mewn ieithwedd ac arddull andwyol i iechyd meddwl y neb a garo farddoniaeth yn ei galon. Bid a fo am hynny, y cwestiwn y mae'n rhaid ei ofyn yw paham y mae beirniad fel myfi yn dosbarthu diwethafiaethwr fel Morgan Llwyd a disgrifiwr yr Arfaeth fel Williams Pantycelyn i gorlan y rhai y mae eu dychymyg hanesyddol yn ysgrythurol ddilys neu dderbyniol, ond yn gosod Eben Fardd, sy'n trafod yr un mater yn y bôn, i gorlan y rhai y mae eu dychymyg yn annilys onid yn deilchion?

Y mae'r ateb yn gorwedd yn awydd parhaus Eben a'i debyg nid yn

[56]*Gweithiau Barddonol, &c. Eben Fardd*, tt. 393, 395-6.
[57]Ibid., t. 407.

unig i ychwanegu at yr Ysgrythur (fel y gwnaeth Dafydd Ionawr, er enghraifft, a llu o'i olynwyr), ond i'w ail-lunio, ei ail-lunio yn y fath fodd ag i osod i fyny eu dychmygiadau unigol hwy eu hunain mewn math ar gystadleuaeth gyda'r Beibl. Wrth ddisgrifio hyfrydwch bywyd cynnar Adda ac Efa yn yr Ardd, yn sicr ni feddyliodd Dafydd Ionawr ei fod yn drygu'r Beibl. Estyn yn ddifyrrus foliannus ddarn o stori yr oedd pawb yn ei hadnabod fel stori ysgrythurol yr oedd. Eto i gyd yr oedd ei driniaeth ohoni'n wahanol i driniaeth Llyfr Genesis o Adda ac Efa. Pan ddarfu i Hwfa Môn wedyn mewn awdl ar "Gardd y Bedd" greu drama fechan o gylch yr ychydig bach a ddyfyd yr Efengylau am Joseff o Arimathea, ni feddyliodd yntau chwaith ei fod yn gwneud dim mwy nag addurno a thrwsio adroddiad plaen er mwyn pwysleisio gofal teg Joseff dros yr Iesu. Â Joseff i eistedd yn y bedd, ac yno, meddai'r bardd, y penderfyna ei roi i'r Iesu. Purion: diau i Joseff feddwl ei feddyliau yn rhywle. Ond unwaith y dychmyga Hwfa Môn ei fod yn gweld nifer o bobl yn dod i'r ardd Ddydd yr Atgyfodiad – y gŵr a gernodiodd yr Iesu ar y groes; ei fflangellwr, a hwnnw'n wylo 'ar wddf yr hoeliwr'; y gŵr a'i gwanodd; a'r Phariseaid; a Pheilat,[58] – y mae nid yn unig yn ychwanegu'n gelwyddog gamarweiniol at yr hanes yn yr Efengylau, ond hefyd yn lleihau'n aruthr arwyddocâd cyfarfyddiad yr Iesu atgyfodedig gyda Mair Magdalen a'r Fair arall ym Mathew (28:9), gyda Mair Magdalen ei hun ym Marc (16:9) ac Ioan (20:14, 15), a chyda'r ddau ar y ffordd i Emäus yn Luc (24:15ff). Nid yw anghysondeb yr Efengylau ar y mater hwn yn gyfiawnhad o gwbl tros i Hwfa luosogi'r nifer a'i gwelodd. Fel pe na bai dyfod â gwŷr y fidog a'r fflangell a'r morthwyl i ardd Joseff o Arimathea yn ddigon, daw Hwfa Môn â phroffwydi'r oesoedd yno:

> Ehedodd yr holl broffwydi – i'r ardd
>   Yn rhês drwy'r wybreni;
>   Molianent, efrydent fri
>   Y Ceidwad wedi codi.[59]

Trowyd adroddiad plaen syml yr Efengylau yn syrcas awyrol mewn cynghanedd. Y mae *spectacle* lle yr oedd syfrdandod.

---

[58] *Gwaith Barddonol . . . (Hwfa Môn)* II, tt. 117-18.
[59] Ibid., t. 116.

Ystyrier "Yr Adgyfodiad" gan Eben Fardd ymhellach. Ni raid ond darllen y cyfeireb ar y dechrau i weld pa mor bell oddi wrth y Beibl yr eir â ni. Ar ôl nodi beth yw cynllun y gwaith, pwy yw ei arwr, a phryd y digwydd ('AMSER. – Cyfran o'r Dydd Olaf'), nodir yr olygfa:

> GOLYGFA. – Yr awyr – pyrth y nef – teml y Duwdod – Mynydd Duw – llŷs yr archangel – yn olaf ac arbenicaf, llanerch flodeuog wrth droed Mynydd Duw, wedi ei hymylu â phalmwydd nefol a choed Pren y Bywyd, a'i hamgylchu â deildai angelaidd ar finion llynau tryloewon, ac aberoedd dolenog o Ddwfr y Bywyd.[60]

Oes, y mae yma elfennau beiblaidd, trosiadau ysgrythurol Mynydd Duw a Phren a Dwfr y Bywyd. Ond yn gymysg â hwy y mae dychmygion pur, palmwydd nefol, a deildai i'r angylion mewn llecynnau tra dymunol (ys mynnai'r gwerthwr tai). At hynny, a phwysicach a mwy sylfaenol na hynny, ystyrier stans y bardd. Y mae'n cymryd arno mai ei gymhelliad i lunio'i epig yw boddio awydd yr eneidiau a gyrhaeddodd y nefoedd fel rhan o Eglwys Crist i gael gwybodaeth lawnach ynghylch yr Atgyfodiad:

> Y newydd-ddyfodiaid . . .
> Amlygent eu hawydd, bawb i'w angel-gyfaill,
> Am wybod manylach hysbysrwydd o'r weithred
> Edrychai'n berffeithiad daearol waredred.

I gwrdd â'r gofyn cynhelir cynhadledd i drafod y cais. A'r penderfyniad yno yw bod 'Sant bywnewidiol, o freiniol hil Adda' yn cael ei wysio i ddarlunio i'r llu nefol newydd

> Y mawr ogoneddus, aruthrol amgylchiad,
> Ddynoda ymadrodd drwy'r gair ADGYFODIAD.

Y sant hwn, yr 'Angel-lefarydd' fel y'i gelwir yn nes ymlaen, sy'n 'adrodd' gweddill yr hanes hir. Y mae Eben Fardd megis yn benthyca'i *bersona* ef.[61] Y mae i'r ddyfais hon dras hen, wrth gwrs. Tras y gweledydd goruwchnaturiol ydyw, a fu'n cynorthwyo ysgrifenwyr crefyddol eu llên drwy'r oesoedd heibio i Dante, at Ellis

[60] *Gweithiau Barddonol, &c. Eben Fardd*, t. 393.
[61] Ibid., tt. 401-2, 405, 432.

Wynne, ac at Williams Pantycelyn yn rhai o'i farwnadau mwyaf disyml. Paham, ynteu, y bwrir amheuaeth ar ddefnydd Eben Fardd ohoni? Yn Dante, â'r arweinydd ysbrydoledig â ni i fannau lle y mae'r farddoniaeth yn fynegiant ardderchog gyfoethog o feddyliau a phrofiadau'r ddynoliaeth. Yn Ellis Wynne eto, nid y llefydd a ddisgrifir, nid y Frenhinllys Isa' ac Uffern sy'n ein synnu a'n dychryn, ond yr hyn a welwn ohonom ein hunain drosom ein hunain yn ymddygiad a daliadau'r dynion a'r menywod sydd yno. Hyd yn oed ym marwnadau disyml Pantycelyn i Lewis Lewis ac i William Read, y mae'r awdur yn dweud rhywbeth o bwys am berthynas daear a nef a pherthynas gwyddoniaeth a ffydd. Yn Eben Fardd, y mae'r disgrifio oll yn oll. O'r disgrifiad o'r Creu mewn aralleiriad chwyddeiriog, hyd at y disgrifiad o'r angylion wrth eu tasgau unigol yn difetha'r cyfanfyd yn niwedd Amser, y mae'r cyfan mor fympwyol, mor ffansïol, mor hocedus. Wele Dduw yn creu:

> Pan barthodd y Crëwr yr oesoesol lèni,
> Gylch-ogylch dylanwodd pur lif o oleuni;
> Amlygwyd ieuangffurf anmherffaith y belen,
> Yn sylwedd tryloewaidd ei newydd ffurfafen;
> Neillduwyd ei dyfroedd – a'r sychdir a chwarddai,
> Pan yn y claer ddylif ei ddelw ganfyddai
> Yn chwim weddnewidio, trwy rin y gair crëol,
> O addurn i addurn, fel banau'r wlad nefol,
> Nes dyfod yn dirwedd o ddirfawr ogoniant,
> Mewn ieuanc lysieuad, ac iraidd hydyfiant;
> A'r deifr dynwaredol mewn gloewder cyntefig
> Ymbincient âg arlun y tirwedd honeddig!

Ac wele'r angylion yn distrywio'r cosmos gyda chynhwysion y ffïolau a 'lanwasant' yng 'nghronlyn digofaint':

> Un angel dywalltodd ei phïol i'r haulwen,
> Ac â hi diffoddodd lamp sglaer yr wybren.
>   Y llall a ddymchwelodd fôr-gostrel dïaledd
> Ar awyr y ddaear nes peri dryghinedd, . . .
>   I'r ddaear, un arall dywalltodd ei phïol
> Nes taflu'r holl belen i gryndod gloesygol.
>   Ac angel y cefnfor, wrth archiad y nefoedd,
> Dywalltai ei phïol felltithlawn i'r dyfroedd,

Ac ymgyrch cynddeiriog dygyfor ei dònau
Faluriodd greig-osail cyntefig fynyddau.[62]

Ni wn i sawl copi o *Gweithiau Barddonol, &c. Eben Fardd* ([?1873]) a werthwyd, ond gwyddys fod i'r bardd barch uchel yn ei ddydd ac am ddegau o flynyddoedd ar ôl ei farw yn 1863. Y mae'r *Gweithiau* yn gyfrol ddrudfawr iawn ei diwyg. Dywed E. G. Millward fod dylanwad *The Course of Time* Robert Pollock, bardd 'eilradd o'r Alban', ar "Yr Adgyfodiad," ac mai copïo Pollock a wnaeth 'yng nghynllun ei gerdd'. Gwerthwyd deuddeng mil o gopïau o honno mewn deunaw mis ar ôl ei chyhoeddi yn 1827, ac erbyn 1867 fe'i hadargraffwyd bump ar hugain o weithiau.[63] Y mae'n amlwg bod cyhoedd y beirdd hyn yn croesawu cynhyrchion o'r fath; onid e, nis printid.

Drwy E. G. Millward hefyd y cawsom wybod mai Lewis Edwards, ar ôl oedfa'r prynhawn yng Nghapel Uchaf, Clynnog, 15 Ionawr 1843, a gynghorodd Eben Fardd 'to set up my Muse to compose an epic poem on some religious subject', ys dywedodd yn ei ddyddlyfr. Yn yr un dyddlyfr, 11 Mehefin 1850, ebr ef: 'Finished writing my poem on Yr A . . . May it be acceptable to God, to whom I dedicate it with grateful praise for his almighty favour to enable me to complete it.' Fis yn ddiweddarach, ar ei liniau yn y capel a chyda'i law dde yn dal copi o'r gerdd ar ddalennau agored yr Efengyl yn ôl Sant Ioan, y mae'n gweddïo ar i Dduw ei derbyn ac i'w oruchwyliaeth sofran Ef achosi iddi ymddangos ('to come out' yw geiriau Eben) yn ddiogel ac yn fendigedig er gogoniant iddo Ef. Er iddo'i hanfon i Eisteddfod Rhuddlan 'under divine auspices' nid enillodd, er mawr mawr siom iddo. 'The remainder of my life I dedicate to God and religion, my family and wordly engagements towards livelihood. I am no longer a public character in the Literary Commonwealth of my country.'[64]

Adroddaf yr hanes hwn yn rhannol i ddangos bod Eben Fardd yn ŵr duwiolfrydig iawn; yn rhannol hefyd i greu cyfle i ddyfynnu barn deg wych Lewis Edwards am feirdd epig 'diweddarach' na Milton. Fe'i mynegodd am y tro cyntaf yn *Y Traethodydd* yn 1850, yn rhifyn Ionawr, sef cyn i Eben orffen ei "Adgyfodiad," ond bid a fo am hynny

[62]Ibid., tt. 413, 433-4.

[63]Millward, art. cit., tt. 75, 76.

[64]E. G. Millward (gol.), *Detholion o Ddyddiadur Eben Fardd* (Caerdydd, 1968), tt. 142, 182, 184.

y mae'n berthnasol i'w waith ef fel i waith nifer helaeth o feirdd eraill y cyfnod. Dyma farn Prifathro'r Bala:

> Fel pob dyn gwirioneddol fawr, y mae Milton . . . nid yn unig yn traddodi meddyliau mawrion, ond yn gwneyd hyny *yn hawdd* . . . Yng ngwaith beirdd diweddarach, y mae gormod o *geisio* at effaith. Pan ddywedir rhywbeth nerthol, y mae yr *ymdrech* yn rhy amlwg. Yn lle myned ymlaen gyda'u gwaith yn dawel, y maent mewn cyffro parhäus, ac yn dangos rhyw egni annaturiol i dynu sylw yr edrychydd. Y canlyniad ydyw, fod meddwl yr edrychydd yn myned oddiwrth y gwaith at y gweithiwr; nid heb ryw gymaint o ryfeddod efallai ar y cyntaf wrth weled ei fywiogrwydd; ond nid hir y bydd cyn i'r teimlad hwn roddi lle i dosturi yn gymysgedig â graddau o ddirmyg. Y mae Byron yn llawn o'r ymdrech annaturiol hwn: y mae gormod o hono yn Young a Pollock: ac y mae yn rhaid addef nad yw Dewi Wyn yn rhydd oddiwrtho.[65]

Ni chyrhaeddodd y saeth o'r Bala mor bell â Chlynnog y bardd byw. Diogelach blaenllymu'r bardd marw o'r Gaerwen. Ond yr oedd hynny'n ddigon agos.

At hyn yr wyf i'n dod. Beth bynnag oedd natur ymlyniad Eben Fardd, a phob bardd o'i anian awenyddol ef, wrth Air Duw, ni all neb heddiw a fyn astudio eu perthynas hwy â'r Beibl ddim osgoi'r ystyriaeth wrthddywediadol hon, – sef, fod yr union feirdd hynny a chwiliodd y Beibl am eu hysbrydiaeth a'u testun, ac a'u cafodd yno, wrth ddyfeisio'u dychmygiadau unigolaidd fel math ar estyniad i ddychymyg y Beibl neu fel ystumiad ohono, yn arddel blaenoriaeth eu rhithddarluniaeth eu hunain dros ddarfelydd y gwreiddiol.[66] Ac y maent fel petaent yn gosod eu ffydd – eu ffydd awenus, beth bynnag, – yn y broses lenyddol, nid mewn dealltwriaeth addysgiedig o rannau a rhediad y Gair fel Gair.

Goddefer imi drafod un gerdd arall, cerdd y byddai hyd yn oed arolwg mor enghreifftiol a byr â hwn o gerddi beiblaidd Oes Victoria yn anghyflawn hebddi. Sef *Iesu* Golyddan, y gerdd a ddyfarnwyd yn drydedd yn Eisteddfod Dinbych 1860, er siom fawr, Eben-Farddol fawr, i'w chyfansoddwr ifanc (fel y gwelsom eisoes). Mewn

[65]*Traethodau Llenyddol*, t. 51.

[66]Cf. Buell, *New England Literary Culture*, t. 185.

beirniadaeth answyddogol, dywedodd Llew Llwyfo amdani ei bod 'yn anfeidrol uwch . . . nag a haeddodd un bardd yng Nghymru er pan osodwyd y Wyddfa yn gadernid i'w hystlysau'. Ac y mae'n hawdd deall ei hapêl i unrhyw un a allai fynegi'i fawl mewn dull mor drawiadol ormodieithol â hynyna. Ond barn y tri beirniad swyddogol amdani oedd bod ei hawdur 'wedi rhoi gormod o rwysg i "grebwyll a darfelydd!"'[67] (Y mae'n werth dweud bod awdur "Yr Adgyfodiad" ei hun yn un o'r tri chondemniol hyn.) Ac yntau wedi dewis traethu ar yr Iesu, o ddilyn ffasiwn yr oes ni allai Golyddan beidio â thraethu amdano'n arwrol – hynny yw, yn ehangfawr, yn gosmig, yn oll-gynhwysol, – gan drafod Ei natur wrth drafod Ei genhadaeth. Cymerodd yn fan cychwyn i'w bryddest yr episod dwys hwnnw yn Efengyl Mathew, 26:36-42, lle disgrifir yr Iesu'n mynd i Ardd Gethsemane i weddïo. Er mwyn egluro'r gwahaniaeth syfrdanol rhwng symlrwydd amwys, teimladwy (bron na ddywedid symlrwydd amwys, nerfus) y saith adnod hon gyda phedwar ugain tudalen pryddest galeidosgopig Golyddan, cystal gosod yr adnodau o'ch blaen:

36. Yna y daeth yr Iesu gyd â hwynt i fan a elwir Gethsemane, ac a ddywedodd wrth ei ddisgyblion, Eisteddwch yma, tra yr elwyf a gweddïo acw.
37. Ac efe a gymerth Pedr, a dau fab Sebedëus, ac a ddechreuodd dristâu ac ymofidio.
38. Yna efe a ddywedodd wrthynt, Trist iawn yw fy enaid hyd angau: arhoswch yma, a gwyliwch gyd â mi.
39. Ac wedi iddo fyned ychydig ymlaen, efe a syrthiodd ar ei wyneb, gan weddïo, a dywedyd, Fy Nhad, os yw bosibl, aed y cwpan hwn heibio oddi wrthyf: eto nid fel yr wyf i yn ewyllysio, ond fel yr ydwyt ti.
40. Ac efe a ddaeth at y disgyblion, ac a'u cafodd hwy yn cysgu; ac a ddywedodd wrth Pedr, Felly; oni ellwch chwi wylied un awr gyd â mi?
41. Gwyliwch a gweddïwch, fel nad eloch i brofedigaeth. Yr yspryd yn ddiau sydd yn barod, eithr y cnawd sydd wan.
42. Efe a aeth drachefn yr ail waith, ac a weddïodd, gan ddywedyd, Fy Nhad, onis gall y cwpan hwn fyned heibio oddi wrthyf, na byddo i mi yfed ohono, gwneler dy ewyllys.

[67] *Arwrgerdd. 'Iesu.' sef pryddest 'Ioan,' yn Eisteddfod Dinbych, MDCCCLX*, tt. ix, x.

Noder plaendra'r adrodd; noder byrdra'r weddi gyntaf; noder uniongyrchedd y berthynas rhwng yr Iesu a'i ddisgyblion ac uniongyrchedd ei berthynas ansicrach gyda'i Dad; a noder ironi anferth 'Yr ysbryd yn ddiau sydd yn barod, eithr y cnawd sydd wan.'

Chwyddir yr episod hwn yn bryddest Chwe Llyfr (84tt.) gan Golyddan. Egyr Llyfr I gyda'r bardd yn cyfarch yr Awen, yr Awen yn ei hamrywiol rithiau ac yn ei hamrywiol lefydd, ar fryn Parnasws, 'ar ddalenau coed Paradwys Crist,' – eisoes, *cymharol* ydyw'r Beibl, – a chyda'r bardd yn gofyn i'r Awen lanw'i enaid a chyffwrdd â'i wefusau. Yn union syth wedyn, erfynia ar yr Ysbryd Glân, y 'Dylanwad Gwell' sy'n dod oddi ar fainc gwybodaeth a sancteiddrwydd, am gymorth.[68] Ar ôl agoriad fel hyn nid yw'n syndod fod popeth sy'n dilyn yn Llyfr I yn gwbl anysgrythurol, onid yn wir yn groes i'r Ysgrythur. Dyma restr o'r pethau croes hynny:

(*i*) Estynnir y frawddeg o weddi a geir yn adnod 39 yn ddau gant a hanner o linellau. Amrywiad ar un o syniadau dryslyd y dydd am amser (y caf sôn amdano eto) yw'r cyfiawnhad a ddyry'r bardd dros ei hyd. I Dduw, meddai, 'Gall mil o ddyddiau hedeg fel un awr, /Ac awr ymestyn c'yd a dyddiau fil'.[69]

(*ii*) Yn y weddi hir, wrth beri i'r Iesu ddweud pa mor anodd ganddo yw Ei roi'i Hun yn nwylo'r 'rhai sy bryfaid o ran nerth', pobl y gallai ef eu hysu oll â thân, y mae Golyddan yn ymyrraeth â chymeriad yr Iesu, ac yn rhoi iddo briodoleddau newydd, nad ydynt yn gweddu o gwbl iddo Ef yn Ei Berson nac i amgylchiadau Gethsemane, sef priodoleddau llid, digofaint, casineb. Y mae hefyd drwy hyn yn ceisio rhoi esboniad ar ran olaf gweddi gyntaf yr Iesu yn yr Ardd:

'Etto, Dad!
Ystyria'm hingoedd hyn, fy nirmyg oll,
A dyro hwynt yng nghlorian mawr dy farn,
I edrych a gaf beidio yfed mwy
O'r cwpan chwerw, chwerw sy'n fy lladd.'[70]

(*iii*) Unwaith y mae geiriau olaf y weddi gyntaf yn treiddio i'r entrychion, ebe Golyddan, y mae'r nef yn dirgrynu, y mae'r angylion

[68]Ibid., t. 1.
[69]Ibid., t. 2.
[70]Ibid., t. 5.

yn peidio â'u 'tragwyddol gân, /Ac wylent ddeigryn dros eu Harglwydd hoff'. Yna y mae'r bardd yn cyfodi'r Iesu 'yn yr ysbryd' i olwg y 'Greadigaeth fawr'. Gwêl y sêr a'r planedau i gyd, gwêl bob manylyn ar y ddaear, a gwêl uffern. Gerllaw iddo yn y gwagle, saif Cyfiawnder yn edrych arno'n 'syn', mor gynddeiriog fel y myn ddod ag uffern yn nes 'at ddaear dyn, yr hon yn awr /Oedd annioddefol yng Nghreadigaeth Duw.'[71] Y mae lluoedd uffern yn herio'r Iesu, y mae Yntau'n ddicach nag erioed tuag atynt, ac y maent hwy o ganlyniad yn ymhyfrydu yn Ei ing.

(*iv*) Yn Llyfr II y bryddest yr ydym yn ôl yng Ngethsemane a'r Iesu yn gweddïo am yr eildro, a'r tro hwn yn siarad yn ddiwinyddol â'i Dad. Anysgrythurol eto! Y mae'n rhestr yn mynd yn fwy. Ebr Ef:

'Onid yw
Yn bossibl rhoi boddlonrwydd i dy Ddeddf
Ac i'th Gyfiawnder, heb im' yfed mwy
O'r cwpan erchyll?'[72]

(*v*) Pâr Duw iddo ymddyrchafu unwaith yn rhagor i'r entrychion i 'weld y drefn /Dragwyddol', ond y mae'r Iesu mewn cyflwr corfforol mor enbyd fel ei fod yn chwysu gwaed (a'r darpar-feddyg yn Golyddan yn cael arddangos ei ddoniau clinigol), a daw Gabriel â pheth o 'win y nefoedd' iddo. Pan yw'r angel ar ei ffordd yn ôl i'r nefoedd, drwy'r 'man Chaosaidd' sy'n y gwagle daw comed 'ofnadwy fawr' heibio, sef yw honno 'Uffern oll [wedi] ymgrebachu i'r maint disylw hwn' er mwyn 'ymwthio rhwng y bydoedd bach – Teganau Duw – sy'n gwneud i fyny'r Cread'.[73] Er mwyn cadw rhyw fymryn o gysylltiad â'i stori, y mae Golyddan ar hyn yn anfon yr Iesu'n ôl i'r ardd i gystwyo'r disgyblion a aeth eto i hepian. Ond buan y dychwel i'r 'gwagle mawr' hwnnw a ystyrid gan Golyddan a holl epigfeirdd Cymru fel gwir lwyfan eu harwrddigwyddiadau. Y tro hwn y mae 'Euogrwydd yr holl ddaear' yn ei wyneb ac y mae'n ddigon i beri i rymoedd y Fall yn llythrennol ddychryn y byd oll. Mewn un congl o Affrica y mae'r behemoth yn llewygu, mewn cornel arall y mae'r 'elephantiaid' yn 'gwasgar dychryn', ac

[71]Ibid., tt. 7, 11.
[72]Ibid., t. 16.
[73]Ibid., t. 20.

yn America fawr,
Lle ni sathrasai troed barbariad gwyn
Erioed, y nadredd erchyll drystient trwy
Y trwch coedwigoedd; [&c. &c.][74]

Am anachronistiaeth wych!

(*vi*) Y mae Cyfiawnder (a welsom yn Llyfr I) yn pwysleisio fel Paul na cheir maddeuant i'r byd heb waed Crist. Ar ddiwedd ei araith ef, daw llu o 'gyrph ysbrydol' at yr Iesu, cyrff ysbrydol yr oedd amdanynt wisgoedd 'fel goleuni', '[b]arfau llaes o'u blaen', a'u gwalltiau'n 'blethi hardd . . . /Fel aur gadwynau'r haul ar donau mân /Y môr'. Ond pwy ydynt?

Hawdd ydoedd dirnad mai prophwydi'r nef,
Dadguddwyr ffyddlawn addewidion Ior
Wrth ddynion, oedd y dorf ysbrydol hon.[75]

Os anysgrythurol eu hymddangosiad hedfanol, y mae pob un ohonynt, Eseia, Dafydd, Abraham, Job, Hosea, Jeremeia, Jona, Daniel, yn cael adrodd wrth yr Iesu ryw bwt perthnasol i'r hyn a ddywedasant yn yr Hen Destament amdano'n 'deipolegol' neu'n 'broffwydol'. Yna, megis i ddifetha'i fymryn ysgrythuroldeb bach, dywed Golyddan nad y proffwydi hyn yn unig a ddaeth i atgyfnerthu'r Iesu yn Ei wae, ond proffwydi eraill na 'chroniclwyd' eu henwau 'ar y dail /Sy genym ni.'[76]

(*vii*) Miltonaidd hollol yw Llyfr III, disgrifiad o gynhadledd ddieflig yn uffern. Megis i danlinellu'r ffaith ddiymwad fod dylanwad Milton ar Golyddan yn fwy o lawer na dylanwad y Beibl, pan ddaw'r diawliaid ynghyd ar alwad yr utgorn dywed eu bod yn ymgrynhoi fel o'r blaen 'Yn ol disgrifiad amgen bardd na mi.'[77] Pwnc y gynhadledd yw sut y dathlant eu darpar-fuddugoliaeth. Ar ei diwedd y mae Cyfiawnder yn galw ar Satan i ymbaratoi i ddifetha'r greadigaeth, ond, cyn hynny, i ymbaratoi i ymladd un frwydr arall yn erbyn 'Mab y Dyn'.[78]

---

[74]Ibid., t. 22.
[75]Ibid., tt. 23, 25, 26.
[76]Ibid., t. 28.
[77]Ibid., t. 32. Enwir Milton yn y llinell ddilynol.
[78]Ibid., t. 45.

(*viii*) Fel y personolwyd Cyfiawnder yn Llyfrau I a II, yn Llyfr IV personolir Trugaredd, yr hon y disgwylir iddi wanu'r Iesu ar y groes.[79]

(*ix*) Y mae Llyfr V yn fwy ffug a gwneuthuredig ei ddisgrifiadau na'r un o'i flaen – neu'n hytrach, y mae ei ddisgrifiadau ffug a gwneuthuredig yn *salach* disgrifiadau na'r rhai cynt. Ei bwynt yw bod yr Iesu'n ennill y dydd yn erbyn y Fall, a hynny trwy iddo golli'i waed yn lli tros ddynol ryw. Y mae'r disgrifiad ohono'n colli'r gwaed hwnnw yn ddi-chwaeth yn yr ystyr ei fod yn lleihau'r ymdeimlad o fuddugoliaeth a ddylai fod ynghlwm wrth yr archoll:

> Cynyddai'r ffrwd yn fwy, nes ydoedd toc
> Yn tarddu megys o bob rhan o'r Oen,
> Ac yntau oll yn troi yn ffynnon, ac
> Fel yn ymddarfod yn ei ryfedd waed.
> Yr hanfod yma, i lawr at ddaear dyn
> Yn gyntaf ffrydiai, nes yr ydoedd hi
> Yn amgylchedig ganddo.[80]

Hynny yw, yr oedd gwaed yr Iesu'n amgylchu'r ddaear!

Parheir i sôn am y gwaed yn Llyfr VI, oherwydd y mae'n '[a]nnileadwy'. Y nef a'r atgyfodiad mawr a ddisgrifir yma, yr Iesu'n 'enaid fel /O'r blaen, ond fod am dano wisg yn goch /O waed', yn annog Cysgodau Angau i adael i'w bobl fynd drwy'r Iorddonen ond nid y rhai â 'nôd y Bwystfil' arnynt. Egyr beddau'r saint ac ymddyrchafant oll ynghyd â'r Iesu. 'A Brenin y Gogoniant ddaw i mewn.'[81]

Ys dywed D. Tecwyn Lloyd mewn trafodaeth fanwl olau ar un arall o'i bryddestau, yr oedd Golyddan 'yn fardd, yn un o'r ychydig feirdd wrth reddf yn ei gyfnod'.[82] Er bod adeiladwaith *Iesu* yn ffaeledig – yn ffaeledig o ran i Golyddan ei sylfaenu ar adnodau arbennig o Efengyl Mathew na sonia ddim am eu stori ar ôl Llyfr II, ac yn ffaeledig o ran iddo weithiau geisio cydymffurfio â chynllun yr Arfaeth ac weithiau fynd ei ffordd ei hun a thrwy hynny hanner-llinynnu'i waith – er hynny, y mae nifer o rinweddau iddi. Y mae'n cynnwys darluniau

[79] Ibid., t. 50.
[80] Ibid., t. 72.
[81] Ibid., tt. 78, 84.
[82] D. Tecwyn Lloyd, "Golyddan ac 'Angau'," *Llên Cymru*, IV. 2, t. 104. Ceir yr erthygl hefyd yn idem., *Safle'r Gerbydres* (Llandysul, 1970), t. 44-97.

artistig gofiadwy (comet uffern, er enghraifft), ac y mae rhythmau'r llinellau yn aml yn beroraidd (os caf ddefnyddio un o'i eiriau ef ei hun). Ond y mae hyd yn oed bardd mor addawol â Golyddan – ugain oed ydoedd yn 1860 – yn syrthio'n brin. Na, dylwn ail-lunio'r farn hon, a dweud ei bod hi'n naturiol gweld yng ngwaith gŵr ifanc fel efe, er disgleiried ydyw, arwyddion clir o wendidau beirdd eraill ei gyfnod, achos efelychwr ydyw, epigfardd Cristionogol ysbâs.

O edrych ar y cerddi uchod gyda'i gilydd, nad ydynt, fel y dywedais o'r blaen, yn ddim ond enghreifftiau o'r llu o gerddi ar destunau beiblaidd a gafwyd yng Nghymru Oes Victoria, ymddangosant fel cynnyrch rhyw rag-gynllun mawr i greu yn y Gymraeg lenyddiaeth ymwybodol ysgrythuraidd. Bron na ddywedwn fod hwnnw, trwy ddiffiniad, yn gynllun a dynghedwyd i fethu, am na wnaeth y beirdd o'r dechrau ddim parchu na gwerthfawrogi amwysedd doeth na dirgelwch rheiol yr hanesion a'r storïau sy'n corffori'r Gair. Gwendid amlycaf a gwendid cyffredinol y farddoniaeth hon yw ei bod mor bell oddi wrth bob gwirionedd, gwirionedd bywyd, gwirionedd ffydd, a gwirionedd y math o ddychymyg a gynrychiolir gan gynnwys, rhediad ac unoliaeth y Beibl.

Y mae iddi wendidau eraill yn ogystal. Uchod, wrth gloriannu "Yr Adgyfodiad" gan Eben Fardd, dywedais iddo ef a'i debyg droi teipoleg y Beibl, o fod yn llifeiriant tonnog a dorrai'n rheolaidd ar y lan, i fod yn ddŵr a droesant i felinau eu trosiadau eu hunain. Felly Golyddan yntau. Er mor wybodus ydyw ynghylch teipoleg, y mae'n difetha'i heffaith trwy ei darostwng i'w ffansi personol. Yn y darn hwnnw yn Llyfr II lle daw'r patriarchiaid a'r proffwydi at yr Iesu, ysgrythurol-deipolegol yw gweledigaeth Abraham o Grist fel gwrthdeip i Isaac, ac y mae yn yr un darn gyfeirio at broffwydoliaeth Eseia am Grist fel oen yn mynd i'r lladdfa. Ond collir yr ymwybod â pharhad y delweddau fel-profiadau'n-byw-mewn-amser yn y ddyfais ddwl a bair fod Abraham, Eseia a'r lleill yn ehedeg drwy'r gofod i fod yng ngwyddfod yr Iesu.

Yn dilyn o hyn – ac efallai y bydd yn anodd gan y darllenydd ar y darlleniad cyntaf dderbyn y feirniadaeth hon – yr wyf o'r farn mai gwedd ar lythrenoliaeth yw awydd Golyddan, Hwfa Môn, Eben Fardd a'u tebyg i beri i broffwydi hedfan o'r nef i lawr, peri i angylion ymgeleddu'r Iesu fel petaent yn weinyddesau mewn ysbyty maes, a pheri i feddau agor yn Nydd y Farn. Y mae arnynt eisiau gwneud popeth yn amlwg: esbonio neu ddisgrifio'r atgyfodiad, lleoli uffern, dwyn amseroedd a chymeriadau o wahanol gyfnodau yn llythrennol ynghyd, trywyddu gweddïau, darlunio athrawiaethau (neu'n hytrach y symbolau a saif dros athrawiaethau, megis, er enghraifft, gwaed Iesu Grist). Awydd i ddwyn dirgelion i gylch deall a rheswm a synnwyr ydyw'r awydd hwn. Ydyw, y mae hefyd yn ffrwyth yr ymdrech i fod yn epigaidd. At hynny, y mae'n ganlyniad credu'n gamsyniadol mai pennaf nodwedd arwrgerdd yw ei bod hi'n gosmig ei lleoliad ac yn drosgynnol ei hamseriad, ac felly fod yn rhaid ei chynnal mewn llefydd uwchddaearol neu danddaearol ac mewn adegau uwchlaw'r haul, allan o amser. Eithr, yn bennaf, tystiolaeth ydyw o ddiffyg ffydd yn nychymyg sylfaenol ac oesol y Ffydd. Mewn llaw fer, galwer y bai hwn yn dordychymyg.

Petai'n rhaid imi ddamcaniaethu ynghylch y siampl a ddilynodd y beirdd hyn, dywedwn yn gyntaf – fel yr awgrymais fwy nag unwaith o'r blaen – mai Milton ydoedd, Milton a'i Satan gwibiog cynadleddgar, cynamseryddol. Ond y mae embryo'r Satan hwnnw yn y Beibl ei hun, wrth gwrs, yn Llyfr Job. Ef yw'r un a ddaw i'r nefoedd o 'dramwyo ar hyd y ddaear' (Job 2:2). Ac os drwy *Paradise Lost* y daeth yr awydd a ddisgrifiais uchod i beri i bawb a phopeth symud mewn amser ac yn rhyngblanedol i feddwl beirdd Cymru, o Lyfr Job y daeth yn wreiddiol, ac yn Llyfr Job y ceir y cyfiawnhad ysgrythurol drosto. Byddai astudiaeth fanwl o'r hyn a wnaeth beirdd Oes Victoria o'r llyfr ardderchog hwnnw ynddi'i hun yn ddiddorol, ond gyda golwg ar y pwynt arbennig yr wyf yn ei wneud yn awr, sef mai gwedd ar lythrenoliaeth yw'r disgrifio Spielbergaidd a geir yn eu gwaith, noder na ddarfu i nemor neb o'r beirdd a luniodd gerdd ar Lyfr Job yn y cyfnod hwnnw drafod ei brif themâu, sef amheuaeth ynghylch cyfiawnder, uchdwr anneall meddwl Duw, rhyfeddod a rhyferthwy digydymdeimlad Natur, ac arallrwydd dirgel y Nerth-sydd-y-tu-hwnt-i-ni. Ni ellid disgwyl trafod hynny, medd rhai, ganrif a hanner yn ôl. Ganrif a hanner yn ôl nid oedd hi'n bosibl i'n beirdd ni weld arwyddocâd cyffredinol Llyfr Job fel y gwelodd eu cyfoeswr Kierkegaard ef, ac fel y gwelodd dehonglwyr diweddarach, megis Jung, ef. Nac oedd, efallai. Ond yr oedd hi'n bosibl iddynt ymgadw rhag gweld Job fel gŵr busnes llewyrchus a'i gynnydd yn y diwedd yn wobr am dduwiolfrydedd; ac yr oedd hi'n bosibl iddynt beidio â gweithio'u ffriliau ffansi i addurno gwaith y mae ei ddefnydd yn y gwreiddiol, er yn arallfydol yn y Prolog a'r Epilog, yn ddilechdyddol drwm yn y trafodaethau gyda'r cyfeillion, ond yn farddonol ysblennydd yn y penodau lle y mae Duw yn siarad allan o'r corwynt.

Yr hyn sy'n annodweddiadol am awdl Eben Fardd "Ar Gystuddiau, Amynedd, ac Adferiad Job" yw na ddarfu iddo wneud dim defnydd o Satan fel ffigur cosmig goruwchnaturiol nac o unrhyw un o'r dyfeisiau a geir ganddo hyd at syrffed yn "Yr Adgyfodiad."[83] Job sobrfucheddol ym mhob rhyw fodd yw ei Job ef. Y mae'r tri chysurwr yn ddi-ffrwt, nid oes gan Dduw wrth iddo lefaru o'r corwynt ddim egni, ac nid yw'r bardd yn sôn dim am na Lefiathan na Behemoth, dwy rodd na ddylai beirdd mewn unrhyw oes ddim o'u gwrthod. Cyrhaedda Eben Fardd ddiwedd ei awdl heb fyfyrdod o fath yn y byd ar yr ymaflyd codwm eneidiol a deallusol ynghylch dioddefaint y diniwed sy'n harddu'r llyfr gwreiddiol, yn union fel petai ei Job ef yn ddim ond ffarmwr anffodus, rywle yn Eifionydd (Eifionydd llawn camelod). Yn yr ystyr yna y mae awdl Eben Fardd yn llythrennol – yn yr ystyr ei fod wedi methu â gweld dim ond ffyniant amaethyddol lle y mae mewn gwirionedd un o broblemau dyfnaf bywyd.

Ond am lythrenoliaeth arall yr oeddem ni'n sôn gynnau, am y llythrenoliaeth sydd, yn y farddoniaeth fwyaf ehedog, eisiau cynnig esboniad ar yr hyn sy'n annealladwy ac yn wyrthiol yn y farddoniaeth honno. Ystyriwch gerdd hir Gwilym Hiraethog ar Job. Dechreuodd yntau hefyd lunio awdl "Ar Gystuddiau, Amynedd, ac Adferiad Job" (testun gosod yn Eisteddfod Gordofigion Lerpwl yn 1840 ydoedd), 'ond wedi cyfansoddi tua chant a hanner o linellau, [rhoddodd] yr amcan i fyny', yn rhannol oherwydd 'diffyg hamdden ato,' yn rhannol oherwydd diffyg hyder. Pan aeth at y pwnc eto, gwnaeth hynny 'ar y mydr anghyflawn' (*blank verse*) ac ysgrifennu pryddest.[84] Y mae "Iob. Pryddest-Awdl: – mewn chwech o ranau" yn llenwi deuddeg a phedwar ugain o dudalennau. Ynddi, nid digon gan y bardd ddisgrifio Satan wrth ei waith, a'i ddisgrifio'n gan gwaith manylach na'r

[83]*Gweithiau Barddonol, &c. Eben Fardd*, tt. 83-106.

[84]*Caniadau Hiraethog, Holl Weithiau Barddonol, &c. Gwilym Hiraethog (William Rees), o Liverpool, gynt o Lansannan, swydd Dinbych* (Dinbych, 1855), t. xi.

gwreiddiol – yn dyfal-drefnu'i angylion drwg ac yn cynnull ei gyngor uffernol, – myn hefyd fanylu'n addurnol ar ddigwyddiadau ac ar bethau y sonnir amdanynt yn blaen yn y gwreiddiol, a manylu yn y fath fodd ag i gynnig esboniad arnynt.

Craidd Llyfr Job a'r hyn a rydd ysbardun i'r stori yw'r ffaith fod Duw yn rhoi caniatâd i Satan demtio Job er gwybod ohono ei fod 'yn ŵr perffaith ac uniawn, yn ofni Duw, ac yn cilio oddi wrth ddrygioni' (Job 2:3). Y mae'r peth yn syfrdanol, yn groes i'r hyn sydd i ni ac a ddylai fod i Dduw yn gyfiawnder naturiol. Ond yn y Beibl, er bod '[m]eibion Duw' yn sefyll ger Ei fron Ef pan ddyry ganiatâd i Satan demtio Job, nid oes yr un ohonynt yn holi pam nac yn synnu. Yn wir, ar ôl nodi eu bod yno (2:1), ni ddywed yr awdur gwreiddiol ddim byd amdanynt wedyn. Ond ym mhryddest-awdl Gwilym Hiraethog tybir bod yn rhaid cael esboniad ar weithred anghyfiawn yr Arglwydd, fel pe na bai'r bedwaredd ganrif ar bymtheg yn gallu dioddef Duw mympwyol. Pair Gwilym Hiraethog i'r llu nefol bryderu'n arw am Job, nes peri i Dduw yn Ei dro gynnig hyn o gysur yn lle esboniad iddynt:

Cewch ganfod yn y diwedd fel y tyr
Goleuni allan o'r tywyllwch hwn:
Gogoniant mawr i'm henw i a'm gras:-
I Satan, warth, a *ch'wilydd mawr*, a som (*sic*):-
Daioni mawr i Iob fy ngwas:- i chwi,
Lawenydd mawr, a thestyn newydd gân:-
Buddioldeb mawr i saint yr oesau ddel:
Bydd hanes Iob yn siampl iddynt hwy
O ddioddefgarwch, ac amynedd, ffydd;
O herwydd bydd yr hanes hwn ar gael
Hyd ddyddiau olaf amser yn y byd,
Fel colofn fawr o goffadwriaeth am
Y fuddugoliaeth a ennillai Iob
Yn nerth fy ngras ar uffern fawr a'i llid.[85]

Yn y man, ar ôl rhoi esboniad diwinyddol ar ymddygiad Duw, myn y bardd roi esboniad meddygol ar gornwydydd Job. Ni chânt 'ddigwydd': rhaid eu hachosi. A'r achos a ddyfeisia Gwilym Hiraethog yw hwn. Cymysga Satan

[85]Ibid., t. 52.

gyffaith du,
Gwenwynig, yn yr awyr dew o dawch
A oedd o'i amgylch,

– yna fe'i gwasgara.[86] Y mae Job, o anadlu'r stwff, yn ymddwyn fel dyn meddw, ac yn dechrau crafu am fod crawn yn torri allan trosto. Yna – un enghraifft 'esboniadol' arall, – yn niwedd Llyfr Job, dywedir i'r Arglwydd fendithio diwedd Job 'yn fwy na'i ddechreuad: canys yr oedd ganddo bedair mil ar ddeg o ddefaid, a chwe mil o gamelod, a mil o gyplau ychain, a mil o asynnod. Ac yr oedd iddo saith o feibion, a thair o ferched' (Job 42:12, 13). Ni ddywed y Beibl o ble y daeth yr anifeiliaid. Digon yw eu bod yno, yn wobr i'r mawr ei ddioddefaint a'r mawr ei ffydd. Ond myn Gwilym Hiraethog roi cyfrif amdanynt. Fe'u cafodd, meddai'r bardd, am fod penaethiaid y Sabeaid a'r Chaldeaid, y bobl a ddug ymaith anifeiliaid Job ym mhennod 1:15, 17, mewn anesmwythder blin, wedi penderfynu eu hanfon yn ôl iddo, 'ac hefyd dyblu'u rhif'.[87] Er nad yw mor hawdd esbonio'r plant, y mae'r Hiraethog yn ceisio gwneud hynny hefyd, drwy nodi yr haera 'llawer' mai

Ei deirmerch cyntaf oeddynt, wedi cael
Eu hadgyfodi, a'u hadferu'n ôl . . .;

haera eraill, meddai, mai 'angelesau' oeddynt.[88]

A'n gwaredo! Yr ydym yn ôl lle'r oeddem gynnau, yn maentumio bod y beirdd hyn heb ffydd yn nychymyg y Ffydd, a'u bod yn eu hymdrech fawr i ddarlunio'r annarluniadwy ac i ail-ddweud stori ysgrythurol yn eu geiriau hwy eu hunain (a'i chwyddo) yn methu ag atgynhyrchu'r gwir symbolaidd sydd yn y darlun gwreiddiol neu'r gwir metafforaidd sy'n y stori wreiddiol. Yr oedd egni beirdd Oes Victoria yn rhyfeddol. Ond yr oedd rhyw goll ynddynt, a chydymdeimlo â'u coll yr ydys, a rhyfeddu bod beirdd (a darllenwyr) duwiol a roddai'r fath bwys ar awdurdod y Gair yn eu bywydau yn gallu goddef cam-drin y Gair i'r fath raddau mewn prydyddiaeth.

[86]Ibid., t. 56.
[87]Ibid., t. 91.
[88]Ibid., t. 92.

iv. Cerddi'r gofynnydd a'r gwyddonydd

Ac ystyried afrealrwydd cynnwys ac artistri gwyrgam cynifer o weithiau beirdd beiblgar ei ddydd, nid yw'n rhyfedd o gwbl fod Lewis Edwards, mewn rhagymadrodd i ddarn o waith sydd 'yn dwyn rhyw gymaint o ddelw prydyddiaeth' a gyhoeddodd o dan yr enw *Cysgod a Sylwedd*, yn dweud na fynnai gael ei ystyried 'yn fardd o gwbl, gan fod bardd gwael yn un o'r bodau mwyaf diddefnydd yn y byd.'[89] Nid hwyrach i'r Doctor yntau feddwl bod acrobateg yr awen Ebenaidd a Golyddanaidd wedi gwneud syrcas allan o eiriau fel Duw, enaid, barn a thragwyddoldeb, ac am iddi eu darlunio mor ddiriaethol, ei bod wedi peri i rai darllenwyr synied amdanynt yn endidau materol yn hytrach nag ysbrydol.[90] Problem arwahanrwydd Duw a'i poenai ef fwyaf yn *Cysgod a Sylwedd*, y syniad fod y goruwchnaturiol yn hunanddigonol ac yn absennol oddi wrth ei greaduriaid. Er na chysyllta Edwards y ddeubeth, sef dull y beirdd o ddychmygu a'r broblem athrawiaethol hon, yr oeddynt ill dau yn cyfrannu at gyfyng-gyngor rhai o grefyddwyr meddylgar eraill y dydd ynghylch natur a moddion eu hadnabyddiaeth o Dduw. I Edwards, yn y Gair y mae Duw yn amlwg y 'tu yma i'r bedd':

> Mae ei air ef genyt yma,
> Ac yn hwn mae ef ei hun;
> Meddwl Duwdod yn sylweddol
> I gyflenwi meddwl dyn.

A thrwy'r Gair, gyda chymorth yr hwn y gwelir 'mawredd a sylweddolrwydd y byd ysbrydol,' y tybia Edwards y gellir cyrraedd un o bennaf amcanion ei gân, sef 'gwrthweithio tuedd anianyddol yr oes'.[91]

Daw'r sylw hwn â ni at ein pwnc nesaf – ystyried ymateb y beirdd i'r anianyddoldeb hwn, y pwys ar y materol, y ffydd yn y ffisegol. Gwnawn hynny trwy ddisgrifio a dadansoddi peth o'r farddoniaeth a luniodd beirdd y bedwaredd ganrif ar bymtheg yn benodol i gynnwys

[89] Lewis Edwards, *Cysgod a Sylwedd* (Wrecsam, d.d.), t. iii. Ceir y gân hefyd, yn ddiragymadrodd, yn idem., *Traethodau Duwinyddol* (Wrecsam, d.d.), tt. 489-504. Gw. Trebor Lloyd Evans, *Lewis Edwards: Ei Fywyd a'i Waith* (Abertawe, 1967), t. 190.

[90] Coulson, *Religion and Imagination*, t. 79.

[91] *Cysgod a Sylwedd*, tt. 13, iii.

a hefyd i wrthweïthio damcaniaethau gwyddonwyr a rhesymolwyr yr oes. Heb os, lluniasant beth barddoniaeth ac ynddi ymateb greddfol i'r syniadau newydd a gawodai arnynt. Lluniasant hefyd ddarnau o farddoniaeth fel atebion uniongyrchol a chwbl ymwybodol i'r cwestiynau a wynebent.

Y gŵr a ymdrechodd galetaf i lunio cerdd i *gynnwys* syniadau'r 'ymosodwyr' oedd un o'r rhai a fu'n gwerthu lledod i Eben Fardd yn 1850 a'r un y buom uchod yn trafod ei "Iob," y rhyfeddol Barchedig William Rees, Gwilym Hiraethog, yr hwn yn 1861 a gyhoeddodd gyfrol gyntaf *Emmanuel: neu, Ganolbwngc Gweithredoedd a Llywodraeth Duw*, pryddest hirfaith, a ddisgrifiodd ef ei hun fel cân 'amgylchog' i 'ddatguddio a thystiolaethu am dano Ef'.[92] Yn ei ragymadrodd i'r ail gyfrol, a ymddangosodd yn 1867 ac a oedd yn hirfeithach fyth, dywed y bardd y 'cymmerasai gyfrol arall i weithio y cynllun allan yn llawn, yn ol y rhagluniad o hono.' Yr amcan oedd

> dwyn Dafydd ac Esaiah, a rhai eraill o brophwydi yr Hen Destament, ac un o'r Efengylwyr, a Phaul ac Ioan o'r Testament Newydd, i mewn, i adrodd bob un ei stori ei hun am EMMANUEL a'i deyrnas ar y ddaear wrth breswylwyr rhai o'r nefolion leoedd;

ond 'wrth weled y gwaith yn chwyddo cymmaint' rhoddwyd y bwriad hwnnw heibio,

> a gadael i Moses roddi crynodeb, yn ei adroddiad ef, o'r hyn a draethodd prophwydi, efengylwyr, a'r efengylwyr ar ei ol ef.[93]

Y gwir plaen yw nad ychwanega'r ail gyfrol lawer at gyflawnder y gwaith. Y mae'n enbyd gymysglyd o 'weledigaethol'. Duw a ŵyr sut un fyddai'r drydedd gyfrol. Gyda golwg ar ein hastudiaeth arbennig ni, teg dweud mai yn y gyfrol gyntaf y gorwedd ein holl ddeunydd.

Os awn heibio i'r darnau ymhonnus yn ei ragymadrodd lle y mae Gwilym Hiraethog yn cyfaddef ei fod yn crwydro weithiau oddi wrth ei brif bwnc (fel Milton yn *Paradise Lost*, meddai, er bod yr holl rannau 'yn angenrheidiol i'w ddiben'), a heibio hefyd i'r lle y

[92] Gwilym Hiraethog, *Emmanuel: neu, Ganolbwngc Gweithredoedd a Llywodraeth Duw I* (Dinbych, 1861), t. viii.

[93] Idem., *Emmanuel: neu, Ganolbwngc Gweithredoedd a Llywodraeth Duw II* (Dinbych, 1867), tt. [iii], iv.

cyffelyba'i ailadroddiadau i ailadroddiadau *Iliad* Homer, fe ddown i'r fan lle noda'r pethau newydd – neu honedig newydd – a geir yn ei *Emmanuel*. Tri ohonynt: disgrifiad o 'annuwiaeth yn . . . Ffraingc' yn nawdegau'r ddeunawfed ganrif; gwneuthur 'datguddiedigaethau' daeareg, 'y wyddor ardderchog hon[,] yn destun Arwrgerdd'; a gosod Satan 'cyn ei gwymp yn etholedig raglaw ar y ddaear hon'.[94] Ar ôl llunio'r gerdd, ebr ef, y clywodd fod Kurtz, 'duwinydd . . . yn Germany', wedi dadlau tros 'y tebygolrwydd mai Satan a'i angylion oedd cynfrodorion y ddaear' – ond y mae'n ddigon hapus i gyhoeddi ei fod yn rhannu syniad yr Almaenwr. Wele, wrth restru'r tri phwnc hwn, y mae Gwilym Hiraethog yn cyhoeddi ei gydnabyddiaeth â rhesymoliaeth ddiweddar dra phwysig y cyfandir, â datblygiad diweddar ym myd gwyddoniaeth, ac â meddwl un o ysgolheigion y wlad a roes i Ewrop uwchfeirniadaeth.[95] Nid erys hyd yn oed i ystyried pa beth a ddywedai'r rhesymolwyr na'r daearegwyr am ddamcaniaeth Kurtz. Dyna'r trueni. Wrth ysgrifennu barddoniaeth, y mae'r gŵr hwn na ellir llai na'i fawr edmygu am ei lafur arwrol ym meysydd gwleidyddiaeth, newyddiaduraeth, llenyddiaeth a chrefydd, yn arddangos sentimentalrwydd meddwl y byddai'n ymgroesi rhagddo wrth ysgrifennu yn *Yr Amserau* neu wrth gydymddiddan â Mazzini.

Perthyn i *Emmanuel*, yn ogystal â sentimentalrwydd meddwl, flerwch meddwl.[96] Hyd yn oed yn Llyfr I, y taclusaf o'r ddau, y mae gan yr adroddwr fwy nag un *persona*. Y mae'n agor yn 'ef ei hun' – o leiaf, yn ŵr o'r bedwaredd ganrif ar bymtheg a wêl ganrifoedd hanes yn rhes. Ond unwaith y mae'n rhaid iddo fynd ymhellach yn ôl, y mae'n rhoi'r awenau i 'Dewi', nid nawddsant Cymru (fel yr awgryma'r enw) ond 'Diwinydd' cynrychioliadol. Yna, pan fyn y bardd drafod cynoesau cynddiwinyddol, ildia 'Diwinydd' yntau ei le, i 'Drychiolaeth' y tro hwn. Ond Dewi, eto, biau disgrifio'r Creu. Gwaetha'r modd, nid dyna ben draw'r blerwch. Y mae yn y gerdd sôn

[94]*Emmanuel I*, tt. viii, ix, xi.

[95]Athro Diwinyddiaeth ym Mhrifysgol Dorpat oedd Johann Heinrich Kurtz. Yn ei gyfrolau *Geschichte des Alten Bundes (bis zum Tode Mosis)*, 1848-55, y ceir y syniad am Satan yn llywodraethu'r ddaear; cyfieithwyd hwy i'r Saesneg gan Alfred Edersheim, *History of the Old Covenant* (Edinburgh, 1860), tair cyfrol.

[96]Y mae hyd yn oed Pennar Davies, a alwodd y gerdd yn 'orchestwaith', yn cydnabod bod ei chynllunwaith yn 'fympwyol', "Gwilym Hiraethog: y Bardd," *Y Cofiadur*, 52, t. 3.

am Gread cyn y Creu, a phethau'n dystiolaeth o'i odidowgrwydd cyn i ni gael disgrifiad o'i wneuthuriad. Y mae'n anodd peidio â bod yn nawddoglyd, ond fe'm temtir i ddweud mai canlyniad ymdrech Gwilym Hiraethog i fodloni sawl math o wirionedd, diwinyddol, hanesyddol, a gwyddonol, yw'r anhrefn a elwir *Emmanuel*, anhrefn nas lleddfir gan honiad yr awdur fod ynddi, eto fel yn Homer, amrywiaeth arddull, y '*tragic*' a'r '*comic*'.[97] Dichon y gellid dweud yn gwbl gyfiawn na fedd Gwilym Hiraethog hyder gwir fardd. Gellir dweud yn bendifaddau nad yw'n meddu ar hyder bardd dilyffethair. A'i lyffetheiriau yw poenau meddwl beiblgarwyr ei oes.

Gyda golwg ar y tri newyddbeth yr honnodd Gwilym Hiraethog iddo roi lle pwysig iddynt yn ei gerdd, trafodaf ddaearfeddiannaeth Satan yn gyntaf, yna annuwiaeth y Rhesymolwyr, ac yn olaf ddaeareg.

(*i*) *Daearfeddiannaeth Satan*

Dyfais yw'r syniad hwn i geisio esbonio i anffyddwyr y dydd sut y daeth pechod i'r byd. Yn *Emmanuel*, tua thraean y ffordd drwy Ganiad III yn Llyfr I, caniad a elwir "Y Cread: Cyntefigrwydd y Ddaear, Etc.," y mae Drychiolaeth yn datgelu i Diwinydd y modd y crewyd yr angylion, 1,000,000,000,000 ohonynt am bob tywodyn (er nad oedd tywod eto!), y modd y rhoddwyd iddynt 'ysbrydol gyrph' a doniau na ellir eu disgrifio oddi eithr yn gymharol:

Nid oedd
Eich Newton, Bacon, Milton, chwi, yn wir,
Ond fel babanod bychain a dirym
I'w cyffelybu â'r angel isa'i radd.[98]

Ar ôl eu creu hwy y crewyd 'y bydoedd mawrion'. Yna, ar ôl i Dduw osod mesur rhyngddynt, 'ser y boreu gydganasant oll,' chwedl y bardd, gan aralleirio Job 38:7. Yn nesaf, trefnwyd bod y prif angylion (canys yn eu graddau y crewyd hwynt) yn cael eu gosod yn rhaglawiaid ar wahanol rannau o'r deyrnas fawr. Yn y drefn honno y rhoddwyd y ddaear i Satan, yr hwn y pryd hwnnw a adwaenid wrth yr enw Goleugan. Disgrifir ef a'i lu yn dyfod i'r ddaear fel pe baent wedi

[97]*Emmanuel I*, t. ix.
[98]Ibid., tt. 85-6.

ffawdheglu trwy'r gofod a chael lifft mewn soser hedegog. Ar ôl cyrraedd, buan y myfyria Goleugan ar ei ffawd ddrwg yn cael planed mor fechan i arglwyddiaethu arni: nid yw ond 'arglwydd ar y globyn hwn!'[99] Yn y man, penderfyna wrthryfela'n erbyn Duw. Dyna pryd y crewyd uffern, sydd ar un waith yn lle penodol ac yn gyflwr, oherwydd y mae pob angel gwrthryfelgar 'yn cludo'i Uffern ynddo'i hun.'[100] Yn y gwrthryfel, try Satan i ymosod ar yr haul, ond y mae Duw trwy ollwng taranau a mellt ohono yn hyrddio'r fyddin ddieflig yn ôl. O ganlyniad i'r hyrddio twymias hwn, llosgir y ddaear oll.

Cofier mai Drychiolaeth a ddatgelodd hyn i Diwinydd. Rhaid iddo yntau'n awr geisio'i ddeall yn ei dermau'i hun. Yn y Beibl y caiff afael ar y termau hynny. Y cyfan a geir yno yw'r adnod hon yn y Datguddiad, 12:9: 'A bwriwyd allan y ddraig fawr, yr hen sarff, yr hon a elwir Diafol a Satan, yr hwn sydd yn twyllo yr holl fyd: efe a fwriwyd allan i'r ddaear, a'i angylion a fwriwyd allan gydag ef.' Gan gyfeirio at y gair hwn ac at syniadau Drychiolaeth, y mae'n anodd gan Diwinydd ddweud rhagor na hyn:

> Os barna rhai fod i'r syniadau sail
> Oddiwrth y rhanau hyny o'r dwyfol air
> A nodai y Ddrychiolaeth [am hir gwymp] . . .
> Y diafol a'i angylion, nid wyf i
> Yn gallu gweld y gwnai hyny ddrwg
> I feddwl nac i fuchedd neb ychwaith.[101]

Pilsen fach ar ôl y fath ddiagnosis mawr!

Caiff y Diafol lonydd yng Nghaniad IV. Caniad y Creu-o'r-newydd (sydd yn gwbl anysgrythurol, wrth gwrs) yw hwnnw. Yng Nghaniad V dywedir yn gyntaf fod Satan a'i lu yn 'Rhwymedig oll mewn cadwyn fawr yn dyn /Wrth ganol bwngc y ddaear' tra crëid y ddaear. Ond yna dywedir eu bod, y pedwerydd dydd, yn gwylied o orsafoedd y ddaear, Satan o ben Ararat a Dagon ar y môr.[102] Yng Nghaniad VI, er nad ydyw'n weladwy, y mae Satan eto'n bresennol yn yr ysbryd, o ran bod Diwinydd yn holi pa fodd y gallodd angel 'oedd yn sanctaidd ac

[99]Ibid., t. 95.
[100]Ibid., t. 103.
[101]Ibid., t. 113.
[102]Ibid., tt. 141, 148.

yn dda' syrthio. Rhydd Drychiolaeth ddau ateb nodweddiadol anfoddhaol: yn gyntaf, dywed fod 'dyfnder y dirgelwch yn rhy fawr' i Diwinydd hyd yn oed ei 'blymio'; yn ail, dywed mai Satan ei hun sy'n plannu cwestiynau fel hyn ym meddwl dyn, er mwyn ei droi'n 'anffyddiwr hyf, a gwadu'r Beibl'.[103] Yng Nghaniad VII, a elwir "Yr Ardd," Satan wrth gwrs yw'r sarff. Er, sarff go ryfedd yw, sarff a 'estynai'i phalf [i] fyny tua'r pren,'

> Can's yn ei chyflwr cyntaf hwnw, 'r oedd
> Yn meddu palfau o'r cyffelyb fedd
> Yr Epa,

os gwelwch yn dda![104]

Unwaith yn rhagor, yr hyn sydd gennym yn y fan hon yw bardd yn ystumio'r Ysgrythur, yn estyn, hyd at dorri'r elastig, fodfeddyn o awgrymiad digon amwys a geir ynddo, a rhywbeth nas ceir ynddo, er mwyn darlunio gwrthrych haniaethol – sef y Diafol – y byddai'n rheitiach ei adael yn ei haniaeth. At hyn, yng Ngardd Eden, wrth fethu â bodloni ar y disgrifiad symbolaidd o'r sarff yn Llyfr Genesis, y mae'r bardd, drwy ychwanegu ato elfen ffug-Ddarwinaidd, yn ei ddifetha'n lân, gan golli'r ergyd farddonol-ddiwinyddol heb ennill dim ond gwawd gwyddonol. Yr un bardd, ie, y bardd hwn na all adael i sarff yr Ysgrythur fod yn sarff, ac felly'n ddiafol, sydd mor llawdrwm ei lach ar yr uwchfeirniaid hynny a fyn nad Gair Sanctaidd yw'r Beibl ond casgliad o lyfrau dynion da a roddwyd ynghyd yn fympwyol.[105] Camddefnyddio iaith y byddem pe galwem Hiraethog yn rhagrithiwr yn hyn o waith, ond yr oedd ei olwg ef ar y Beibl ymhell o fod yn olwg ddifrycheulyd, ymhell bell o fod yn olwg ffydd. A'r pwynt yw hwn. – Prin y byddai'r defnydd barddonol o'r syniad Kurtzaidd hwn am y Diafol fel cyn-drigiannydd y ddaear yn argyhoeddi neb o'r newydd o 'wirionedd' y pechod gwreiddiol.

(*ii*) *Annuwiaeth y Rhesymolwyr*

Er nad oes dim cyfiawnhad barddonol neu ddychmygol dros ei drafod, rhoddir Caniad cyfan o *Emmanuel* i drafod y pwnc hwn, sef

[103]Ibid., t. 171.
[104]Ibid., t. 205.
[105]Ibid., t. 176.

Caniad II, "Y Frwydr Fawr:- Annuwiaeth, Etc." Yr unig reswm dros ei gynnwys yw bod Gwilym Hiraethog yn dymuno rhoi'r Rhesymolwyr yn eu lle. Ac y mae'r lle a rydd iddynt y peth tebycaf i'r senedd-dai neu'r dadleufeydd a roesai Milton ac Ellis Wynne yn ystafelloedd ymrysona i ddiawliaid y Fall yn eu llyfrau hwy.[106] Er nas enwir, yn senedd-dŷ Ffrainc yn y blynyddoedd yn union ar ôl Chwyldro 1789 yr ydym, lle y penderfyna 'un genedl fawr' a'i gwêl ei hun fel y 'wlad oleuedicaf dan yr haul . . . / Ddileu y Duwdod' trwy ddeddf. Plant Voltaire yw aelodau'r genedl honno, Voltaire, 'D'Alembert, Diderot, a Rousseau'.[107] Y mae pob Dirprwy Seneddol yn codi i siarad yn ei dro, eto fel y cyfyd dilynwyr Satan yn eu tro yn *Paradise Lost* a "Gweledigaeth Uffern," ond y mae'r Ffrancod yn mynd trwy eu busnes yn gyflymach na'r diawliaid yn y llyfrau hynny. Tri Dirprwy sy'n llefaru, y cyntaf i honni eu bod yn trafod

> Pwngc na bu dynion, na chythreuliaid chwaith,
> Erioed o'r blaen yn sefyll uwch ei ben

– sef 'Pa un oedd Duw yn bod ai nad oedd.' O ddileu Duw, byddai'r byd, meddai, yn wirioneddol rydd. Yn rhydd hefyd oddi wrth 'arswyd angeu', oblegid trafod y maent ddeddf nid yn unig 'ER DARBODI DIHANFODIAD DUW' ond hefyd ddeddf i nodi 'nad oes dim tu draw' i farwolaeth, dim byd 'ond bythol, bythol dranc . . . /Ac ni ofala neb amdano mwy.'[108] Unig gynnig ychwanegol yr ail Ddirprwy yw y dylid 'llwyr ddileu /Y seithfed dydd' a gosod un diwrnod o bob deg

> Yn ddydd o loddest, yfed, chwareu, neu
> Rodianna ac ymbleseru.

Â'r trydydd Dirprwy gam ymhellach. Myn ef fod 'dydd i gladdu coffadwriaeth Duw' yn cael ei nodi a'i gyhoeddi drwy'r wlad; ac, at hynny, y dylid dwyfoli rheswm, ei fenyweiddio, 'ei gyfenwi'n dduwies', a pheri gwisgo'r 'butain decaf' yn y wlad i'w chorffori, –

---

[106]Ceir erthygl yn olrhain hanes y ddadleufa neu'r cynghordy epigol gan Olin H. Moore, "The Infernal Council," *Modern Philology*, XVI. 4, tt. 169-93.

[107]*Emmanuel I*, tt. 37-8, 47. Y llinell sy'n enwi'r tri athronydd hyn yw'r llinell berseiniaf yn *Emmanuel* i gyd.

[108]Ibid., tt. 41, 43, 44.

Yr hon o gariad sy'n aberthu'i hun
I ddefnyddioldeb cyffredinol chwant
Naturiol dyn.[109]

I'r theatr gyfan gwbl ddynol ac anianyddol hon y mae Gwilym Hiraethog yn awr yn cyflwyno '[d]ieithriol lais'. Pan gynigir bod y mesurau uchod yn cael eu darllen am y trydydd tro i'w pasio'n ddeddf, cyfyd hwn, na ŵyr neb er holi pwy ydyw, ei lef, a chymharu eu hamcan i 'ddallhuanod nos' yn penderfynu 'dileu yr haul':

Pa faint mwy . . . eich amcanion chwi,
A fynech lunio cyfraith i ddileu
Yr Hwn a wnaeth yr haul!

Ar y pryd ni chaiff ddim effaith ar aelodau'r ymrysonfa. Pleidleisiant o blaid y mesurau a gweiddi '"Nyni a ddileasom Dduw."'[110] Yn y man datgela'r bardd mai Duw Ei Hun biau'r llais dieithr. Noson y gyfeddach a geir i ddathlu pasio'r ddeddf newydd, y mae pob Dirprwy yn ei glywed eto, yn ei wely. Ac fe glywn ni'r darllenwyr fod Duw yn addo dial – dial a ddisgrifir mewn cymhariaeth estynedig nid anHomeraidd ei hyd ond anHomeraidd hollol ei hanghymhwyster, dial sydd wrth fodd yr angylion.

Erbyn hyn, wrth gwrs, yr ydym wedi hen ymadael â senedd-dŷ Ffrainc, ac wedi esgyn i'r fangre ddymuniadol honno y cyrcha'r crefyddol iddi pan beidia â dadlau a phan fyn ddatgan y datganiadau oesol felys hynny sydd iddo ef yn rymusach na rheswm. Oddi yno, llunia Gwilym Hiraethog olygfa seneddol arall, a pheri i Ddirprwyaid y senedd-dŷ arall hwn benodi 'DYDD GŴYL Y BOD GORUCHAF' a maentumio bod

Yn rhaid wrth syniad am Oruchaf Fod
Ym mynwes meibion dynion cyn y gall
Gwladwriaeth na llywodraeth o un math
I sefyll ar ei thraed.[111]

Go brin – eto – fod y bardd wedi ateb y cwestiynau a gododd y Rhesymolwyr.

---

[109]Ibid., tt. 47-8, 49.
[110]Ibid., tt. 50, 52, 54.
[111]Ibid., t. 63.

(iii) Daeareg

Yn y blynyddoedd rhwng 1820 a 1840, ar ôl i William Buckland, Athro Daeareg ym Mhrifysgol Rhydychen, draddodi ei ddarlith agoriadol, ac ar ôl i Charles Lyell, Athro Daeareg yng Ngholeg y Brenin, Llundain, gyhoeddi ei *Principles of Geology*, y daliodd y pwnc hwn ddychymyg y cyhoedd, yn bennaf am iddo affeithio syniadau pobl am amser ffurfiad y byd ac oedran y greadigaeth. Er bod gwrthdrawiad ffeithiol a sylfaenol rhwng y dyddiad a roddir ar ymyl y ddalen yn y Beibl printiedig gyferbyn ag adnodau cyntaf Llyfr Genesis, sef 4004 C.C., a datganiad y daearegwyr fod y ddaear yn filiynau o flynyddoedd oed, ni pharodd hynny i lawer o gredinwyr grynu, am y rheswm syml fod darganfyddiadau'r 'wyddor ardderchog hon', chwedl Gwilym Hiraethog, yn cael eu hystyried fel profion o bwrpas a rhagluniaeth Creawdwr Hollalluog.[112] Megis i osgoi'r gwrthdrawiad, cytunodd gwŷr o synnwyr (os caf eu disgrifio felly) i anwybyddu amser Genesis, a chan ddilyn Buckland cytunasant i ddehongli chwe diwrnod y Creu fel cyfnodau o amser amhenodedig – nid heb ddadl, y mae'n wir, ac nid heb bendroni, ond erbyn pumdegau'r bedwaredd ganrif ar bymtheg 'they were saying,' ebe Owen Chadwick, 'that for many years no man of sense had believed in a creation of the world during six days of twenty-four hours.'[113] Y mae Gwilym Hiraethog yntau yn cymryd ei le yn rhengoedd y gwŷr hyn, ond, fel y cawn weld eto, nid mor unffurf gyfforddus â milwr mewn gorymdaith.

Yn rhagymadrodd *Emmanuel* dywed iddo dderbyn awgrym H. Miller, yr hwn yn ei lyfr poblogaidd *The Testimony of Rocks* a ddywedodd fod chwe diwrnod y Creu 'yn cynnwys chwech o gyfnodau o orfeithion oesau bob un.' Y mae'n fwy na thebyg taw cyfaill i Gwilym Hiraethog a chydweinidog ag ef yn Lerpwl, a gyflwynodd y syniad hwn iddo, sef yr H[enry] Griffiths a luniodd 'Introduction' Saesneg i *Emmanuel*, 'y Professor Griffiths o'r dref hon' a oedd, meddir, yn 'enwog fel Daearegwr.'[114] Gynt, buasai Griffiths yn 'athraw duwinyddol Coleg yr Annibynwyr yn Aberhonddu'. Yn ôl Vyrnwy Morgan yr oedd yn ŵr a astudiodd 'fwy

[112]Owen Chadwick, *The Victorian Church I*, y trydydd arg. (Llundain, 1971), t. 559.
[113]Ibid, t. 563.
[114]*Emmanuel I*, t. x.

neu lai . . . bob cangen o athroniaeth naturiol a moesol'. Er ei fod 'yn *ymddangosiadol* yn ddigon oer i rewi rhew yn saith oerach, eto . . . medr danio pobl eraill, a'u hysbrydoli.' –

> Daeth y Proffeswr a Hiraethog yn gyfeillion mynwesol. Mae y Proffeswr yn ddaearegwr mawr; a thrwy ei wybodaeth eang o'r wyddoneg hono, yn gystal ag o seryddiaeth, cynhyrfai Hiraethog, ben a chalon, â'r ffeithiau hynod a goffäi, y rhai . . . a ddefnyddid gan y bardd a'r pregethwr mewn cysylltiadau ac i ddybenion na ddaethant i galon y Proffeswr o gwbl, . . .[115]

Yng Nghaniad III *Emmanuel*, Caniad o'r enw "Y Cyfnodau," y gwelir ffrwyth a chanlyniad y cyfeillgarwch hwn. Ond y mae cryn dipyn o'i gynhaeaf yn y Caniad blaenorol yn ogystal, lle disgrifir Dewi'r Diwinydd yn cymryd i'w ddwylo

> gyfrol newydd hardd
> A gawsai i'w feddiant un o'r dyddiau o'r blaen,
> "Tystiolaeth y Creigiau," oedd ei theitl hi.

Symbol o ddaeareg yw'r llyfr hwn, wrth gwrs. Megis y benyweiddiodd y bardd Reswm yn Ffrainc y Chwyldro yng Nghaniad II a'i phersonoli'n butain, yma yng Nghaniad III y mae'n personoli daeareg hithau, yn ei henwi'n "Ferch y Graig" ac yn ei galw'n 'ieuangaf forwyn dysg'.[116] (Ni raid, gobeithio, bwysleisio'r gwrthgyferbyniad rhwng y butain a'r forwyn, na thynnu sylw at arwyddocâd amlwg hynny.) Wrth ofyn i Ferch y Graig ddatgan ynghylch ei 'dysgeidiaeth newydd', ebe Dewi:

> Gobeithiaf hyn, mai nid gwirionedd yw
> Y gŵyn a ddygir yn dy erbyn di,
> Dy fod yn cablu Moses, ac yn dweyd
> Yn hollol groes i'w dystiolaethau ef
> Y'nghylch yr amser creodd Duw y byd.

Myn y bardd fod Merch y Graig, wrth ateb, fel fflyrt ddeallus, yn ddoniol iawn weithiau, yn llythrennol yn cymell 'Ha! Ha!' fawr o

[115] Vyrnwy Morgan, *Kilsby Jones* (Wrecsam, d.d.), tt. 235-6. Thomas Rees, *History of Protestant Nonconformity in Wales*, ail arg. (Llundain, 1883), t. 500.
[116] *Emmanuel I,* t. 72.

enau Dewi (un o'i jôcs yw bod pawb newydd ei ddysg yn cael ei gyhuddo o gablu Moses, gan gynnwys Copernicus, Galileo, a Stephenson: yn wir, meddai, tybia rhai mai'r agerbeiriant yw'r 'gwaetha' o hereticiaid oesau'r byd!'). Ond fel rheol y mae hi'n ddifrifol iawn wrth ateb Dewi. Deil nad yw ei dysgeidiaeth hi'n wrthwyneb i ddysgeidiaeth Moses, yn un peth am na rydd Moses ddyddiad i ddechreuad y byd o gwbl, yn ail am nad 'i egluro deddfau'r byd i ddyn' y rhoddwyd yr Ysgrythur Lân iddo ond yn hytrach i egluro 'ewyllys Duw'.[117] Ymhen y rhawg y mae'n gweld perygl yr ail ddadl hon, ac yn haeru taw yr un Duw a greodd y ddaear ac a lefarodd wrth Moses (awdur Llyfr Genesis i bobl Oes Victoria):

> Yr un . . . yw awdur cyfrol fawr
> Naturiaeth a'r Ysgrythur; felly maent
> Yn perffaith gwbl gyd-dystio y naill â'r llall.
> Y sef mor belled ag y mae y naill
> A'r llall o honynt yn cyfranu dysg
> Am yr un gwrthddrych.

Megis i glensio'i dadl, a chan gyfeirio at Ecsodus 17:6 lle dyfyd yr Arglwydd wrth ei was am daro'r graig yn Horeb â'i ffon, ebe Merch y Graig wedyn:

> 'Roedd Mam a Moses yn gyfeillion gynt, . . .
> Agorai'i mynwes ar ei amnaid ef,
> Gan dywallt allan ffrwd o olew ddwfr,
> I ddisychedu Israel ar eu taith.

Mwy, – ac ni ddaeth Genesis a *geology* erioed yn nes mewn unrhyw iaith, –

> Mae Mam a Moses yn gyfeillion byth.[118]

Yng Nghaniad IV y mae daeareg yn dal mai byd 'ffeithiau' yw ei byd hi: 'dan fy nhraed,' ebe hi, 'y mae [c]adarn, ansigledig graig.' Ond prin y gellid dweud hynny am Hiraethog, er taered ei ymdrech i

---

[117]Ibid., tt. 73, 75, 76-7.

[118]Ibid., tt. 78-9. Chapman, op. cit., t. 315, sy'n sôn am 'unedifying attempts to reconcile *Genesis* with Lyell's *Principles*'. Prin y ceid ymhlith yr ymdrechion hynny i gyd linell fwy cymodol na llinell fwy anfuddiol na hon!

gynnwys gwirioneddau neu yn hytrach damcaniaethau'r wyddor. Gwirioneddau, damcaniaethau. *Ef* sy'n cymysgu rhyngddynt; ef, yn ei awydd anferth i gysoni Llyfr y Bywyd a'i llyfrau hi, yn methu â chael iawn drefn ar ei feddwl cyffrous, yn trafod angylion yn yr un gwynt ag y trafoda'r tân y tybir iddo ddifa'r byd 'cyntaf' ar ôl gwrthryfel Satan. Y mae Merch y Graig yn tystio i'r tân; ond er na ddywed ddim oll am Satan, deil y dichon i 'fodau . . . anorganaidd syml' fel angylion drigo yn y tân heb ddifa.[119] Rhyfedd na welsai Hiraethog fod ei ryfyg yn trafod y pynciau hyn mor ddinistriol. Wrth gymharu *Golwg ar Deyrnas Crist* Williams Pantycelyn gydag *Emmanuel*, da y dywedodd R. M. Jones fod y naill yn 'ceisio mynegi gwirioneddau datguddiedig a chadarn ac yn treiddio i'r bygythion arferol a chyfarwydd ym mhob oes;' eithr bod y llall yn 'traethu ar sail tybiaethau rhesymegol a gwyddonol ei amser ei hun'.[120] Gwaeth hyd yn oed na hynny – achos, wedi'r cyfan, y mae hynny'n ddealladwy: yr ydym oll, i ryw raddau, yn cael ein cyflyru gan ddaliadau diweddaraf y dwthwn yr ydym yn trigo ynddo, – gwaeth hyd yn oed na hynny yw (*a*) lletchwithdod deallusol Gwilym Hiraethog wrth iddo fethu â thrin tybiaethau'i oes, a (*b*) ei dwyll deallusol wrth iddo ystumio tybiaethau gwyddonol ei oes.

Gwelsom beth o ffrwyth y lletchwithdod deallusol hwn yn yr ymdriniaeth â pherthynas Merch y Graig a Moses. Fe'i gwelir hefyd yn yr ymdriniaeth â'r Creu. Gan ddilyn Buckland a'i ddisgyblion, fel yr awgrymais gynnau noda Gwilym Hiraethog yntau mai cyfnodau yw'r dyddiau a geir yn Llyfr Genesis, rhyw 'ddirif oesau'.[121] Merch y Graig biau disgrifio'r Creu; ac fel y disgwylid gan wyddor a'i cyfyngodd ei hun i gramen y ddaear y mae'r disgrifiad yn ddaearol-leol, – ychydig yn fwy lleol na disgrifiad awdur Llyfr Genesis ei hun, a dweud y gwir, achos y mae ef hefyd yn sôn am y sêr. Yn *Emmanuel*, cofier, *ail* greadigaeth y ddaear a ddisgrifir gan Ferch y Graig, yr adgreadigaeth yr oedd yn rhaid wrthi yn ôl plot Gwilym Hiraethog, ar ôl gwrthryfel Satan. Gan na sonia am ail-greu'r sêr a'r planedau eraill, efallai bod popeth 'fry' yn gyflawn fel cynt iddo, ac yn eu lle. Am iddo yn ail hanner Caniad III lunio'r stori honno am ddaear-

[119]*Emmanuel I*, t. 115.

[120]R. M. Jones, *Llên Cymru a Chrefydd* (Abertawe, 1977), tt. 446-7.

[121]*Emmanuel I*, t. 119.

feddiannaeth Satan, buan y gwêl y bardd nad yw trefn y Creu fel y mae ef yn ei disgrifio ddim yn unol â threfn yr Ysgrythur. Cofir i Drychiolaeth ddweud mai fflamau o'r haul a hyrddiodd luoedd Goleugan neu Satan i'w lle. Yn *Emmanuel* ni ddifethwyd yr haul hwnnw. Gan hynny, y mae yno o hyd pan grëir y ddaear o'r newydd. Yn Genesis, dywedir yn blaen mai ar y pedwerydd dydd y creodd Duw yr haul a'r lloer, 'y goleuad mwyaf i lywodraethu y dydd, a'r goleuad lleiaf i lywodraethu y nos' (1:16). Ond y mae'r bardd yn gwneud stomp ohoni, ac yn gwneud rhagorach stomp wrth geisio dod allan o'r stomp gyntaf honno. ' 'rioed,' meddai, gan alw'r lloer yn gariadferch yr haul,

ni welsai'r haul
Mo wyneb ei gariadferch dlos cyn hyn
Oddi eithr mai gwirionedd glywaist ti
Gan y Ddrychiolaeth hono. Ond os gwir
A dystiai hi, ni welsai'r huan teg
Mo wedd y ddaear, ac ni welsai hi
Ei wyneb yntau er's oesau fyrdd, . . .[122]

Wrth geisio rhoi awdurdod i ddaeareg ym mherson Merch y Graig, ac wrth gyfyngu'i hawdurdod i'r ddaear mewn ffordd nas cyfyngwyd Drychiolaeth, sef ei ddychymyg dilyffethair ef ei hun, wele, darfu i Gwilym Hiraethog, ag un ergyd, beri i'r wyddor ymddangos yn ansicr o anwybodus, a pheri i'w adroddiad ef ei hun am y Creu (a roddwyd yng ngenau daeareg) anghytuno ag adroddiad y Beibl. Gyda'r un ergyd honno hefyd fe'i saethodd ei hunan yn ei droed. Tra, tra lletchwith.

Fel yr awgrymais, y mae Hiraethog hefyd yn ystumio hynny o wybodaeth wyddonol sydd ganddo, ac yn gwneud hynny fel petai'n dymuno rhoi mwy o ddysg gerbron ei ddarllenwyr. Ond tywyllu cyngor y mae, a'i dywyllu'n fagdduaidd iawn. Fel pe na bai'n ddigon ceisio cysoni dyddiau Genesis gydag amserlen daeareg a dweud bod pob 'dydd' yn Genesis yn gyfnod maith, dywed yn ogystal fod pob cyfnod yn cynnwys 'adgyfnodau,' oll 'yn dwyn /Nodweddion gwahaniaethol'. Yn yr adgyfnod cyntaf, meddai, crewyd y creaduriaid 'o'r iselaf radd' na feddant ar ddim ond 'ychydig iawn [o] hanfodolion

[122]Ibid., t. 112.

bywyd'. Ar ddiwedd yr adgyfnod hwn, y mae ei 'filod' yn trengi. Daw adgyfnod newydd, â 'chreaduriaid newydd gydag ef, /Gwahanol agos oll i'r rhai o'r blaen', creaduriaid perffeithiach, harddach:

> Dringo hyd yn uwch,
> O radd i radd, 'roedd bywyd yn barhaus . . .
> Hyd nes o'r diwedd, allan daeth y dyn,
> Yn goron hardd ar holl weithredoedd Duw.[123]

Yma, y mae Gwilym Hiraethog, yr wyf yn tybied, yn gwneud defnydd o fersiwn syml o esblygiad heb ei iawn ddeall, defnydd gwael dwl ohono. Y mae ar yr un pryd, wrth gwrs, yn croes-ddweud yr hyn a ddyfyd Genesis am y rhywogaethau, sef i bopeth gael ei greu ar un waith. Nid yw'n iawn nac yn wyddonol nac yn ysgrythurol.

Er cryfed deall Gwilym Hiraethog mewn gweithiau eraill a gyfansoddodd, y mae'n gwestiwn gennyf i a sylweddolodd ddyfned ac affwysed ei annirnadaeth yn *Emmanuel*, achos cyn diwedd Caniad IV y mae'n rhybuddio Merch y Graig i wylied rhag cyfeiliorni 'a mynd ar ŵyr.' Ebr ef:

> Bob tro cymmeri'th forthwyl yn dy law,
> I guro wrth ddrws y Graig, a'i galw hi
> I'w holi am wybodaeth, gochel fod
> Yn ehud ac yn brysur i roi barn
> Ar yr attebion dybit fod yn gael; . . .

Dywed fod sawl 'gwyllt athronydd' wedi cyfeiliorni wrth feddwl bod 'llais natur' yn 'dattroi'r Ysgrythyr Lân'. Oni welodd am eiliad y gwyllt fardd cyfeiliornus ynddo ef ei hun? 'Cyd-dystia gwir athroniaeth' [sef gwyddoniaeth] ym 'mhob peth' â'r 'Dwyfol Air,' meddai wedyn.[124] Oni welodd na chyd-dystiodd ei farddoniaeth ef â gwir athroniaeth nac â'r Dwyfol Air?

Pe rhedem gystadleuaeth i farnu pwy a gyfrannodd fwyaf i fywyd a meddwl Cymru Oes Victoria, lled debyg y rhoddai'r rhan fwyaf o'r barnwyr enw Kilsby yn is o lawer nag enw Gwilym Hiraethog ar y rhestr. Gŵr enwog am ei hynodrwydd oedd ef, gŵr enwog am ei ffraethineb a'i ffasiynoldeb, gŵr idiosyncratig anuniongred. Ie, ond y

---

[123]Ibid., tt. 129, 133.
[124]Ibid., tt. 135-6.

mae'n haeddiannol enwog am olygu gweithiau Williams Pantycelyn, cofier, mewn cyfnod a uwchbrisiai feirdd nad oeddynt yn deilwng o gymysgu inc i'r Pêr Ganiedydd.[125] Er bod ganddo olwg fawr ar Gwilym Hiraethog fel pregethwr, fel traethodwr, ac fel bardd, yr oedd yr ecsentrig gan Kilsby wedi adnabod diffygion y prydydd gan Gwilym Hiraethog yn well o lawer nag ef ei hun ac yn well o lawer na neb arall o'i gyfoeswyr. Wrth ddatgan ei fod wedi dyrchafu'r awen 'i'w chylch priodol fel llawforwyn crefydd a moesoldeb', dywedodd hefyd, yn rhybuddiol, fod yn rhaid iddo gadw'i ddychymyg oddi wrth y 'gorchwyl o resymu': 'onide ni fuasai yn ddichonadwy gwybod i ba le y cawsai ei arwain ganddi', – sylw cyfaddas iawn i'r echryswaith a elwir *Emmanuel*. Do, gwelsai Kilsby'r perygl. Gan aralleirio'r rhybudd hwn, dywedodd yn yr un cywair y dylasai'r Proffeswr Griffiths fod yn 'bur wyliadwrus' rhag cynysgaeddu Gwilym Hiraethog 'âg unrhyw ffeithiau ag a allasai, trwy ryw anffawd, fel *dynamite*, i chwalu, yn ddarnau mân, a chwythu yn mhob cyfeiriad, y dysgybl a'r athraw.'[126] Amen, meddaf innau.

Tybiaf fod a wnelo gwendidau'r beirdd, eu hymdrechion cymysglyd i wneud defnydd barddonol o wybodaeth ddiweddaraf y dydd (ac o ffug-wybodaeth a hanner-gwybodaeth y dydd), yn ogystal â'u hanallu i fod yn ffyddlon i'r Ysgrythur, gryn lawer â methiant y Cymry yn gyffredinol i ddysgu am argyfwng yr Ysgrythur hwnnw yn ail hanner y bedwaredd ganrif ar bymtheg, a chryn lawer â'u methiant i ddygymod ag ef. A chryn lawer hefyd â'r dirywiad a brofodd crefydd yng Nghymru drwy'r ugeinfed ganrif unwaith y daeth grymoedd materol ac ysbrydol eraill – sosialaeth, agnosticiaeth, hamdden, a materoliaeth, – i ymosod o'r tu allan ar y pydredd a oedd eisoes wedi bwyta corff y ffydd o'r tu mewn.

Byddai'n wiw gennyf gael barn Ioan Pedr (John Peter) ar *Emmanuel* – cyfoeswr iau i Gwilym Hiraethog a oedd yntau yn weinidog, 'yn llenor cyffredinol diwyd' ys dywed R. T. Jenkins, ac a

[125] D. Llwyd Morgan, "Kilsby," *Y Casglwr*, 37 (1989), 7. Yr wyf yn eithriadol hoff o'i hiwmor. Dywedir yn *Kilsby Jones* Vyrnwy Morgan iddo un tro, ar ôl traddodi ei ddarlith enwog ar "Ddynion wedi codi o ddim," dderbyn cerdyn-post ac arno'r neges hon: 'Annwyl Syr, – Yr ydych chwi yn waeth na Darwin, cyfaddefa Darwin fod dyn wedi codi o *fwnci*, ond yr ydych chwi yn haeru fod dynion wedi codi o *ddim*.' Cerdyn-post ato fe'i hun, tybed?

[126] *Kilsby Jones*, tt. 238, 236.

oedd 'yn ddaearegwr da.' 'I would define geology,' ebr ef, 'as the history of the Creator's continual action on the materials of the earth' – datganiad plaen gan un yr oedd cysylltiad agos 'rhwng daeareg a'i gredo crefyddol', gan un (mi dybiaf) a fyddai'n ddilornus o waith ffansi Gwilym Hiraethog o safbwynt diwinyddol ac o safbwynt gwyddonol.[127] Ysgrifennodd ef awdl fer, "Anerch y Daiaregydd," sy'n canu clodydd y daearegwr, ond yn bwysicach na hynny sy'n canu clodydd ei wyddor fel un, yn ei farn ef, sy'n arddangos dibenion Duw:

Dirgelion daear galed – a'i chlodydd,
A chwili er dyfned
Manylaf myni weled
Daiarol waith Duw ar led. . . .

Pob milyn, gwybedyn bach,
Cu deyrn o ryw cadarnach;
Y parodfil bach prydferth,
Y bwystfil a'r cawrfil certh . . .

Gweli drwy bob rhigolyn,
Galch a glo o amgylch glyn; . . .
Gweli, darlleni'n llynyn,
Fwriad Duw ar gyfer dyn!

Pan sonia Ioan Pedr am ddychymyg, am ddychymyg y daearegwr ei hun y mae'n sôn, nid am 'Ddrychiolaeth' unrhyw fardd ehedog. Ac nid yw'n hawlio dim a all affeithio diwinyddiaeth neb:

O'i gell fach, ddaiargell fyg,
Yn chwim ehed dychymyg
Drwy niwliau'r cynoesau, nes
At enbydrwydd tanbeidwres.
Och! fôr o dân; Och! ferw dig
Ac eirias dawdd y cerig.

---

[127] *Bywgraffiadur*, t. 707. Rhianydd Morgan, "John Peter (Ioan Pedr) 1833-77, Ei Fywyd ac Agweddau ar ei Waith," Traethawd M.Phil. Prifysgol Cymru, 1989, t. 237: dyfynna o *The Geology of Wales* (Aberystwyth, 1874), t. 6.

Pwy na fai, os pen a fydd
Ddirwyg, yn ddaiaregydd.[128]

Gwanhau hyder y beirdd a wnaeth Gwyddoniaeth, wrth gwrs, peri iddynt amau popeth na ellid ei brofi. Y mae'r dihyder, druan, yn y man, yn hytrach na datgan y gwirioneddau a oedd neu sydd ganddo, yn tueddu i lefaru mewn cwestiynau, a'r gofynnod yw symbol ei stans. Gwelir hyn yn amlwg nid yn unig yng ngweithiau ffug-fyfyriol y Bardd Newydd a ddaeth bron i lwyr ddifetha barddoniaeth Gymraeg diwedd y bedwaredd ganrif ar bymtheg, ond hefyd yng ngwaith beirdd mwy darluniadol eu dychymyg. Yng nghanol nifer o gerddi Cymraeg Oes Victoria sydd ar y cyfan yn cymryd eu lle yn y traddodiad ysgrythurol, cerddi sydd naill ai'n ailadroddiadau o hanesion beiblaidd neu'n ymdriniaethau ag arwyddocâd hanesion beiblaidd, ceir darnau sydd yn trafod pwnc arbennig yn unig am fod Gwyddoniaeth megis yn mynnu'i drafod. Gwyrthiau, er enghraifft. Yn awdl episodig Islwyn, "Moses," yn gyntaf ceir aralleiriad o'r modd y troes ffon Aaron yn sarff a fwytaodd seirff-ffyn swynwyr Pharo (Ecsodus 7:10-12):

Ger bron y gormeswr balch, pan fwrid
Yr hoff wialen, hi'n sarff a welid!
Trwy'i balas ei hysplandra trybelid
Odliwiau erchyll a adlewyrchid;
A'r lleill, seirff uffern, o drech cadernid,
O ddiail wanc, oll ganddi a lyncid!
Oedd ddraig lawn o ddrygawl lid, – bygythiai,
Ei phen dyrchai, a'i chynffon a dorchid.

---

[128] *Y Beirniad: Cyhoeddiad trimisol yn egluro Gwyddoniaeth, Gwleidyddiaeth, Llenyddiaeth, a Chrefydd*, XVI (1875), tt. 237-8. Y mae'r awdl yn ddi-enw yno, ond tadoga Mrs Morgan, op. cit., t. 248, hi ar Ioan Pedr. 'Pwy na fai . . . yn ddaiaregwr' yn wir! Yn nofel Winnie Parry, *Sioned* (Caernarfon, d.d.), y mae'r adroddwraig yn dweud, tt. 111-12, fel y mae ewyrth iddi yn cael 'rhyw chwilan yn 'i ben': 'Mi oedd gino fo rhyw fwrthwl mawr, a mi fydda'n mynd ac yn codi cerrig o hyd y ffordd, ac yn torri darnau o'r hen graig sy tu nol i'r ty, ac yn 'i hollti nhw . . . Pen fynnis i i modryb be oedd arno fo, mi ddudodd rhywbeth yn Susnag, ond 'toeddwn i ddim yn gwybod beth oedd hi'n feddwl . . .'. Toc caiff Bob, brawd Sioned, yr un chwilen i'w ben, a bellach y mae yna 'docyn o gerrig yn 'i lofft o' hefyd. A phan fydd 'rhyw bregethwr go ddysgedig yn edrach yn dwad acw, mi fydd Bob yn mynd i nol yr hen gerrig i'r llofft, a dyna lle bydd y ddau wrth 'i penna nhw, a mi fydd y pregethwr yn edrach fel dasa fo wenwyn fod yr hen gerrig gin Bob.' Yr oedd hi'n amlwg bod daeareg wedi gafael mewn pobl yn y cyfnod hwnnw.

Yna, gan mor ymwybodol yw'r bardd o'r amheuaeth a daflai Gwyddoniaeth ar drawsffurfiadau o'r fath, y mae'n dwyn i'w waith beiblaidd sylwadau anfeiblaidd:

> Ni wyddom ni, braidd, ddim yn awr, – am rym
> Yr hen Gelf euogfawr,
> Ai rhyw rith lwydrith dan len
> Ai uthr elfen gythreulfawr;
> Digon in yw fod gan Ner
> Derfyn ar ei du arfer,
> Ac iddo'n awr ei goddef
> I'w amcanion union ef,
> I galedu gwael adyn,
> Is erch anghrediniaeth syn.[129]

Beth y mae'r darn hwn yn ei awgrymu yw bod dewindabaeth yn rym a oedd yn bod megis yn annibynnol ar Dduw, ond bod gan Dduw reolaeth arno i'w derfynu, a modd i'w ddefnyddio i'w amcanion arbennig Ei Hun pan fyn. Dyna ffordd ryfedd a throfaus iawn o edrych ar wyrthiau, sydd, wrth gwrs, yn llenwi'r Ysgrythurau fel digwyddiadau dwyfol.

Ceir llawer iawn o holi cwestiynau anfeiblaidd yng ngherddi beirdd y cyfnod am Iesu Grist hefyd, person y bu mawr drafod arno. Trafodwyd natur Crist, natur Ei ddyfodiad i'r byd, Ei atgyfodiad, a'i ddyrchafael. Rhoddodd llyfr enwog D. F. Strauss, *Bywyd yr Iesu*, a gyhoeddwyd yn 1835, gychwyn i broses hir o ymchwil hanesyddol a myfyrdod diwinyddol a barodd gryn ofid a chryn orfoledd i Gristionogion y cyfnod. Troi'r 'holl hanes yn fyth' a wnaeth llyfr Strauss. Yn ei lyfr ef o'r un enw yn 1863, rhoddodd Ernest Renan yr Iesu yn ôl mewn hanes. Yr oedd y llyfr hwn yn unigryw, ebe Owen Chadwick, oblegid ymddangosodd ar adeg unigryw, 'late enough for the learned world to begin the quest for the historical Jesus and move towards the idea of biography, early enough for the world not to have seen that the quest could not result in that kind of biography.'[130] Drwy drugaredd fawr, ni cheisiodd yr un bardd Cymraeg 'esbonio' yr

---

[129] *Gwaith Barddonol Islwyn*, tt. 309-10.

[130] R. Tudur Jones, "Astudio'r Hen Destament yng Nghymru, 1860-1890," t. 160. Owen Chadwick, *The Secularization of the European Mind*, tt. 223, 219.

enedigaeth wyrthiol fel y ceisiodd beirdd egluro atgyfodiad y corff a'r gweddnewidiad, ond fe gafwyd nifer o gerddi nid yn union am yr Iesu Ei Hun ond am amgylchiadau Ei eni sydd yn codi cwestiynau gwyddonol-hanesyddol. Mewn un neu ddwy o'r cerddi hyn, seren Bethlehem yw gwrthrych yr holi. Y mae'r seren fel petai'n dirprwyo dros y Baban a aned o dani. Yn yr awdl "Iesu o Nazareth" a enillodd gadair Eisteddfod Gydgenedlaethol Ffair y Byd, Chicago 1893, i Dyfed, y mae'r bardd wrth drafod natur y seren yn cyfeirio'i gwestiynau at y 'clir Wyddonydd':

> O! glir Wyddonydd; ai gwawl arddunol
> Yr Ion fu'n tori drwy'r nef naturiol?
> A yw'n addefiad mai seren ddwyfol,
> Enynodd allan yn newydd hollol?
> A oedd tywynion hono'n wahanol
> I'n bydoedd eraill a'u bedydd hwyrol?
> O b'le daeth? B'le aeth ar ol – dangos Duw,
> Darianai'r annuw yn Deyrn arweiniol?

Y mae Dyfed nid yn unig yn ateb drosto – 'Ni wyddost' – ond y mae hefyd yn honni mai unwaith ac am byth yr ymddangosodd y seren, yn union fel 'yr eofn "golofn" o dân' a arweiniodd Moses yn yr anialwch gynt:

> Heneiddiodd wedi nyddu – caredig
> Folawd i bwysig ddwyfoldeb Iesu.[131]

Fel y mae hi'n unigryw, felly y mae'r Iesu'n unigryw.

Ystyrier "Ymweliad y Doethion a Bethlehem" gan Islwyn wedyn. Thema'r gerdd hon yw bod y doethion yn cynrychioli'r cenedl-ddynion, a fuasai hyd yn hyn yn 'alltud . . . o wladwriaeth Israel,' ond sydd yn awr yn dychwelyd i ailafaelyd yn yr Eden newydd a gyflwynir iddynt drwy'r Ail Adda yng Nghrist.[132] Cânt eu cyfarwyddo ar eu taith gan y seren, seren a wêl Islwyn, megis Dyfed ar ei ôl, fel gwrthdeip o'r golofn dân. Gan Williams Pantycelyn, gan Dafydd William, gan David Charles Caerfyrddin, byddai'r gweld teipolegol hwnnw'n ddigon. Ond rhaid i Islwyn o leiaf geisio bodloni awydd

[131]Dyfed, *Gwlad yr Addewid a "Iesu o Nazareth,"* trydydd arg. (Caernarfon, 1900), t. 207.
[132]*Gwaith Barddonol Islwyn*, t. 285.

hanesyddol ei ddydd am esboniad llai barddonol arni. Gan hynny, hola:

> Ai angel oedd yr ymddanghosiad llawen
> Yn tramwy'r nef ar gyffelybiaeth seren?

Cwestiwn Islwynaidd hollol: ef yw'r mwyaf angylgar o holl feirdd ei gyfnod. Yna gofyn:

> Ai cydgynhulliad
> O danbaid ser mewn dedwydd gyfarfyddiad?
> Ai rhyw gymanfa o ddisgleiriaf fydoedd
> Oll yn ymdoddi'n un, i roesaw'r Duwdod ydoedd,
> Y Duwdod oedd yn dod i rwymo'r Cyfan
> Mewn bythol undeb gylch ei groes ei hunan?

Yn y cwestiwn hwn y mae'r seryddwr cyfoes yn priodi â'r bardd sy'n gweld arwyddocâd bythol y Geni. Gan ysgaru'r seryddwr, ebe'r bardd wedyn:

> Nis gwyddom ni dan gwmwl dacaroldeb
> Nad seren oedd o gylchoedd tragwyddoldeb.

A chan roi taw am eiliad ar drafodaeth y seminar seryddol, meddai:

> Addola, Awen! dod gywreinder heibiaw,
> Lle mae dy Dduw yn fud, bydd di yn ddistaw.[133]

Y mae Islwyn yn y llinell ddiwethaf hon yn yr union fan lle y gadawsom Elfed gynnau, mewn distawrwydd di-hawl, diholi. Eithr dim ond am eiliad. Er na ddwg y cwestiynau atebion – wedi'r cyfan, nid *oedd* i'r cwestiynau atebion, – y mae'r hwn a bortreadodd y doethion i gynrychioli cenedl-ddynion, ac a barhâ i wneud hynny weddill y gerdd, am ugain llinell yn eu portreadu fel gwyddonwyr, fel efrydwyr a darllenwyr 'llyfr creadigaeth'. Dyna oeddynt yn y Beibl hefyd, wrth gwrs. Ond yma nid gwyddonwyr sy'n seryddwyr yn unig ydynt. Y maent yn cynrychioli pob gwyddonydd: 'Pur feib Gwyddoniaeth oedd y doethion cun'. Gyda'u dysg a'u hawyddfryd anturus llawn-ffydd i adnabod y waredigaeth ysbrydol a gynrychiolir

[133]Ibid., t. 288.

gan y Mab Bychan, y maent bellach yn cynrychioli uniaethiad gwyddoniaeth a diwinyddiaeth (ac yn nhrosiad clo'r darn hwn y mae bardd beiblgar o Gymro eto'n hawlio daeareg o'i du):

> Pwy ddywed fod ysgarol fythol fôr
> Rhwng cread nerth â chread cariad Ior?
> Mae ffydd yn canfod o'i harsyllfa well
> Y ddau yn mynd yn un mewn rhyw gysylltgraig bell.[134]

* * *

Dywedais ar y dechrau imi lunio'r astudiaeth hon yn rhannol am mai dyma'r farddoniaeth y mae darllenwyr diwedd yr ugeinfed ganrif yn ei hadnabod leiaf. Gan mor bell ydyw oddi wrth brofiadau dynion nid yw'n syndod iddi fynd yn angof. Ond y mae'n werth inni geisio'i deall, achos y mae'r profiad o'i hysgrifennu, holl amgylchiadau ei chreu a'r berthynas ynddi rhwng gwyddoniaeth a ffydd, pa mor gryf neu fregus ydyw, o'r pwys mwyaf i bawb a fyn adnabod natur a diben y dychymyg dynol.

---

[134]Ibid., t. 289. Teg nodi nad yw pob bardd a ganodd am yr Iesu'n holi beth yw'r seren: gw. e.e. David Rowlands (gol.), *Telyn Tudno* (Wrecsam, [1897]), t. 118-119, 146.

8

FFYDD GREF, SYML NANSI WILLIAMS

Yr hyn a welsom yn y bennod hir ddiwethaf yw'r tyndra mawr ym meddwl awduron y bedwaredd ganrif ar bymtheg, y tyndra rhwng y traddodiadol a'r beiblaidd ar y naill law a'r modern ar y llaw arall, y modern a oedd yn amau'r hen wirioneddau. Ni allai'r awduron hyn, ac am feirdd yn bennaf y buwyd yn sôn, beidio â mynd i'r Beibl i chwilio am byncia u – a'u cael, wrth gwrs, yn stori'r Creu, er enghraifft, yn hanes Person Crist, yn nigwyddiadau'r Pasg a'r Pentecost, yn y Pethau Diwethaf, marwolaeth, barn, nefoedd, uffern, ac yn y darluniad o dragwyddoldeb. Ond yr oeddynt yn gweithio ar y pynciau hyn yn yr union gyfnod pan oedd uwchfeirniaid (fel y'u gelwir) yn Lloegr, ac yn yr Almaen yn enwedig, drwy eu hymchwiliadau hanesyddol a gwyddonol, yn peri i bawb bron, gan gynnwys y beirdd eu hunain, holi cwestiynau sylfaenol amdanynt. A yw stori'r Creu yn Genesis yn wir? A all fod yn wir? Ym mha fodd y dywedir bod Iesu o Nasareth yn Fab Duw ac yn rhan o'r Drindod? Ai atgyfodiad yn y corff oedd Atgyfodiad yr Iesu? O ganlyniad, y mae yng ngherddi beiblaidd y beirdd Cymraeg haen drwchus o amheuaeth, peth ohoni'n ymgais i'w chynnwys, ond yn chwithig. Ar y llaw arall, mewn rhai cerddi, y mae'r beirdd yn herio'r ddysg newydd drwy ymdrin â dehongliadau traddodiadol mewn ffordd afradlonaidd o ffansïol. Os maddeuwch y trosiad, gellir dweud hyn hyd sicrwydd, sef na lwyddodd odid neb o'r beirdd i lunio darn hir o farddoniaeth a orweddai'n esmwyth ar wely'r ddysg ddiweddar.

Buasai hynny'n gamp nid bychan. Mewn traethodau ac mewn llyfrau ar hanes a diwinyddiaeth a daeareg a bioleg y disgwylid ymateb i'r dysgedigion newydd hyn, gan bobl a oedd eu hunain yn wŷr dysg ac a oedd yn gallu dod i ben â gosod y gwybodau newydd yn eu priod gyd-destunau. Owen Thomas, dyweder, a gyhoeddodd erthygl ar "Anffyddiaeth Germani" yn un o rifynnau'r *Traethodydd* yn 1849, lle'r ymosododd ar lyfr D. R. Strauss ar fywyd yr Iesu. Neu William Davies, awdur erthygl ar Colenso yn yr un cylchgrawn yn 1863. Neu Lewis Edwards, golygydd rhagorol y cylchgrawn hwnnw, a oedd yn ehangach ei ddysg ac yn fwy eangfrydig na'r rhan fwyaf o'i gyfoeswyr o Gymry, ac a ddaeth yn raddol i dderbyn cryn nifer o syniadau'r Almaenwyr. Ond yr hyn yr hoffwn ei wneud yn y bennod hon yw dangos taw mewn nofel y ceisiodd awduron o Gymry ddygymod â'r newydd-ddysg o'r cyfandir – neu yn hytrach taw mewn nofel y ceisiodd llenorion Cymraeg ddangos na raid i Gristionogaeth Cymru feddwl am yr Almaen fel bygythiad, fel gelyn, iddi.

Y nofel honno yw *Nansi: Merch y Pregethwr Dall* gan Elwyn a Watcyn Wyn,[1] nas cyhoeddwyd tan 1906, ond sy'n bortread rhamantaidd o ran olaf Oes Victoria, ac y gellir edrych arni fel alegori – alegori rannol ac amherffaith, bid siŵr, ond alegori serch hynny – o gyflwr Cymru grefyddol y cyfnod hwnnw mewn perthynas ag uwchfeirniadaeth. Wrth ei dehongli fel hyn, y mae'n bwysig nodi poblogrwydd y syniad fod Cymru a'r Cymry fel petaent heb eu hamhuro gan y 'gwenwyn' Ewropeaidd. Dywedodd Thomas Lewis, Bangor, yn 1891 fod yr iaith Gymraeg 'yn graig gadarn' i gadw llanw'r ddysg newydd yn ôl: hynny yw, barnai, pe gellid cyfyngu'r ddysg o'r Almaen i'r iaith Almaeneg ac i gyfieithiadau Saesneg, yr arbedid darllenwyr Cymraeg rhagddi. Ni wn a gredai hynny mewn gwirionedd ai peidio, achos gwyddai ef amdani, ef a nifer da o'i gydweinidogion, a gallai rhai o'r rheini eu traethu heb boen. A gofiwch sylw Daniel Owen ar bregethu modernaidd y Parchedig Obediah Simon yn *Enoc Huws*? – sef ei fod yn traethu ar bethau na ddaeth i feddwl ei gynulleidfa gartrefol, syml ei chrefydd, ym Methel erioed.[2] Pa'r un bynnag, y mae'r drychfeddwl hwn o Gymru lân yn bwysig i'r neb a geisio adnabod *Nansi*, glân yn yr ystyr sanctaidd, sanctaidd fel ail Israel. Dyfed, y Parchedig Evan Rees, awdur yr awdl "Iesu o Nazareth," biau dweud amdani mai hi yw '[g]wlad Canaan Ewrop; yn debyg o ran maint ac o ran ffurf ac yn arbennig mewn dwyfol ymweliadau.'[3]

Y mae nifer o bethau yn y nofel sy'n atgyfnerthu'r ddelwedd hon o Gymru lân. Dyna enw'r pentref y daw tad Nansi, y Parchedig Nahum Williams, yn weinidog iddo: Llansiriol. A dyna'r llecyn y codwyd capel Ebenezer ynddo:

[1]Huw Walters, "Rhai o nofelau Elwyn a Watcyn Wyn," *Y Casglwr*, 48, Nadolig 1992, tt. 16-17.

[2]Harri Williams, *Duw, Ddaeareg a Darwin*, t. 11; Daniel Owen, *Profedigaethau Enoc Huws*, t. 295.

[3]Beti Rhys, *Dyfed [:] Bywyd a Gwaith Evan Rees (1850-1923)* (Dinbych, 1984), t. 26.

> man tawel . . . yn un o ardaloedd gwledig Deheudir Cymru . . . Gwnaethai y Capel a'i amgylchoedd ddarlun tarawiadol o 'Dŷ Dduw a phorth y Nefoedd.' Yr oedd y fan yn neillduedig, a'r 'lle hwnnw' yn lle manteisiol i addoli Duw, allan o'r heol fawr, yn nhawelwch y maes, mewn llannerch goediog hyfryd.

– Lle heb arno staen na chraith.[4] Nid dyna'r oll. Gellir dal bod Nansi yn ei pherson yn cynrychioli Cymru lân. Hi sy'n mynd i'r Ysgol Sul 'â'r Beibl yn ei llaw,' hi sydd fel pob merch dda y bod tebycaf i angel 'y gwyddom am danynt' (ys dywed y nofelwyr), – 'ac yr oedd Nansi yn ferch *dda*.' Aethai ei thad yn ddall – yn 'ddall am byth i'r byd hwn' yw geiriau'r llyfr – ar ôl cystudd hir yn dilyn marwolaeth ei wraig Agnes, ac ar ôl hynny 'er pan yn ieuanc iawn' hoff waith Nansi oedd 'cynorthwyo ei thad i baratoi ac i draddodi ei bregethau'. Yn wir, 'dyma orfoledd ei llafur, a dyma genhadaeth gynnar ei bywyd.' Gan hynny,

> Pan oedd ei thad yn y pulpud, teimlai Nansi ei bod hi yno gydag ef, ac yn pregethu, am ei bod wedi bod yn cynllunio, ac yn saernïo y bregeth, – teimlai ei bod yn gyfrannog yn y gwaith, ac yn y cyfrifoldeb.[5]

Ond nid personoliad o Gymru lân *lonydd* yw Nansi. Na, y mae hi'n siarp, yn ddeallus, yn ddysgedig, ac yn rhesymegol, yn feirniadol, nid yn unig yn neilltuedd y stydi gartref (y 'gweithdy meddwl', ys gelwir ef) lle y mae'n gynorthwy-ydd ac yn *amanuensis* i'w thad, eithr hefyd ar ben hewl. Y tro cyntaf y gwêl y gŵr ifanc Morgan Jones y mae'n dadlau gydag ef ynghylch yr amhriodoldeb o farnu crefydd wrth grefyddwyr, ac yn ei drechu.[6] Un o'r pethau sy'n cyfrif am ei hyder yw ei dysg. Er pan oedd yn ddim o beth fe'i codwyd i siarad tair iaith, 'Cymraeg, a Saesneg, ac Ellmynaeg, yn glasurol, a chywir, a llithrig.' Fel Almaenes y maged ei mam. Ond gan fod ei mam wedi marw cyn bod Nansi yn fis oed, nid fel mamiaith y cafodd hi'r Almaeneg. Yn hytrach, fe'i dysgodd, am mai hi oedd iaith dysg flaengar y dydd mewn diwinyddiaeth ac astudiaethau beiblaidd, a'i dysgu yn enwedig

[4]Elwyn a Watcyn Wyn, *Nansi: Merch y Pregethwr Dall* (Wrecsam, 1906), t. 1.

[5]Ibid., tt. 38, 25. Ar bwnc delfrydu merched yn llenyddiaeth y bedwaredd ganrif ar bymtheg, gw. R. Tudur Jones, "Daearu'r Angylion," *Ysgrifau Beirniadol XI*, gol. J. E. Caerwyn Williams (Dinbych, 1979), tt. 191-226.

[6]Elwyn a Watcyn Wyn, op. cit., tt. 32, 30-31.

fel y gallai ddarllen ynddi i'w thad, yr hwn, yn ei ieuenctid, ar ôl bod mewn coleg yn Lloegr, a gafodd arian gan ei dad yntau i 'fyned i'r Brifysgol i Berlin, a threulio un flwyddyn . . . yn y lle hwnnw' a oedd gymaint 'ar y blaen [i Loegr] mewn Athroniaeth a Duwinyddiaeth.'[7] Os mynnai Thomas Lewis Gymru uniaith a oedd yn ddall ac yn fyddar i uwchfeirniadaeth, nid felly Nansi. Gellir maentumio ei bod hi yn cynrychioli Cymru sydd yn gyfarwydd â syniadau'r awduron Almaeneg yn y gwreiddiol, ond sydd er hynny yn gref ei ffydd. Cynrychiolaeth ddelfrydol ym meddwl Watcyn Wyn ac Elwyn, diau, ond cynrychiolaeth serch hynny. Ynddi hi, y cymeriad ffuglennol, ceir (neu fe dybir y ceir) gwaed yr Almaen, drwy ei mam, a meddwl yr Almaen, drwy ei darllen dros ei thad. Ac nid oes ei gwell yn unman.

Yn alegorïol, ystyr hyn yw nad oes gwell y Gymru y mae Nansi yn ei chynrychioli. Dywedir hynny ar ei ben ym Mhennod XIII. Trwy ystrywiau na raid eu disgrifio yma, y mae cymeriad o'r enw Ianto'r Delyn (efe eto – yn rhinwedd ei feistrolaeth ar yr offeryn cenedlaethol – yn cynrychioli Cymru) ar daith yn yr Almaen yn taro ar ŵr, Herr Kosch, y buasai ganddo ran bwysig ym magwraeth Agnes, gwraig Nahum a mam Nansi. Agnes Thielmann oedd ei henw morwynol, meddai Kosch. Er nad ef oedd ei thad, ef oedd ei thad maeth: gofalodd amdani o'i babandod ar ôl marw ei thad a'i mam yn y cnawd, sef oedd y rheini William a Mary Roberts, gŵr a gwraig o Gymry y byddai ef, Kosch, bob amser yn lletya gyda hwy pan ymwelai â Lerpwl ar fusnes. Cymraes oedd Agnes Thielmann, ynteu, Cymraes a faged yn yr Almaen. Nid yw'r datgeliad hwn yn effeithio dim ar stori *Nansi: Merch y Pregethwr Dall*. Ond gyda golwg ar Gymru *Nansi: Merch y Pregethwr Dall*, y mae'r hyn sydd gan Herr Kosch i'w ddweud yn arwyddocaol iawn. Wrth ddisgrifio William a Mary Roberts, meddai wrth Ianto'r Delyn:

> Cymry oedd yn cadw y ty, syr, a gallwn feddwl . . . mai Cymro ydych chwithau. Beth bynnag, yn ol fy marn a'm profiad i, dyma y genedl garedicaf ac anwylaf o holl genhedloedd y byd, ac yr wyf wedi gweld llawer cenedl, ac yn gwybod tipyn am danynt.[8]

Yr hyn a geir yn yr araith hon yw clod – clod meddal, ond clod – i

[7]Ibid., tt. 25, 17.
[8]Ibid., t. 92.

Gymru o enau gŵr yn cynrychioli'r genedl a ystyrid gan lawer yn y dwthwn hwnnw fel y genedl ddysgedicaf yn y byd, o leiaf mewn diwinyddiaeth, hen Frenhines y Gwybodau.

Ystyrier un peth arall mewn perthynas â hyn ac â Nansi yn ei pherson ac yn ei chynrychioliad. Rhesymolwr oedd Ianto'r Delyn, ac anghredadun. Iddo ef, 'damwain ddall oedd wrth lyw yr holl greadigaeth, . . . damwain gib-ddall, ac nid Bôd yn llawn deall'. Wel, yn y man, y mae Ianto yn cyfaddef bod 'ffydd gref' Nansi Williams 'wedi gwneud *havoc* ar lawer o'i hen syniadau materol am Ragluniaeth Duw.' Fel hyn y mae'n cyfaddef hynny – ac yn y dweud yr hyn a wna yw pwysleisio rhagoriaeth ffydd Gristionogol Gymreig Nansi ar bob peth a ymosododd arni o'r tu faes neu yr honnid iddo ymosod arni o'r tu faes:

> 'Mae'n wir,' meddai, 'mai merch yw hi; ond yn wir, mae hi yn gweled ymhellach na fi, ac yn gweled yn fwy clir na llygaid yr un gweledydd Almaenaidd y gwn amdano. 'Does dim o aneglurder ac anhawster athroniaeth yr Almaen o gylch athroniaeth syml Nansi Williams'.[9]

Os caf ddehongli, onid dyma'r dehongliad? – sef fod y ferch ifanc ragorol hon drwy burdeb cymeriad wedi llwyddo i ddistyllu'r ddysg Almaenaidd a enillodd, a hynny er lles ei chyd-ddyn, mewn modd bendithiol, ac, yn achos arbennig Ianto, er lles dyn a affeithiwyd yn enbyd gan feddylfryd y moderniaid o'r cyfandir.

Nofel serch yw *Nansi*. Ni all y darllenydd caletaf ei galon lai nag ymhyfrydu yn ieuad Nansi â'r hyfryd Forgan Jones ar ei diwedd. Ond gan mor amlwg yw'r nodweddion alegorïaidd a nodais yn y bennod hon, a chan fod Elwyn yn y rhagymadrodd iddi yn cyfaddef mai ei amcan ef a Watcyn Wyn oedd llunio nofel ac ynddi ddisgrifiad o 'fywyd cymdeithasol a chrefyddol ein gwlad,' credaf y gallwn honni eu bod yn gwybod yn iawn beth a wnaent wrth lunio *Nansi* fel y gwnaethant.

[9]Ibid., tt. 109, 110.

9

DANIEL OWEN A'R BEIBL

i. Daniel Owen a'r oes oedd ohoni

Dichon y prisiwn aml ac amrywiol ddefnydd Daniel Owen o'r Beibl yn uwch os arhoswn am ysbaid i'w weld yn wynebu'r un dymestl ag a wynebodd ei gyfoeswyr, y beirdd.[1] Na synned neb ei fod weithiau mor agored-wfftiol at wyddoniaeth ag oedd rhai ohonynt hwy, na'i fod o leiaf unwaith yn ei nofelau yn manteisio ar ei hollalluowgrwydd fel adroddwr i ddifrïo'r gwyddonydd drwy ofyn iddo gwestiynau rhetoregol y byddai eu gofyn yn agored y tu allan i gloriau'r gwaith wedi cymell ateb nas boddhâi. Digwydd hyn yn niwedd Pennod X *Gwen Tomos*, lle sonnir am dröedigaeth Gwen o dan bregethu John Phillips, rywdro tua 1840, mi debygwn. 'Mewn llai nag un awr,' meddir, 'cyfnewidiwyd ei holl syniadau, traws-ffurfiwyd ei holl ddybenion, ac yr oedd ei bywyd o hyny allan yn newydd spon.' Ac am 'amser maith' ar ôl yr awr honno, meddir ymhellach, bu Gwen 'yn hynod o brudd a thruenus ei chyflwr.' Ar ôl dweud hyn, heb reswm mewnol yn y byd, hynny yw heb reswm yn codi o ofynion y nofel ei hun, na'i phlot na'i thema na'i chymeriadaeth, ond am ei fod yn 1894 yn clywed anadl yr amseroedd ar ei war, y mae'r adroddwr – a Daniel Owen ydyw yn hytrach na'r storïwr Rheinallt – yn datgan, yn ddadleugar braidd, fel hyn:

> "Nid oedd hyny yn ddim yn y byd," mi glywaf rai o bobl ddoeth a gwyddonol y dyddiau hyn yn dweyd, "ond math o wallgofrwydd crefyddol." Nid wyf i yn cymeryd arnaf ddweyd beth ydoedd – adrodd ffaith yr ydwyf.

Â rhagddo wedyn i ddweud bod y cyfnewidiad yn Gwen wedi para hyd ei marwolaeth. Ar ei gwely angau, 'awr cyn i'w hyspryd ehedeg at yr Hwn y syrthiodd mewn cariad âg ef yn nghapel Tanyfron', am 'bregeth Mr. Phillips y diolchai'. Er mwyn creu gwrthgyferbyniad rhwng yr oedfa achubol honno ac oedfa dybiedig anachubol y

[1]Gw. D. Llwyd Morgan, "Y Beibl a Beirdd yr Eisteddfod," *Trafodion Anrhydeddus Gymdeithas y Cymmrodorion*, 1989, tt.105-27, a Phennod 7 uchod.

lluniodd y cwestiynau rhetoregol a ddilyn y frawddeg honyna, ond, fel yr awgrymais, efallai na fentrai'r adroddwr eu gofyn yr un mor hyderus yng nghynteddau'r Sefydliad Brenhinol neu yn Labordy Viriamu Jones. Dyma'r cwestiynau:

> a ellwch chi, wyddonwyr, roddi i mi enghraifft pryd y bu gwrando darlith ar un o'ch hoff bynciau yn foddion i newid syniadau, teimladau, a chymeriad – mewn gair, i greu un o'r newydd, a'r greadigaeth hono yn parhau hyd angau? A fedrwch chwi roddi enghraifft pryd y bu gwrando un ddarlith yn foddion i gynyrchu bywyd newydd, dybenion newydd, ac a fu yn ffynonell nerth dan demtasiynau cryfion, a chysur yn yr amgylchiadau mwyaf adfydus?[2]

Daniel Owen ar ei annhecaf a welir yma, Daniel Owen yn cymysgu'r moddau, yn annodweddiadol ymosodol heb eisiau.

Y rhan amlaf, y mae'n dwyn agweddau ar wyddoniaeth y dydd i mewn i'w waith mewn dulliau mwy deheuig, ac yn eu trin yn fwy hyfedr. Megis pan yn gynnar yn *Enoc Huws* y dywed fod y ddiniwed Mrs Trefor wedi pryderu ar hyd y blynyddoedd y byddai 'i amrywiol ofalon y Capten,' sef Richard Trefor ei gŵr, ac yn enwedig ei 'waith yn astudio *geology* mor galed, beri i'w synwyr, yn y man, ddyrysu, oblegid nid oedd y Capten, wedi'r cwbl, ond dyn.'[3] Er y dengys cymal olaf y frawddeg hon mai yn goeglyd, onid yn ddychanus, y llefara adroddwr *Enoc Huws* yn bur aml, ac er na ddylem roi pwys mawr ar alluoedd meddwl Mrs Trefor, yr hon eilwaith ar d. 38 a ddyfyd wrth ei gŵr 'O, Richard bach, . . . Mi wyddwn o'r goreu y bydde i chi ddrysu yn y'ch synwyre wrth stydio cimint ar *geology*', ni ddylai'r naill ddywediad na'r llall ein rhwystro rhag dehongli'r twyll yr oedd Richard Trefor y mwynwr yn gyfrifol amdano fel twyll dyn a roesai ei ffydd gyhoeddus yng nghyfoeth dirgel ac ansicr Merch y Graig, sef daeareg, un o'r gwyddorau a fygythiodd ffydd Oes Victoria. O leoli ei lyfrau yn Sir y Fflint, ac o ddod â diwydiant i mewn iddynt, ni allai Daniel Owen lai na thrafod gweithfeydd glo a gweithfeydd plwm. Ond nid oedd raid iddo gyfeirio mor goeglyd at ddaeareg. Dewis gwneud hynny a wnaeth, i ddiben amlwg-anamlwg, yn benodol i'w phardduo trwy ei chysylltu â'r gwalch mwyaf digydwybod yn ein

[2]Daniel Owen, *Gwen Tomos, Merch y Wernddu* (Wrecsam, [1894]), t. 80.

[3]Idem., *Profedigaethau Enoc Huws*, t. 31.

llenyddiaeth, gŵr nad yw ei ymddiriedaeth hocedus mewn daeareg o les i neb bron, eithr yn hytrach o afles i lawer, gweithwyr a buddsoddwyr. I neb bron, meddaf. Nac anghofier mai ar ôl i'w thad ddadlennu methiant y gwaith mwyn yr ymddiwygiodd Susan Trefor, ac ennill, ymhlith rhinweddau eraill, ymgydnabyddiaeth â'r Beibl.[4]

Cymeriad arall nad yw ysbryd yr Iôr ynddo, ac a gysylltir gan Daniel Owen â'r gwyddorau hynny a fygythiai awdurdod y Gair yn y bedwaredd ganrif ar bymtheg, yw'r ffasiynol Barchedig Obediah Simon, yr hwn, fel y gwelwn eto maes o law, sy'n orbarod i ddehongli'r Datguddiad Dwyfol (chwedl yntau) yn dra rhyddfrydig. Un o'r rhesymau am hynny yw ei ddiffyg adnabyddiaeth ohono. Enoc Huws ei hun, wrth drafod gyda'r Capten Trefor y priodoldeb o ofyn i'r gweinidog roi arian yn y gloddfa newydd, a ddywed y buasai'n fwy priodol 'ei anog i gloddio a myned yn ddwfn i bethau'r Beibl, nag i gloddio am blwm, fel chwi a minau.'[5] Gan mor fywiol yw pob un o brif gymeriadau nofelau cymhlethaf Daniel Owen, nid yw'n gwbl deg maentumio bod neb ohonynt yn personoli'r peth hyn a'r peth arall; ond cynrychioli uwchfeirniadaeth y mae Obediah Simon, cynrychioli yn eu tro y gangen honno o hanesyddiaeth a ffynnodd dani a'r amheuaeth a oedd mewn llawer lle yn ganlyniad iddi.

Fe fydd myfyrwyr llên a diwinyddiaeth Oes Victoria yn gyfarwydd â John William Colenso, esgob cenhadol Natal, a gyhoeddodd yn 1862 ei gyfrol gyntaf o saith ar *The Mosaic Authorship of the Pentateuch*, yn yr hon y dywedodd i ddaeareg ddangos na allai dilyw cyffredinol byd-eang fod wedi digwydd, ac yn yr hon hefyd y cododd amheuon ynghylch stori Arch Noa. Colenso a barodd i Eben Fardd ofyn i Nicander 'A oedd modd . . . i gynifer o anifeiliaid fyned i'r arch . . .?' – er, ysgrifennodd Eben gyfres o ddwsin o englynion ar y pwnc heb enwi'r un anifail.[6] Yn fuan ar ôl iddo ymsefydlu ym Methel, dywed ei gefnogwr Eos Prydain fod Obediah Simon wedi mynd adre'n gynnar o ryw gyfarfod am fod ganddo 'waith beirniadu rhyw draethawd mewn tipyn o 'Steddfod oedd i'w chynal yr wythnos hono', traethawd 'am y Diluw, ac ar y cwestiwn a oedd yr Eliphant yn

[4]Ibid., t. 103.

[5]Ibid., t. 235.

[6]Robert Morgan ynghyd â John Barton, *Biblical Interpretation*, adarg. (Rhydychen, 1989), t. 58. R. Tudur Jones, "Astudio'r Hen Destament yng Nghymru, 1860-1890," *Efrydiau Beiblaidd Bangor II*, t. 150. *Gweithiau Barddonol, &c. Eben Fardd*, tt. 122-24.

yr arch ai nad oedd – rhwbeth fel ene.' Wele gyfle di-ail i Didymus, ardderchog enw ironig yn y cyd-destun hwn, ymateb yn wawdlyd:

> "Testun rhagorol, a dyrus hefyd," ebe Didymus, "'rwyf wedi pondro llawer ar y pwnc yna fy hun. Ond gresyn na fuasent wedi ychwanegu – pa un oedd y *whale* yn yr arch ai nad oedd. Mae cryn ddyryswch yn nghylch y cwestiwn yna hyd yn hyn, a phe gellid ei benderfynu, taflai lawer o oleuni ar faint yr arch, a'r hyn a feddylir wrth 'gyfudd.'"

Yma y cyhoedda Didymus, yn ddisgynebaidd, 'yr ystyrir Mr. Simon yn ei gartre' yn naturiaethwr ac yn hanesyddwr, os nad yn ddaearegwr hefyd.'[7]

Yr un tueddfryd a barodd i Mr Simon osod o flaen 'ieuenctyd Bethel' wrthddadleuon anghredwyr drwy ffurfio math o ymrysonfa yn y capel, dwyn anghredwr cryf i'r ring, a dwyn Paul i'r cylch fel ei wrthwynebydd, 'gan gymeryd arno ei hunan edrych am gael chwarae teg a bod yn fath o *referee* neu *umpire*.' Er ei fod yn sicrhau buddugoliaeth i'r Apostol yn y diwedd, canlyniad yr ymddadlau hwn oedd peri i 'ambell ysgogyn pendew' o'r eglwys, creadur 'na ddarllenasai gan' tudalen o lyfr yn ei fywyd,' gymryd arno 'fod yn dipyn o annghredwr' a 'defnyddio geiriau a thermau na wyddai tu nesaf i lidiart y mynydd, mewn gwirionedd, beth oedd eu hystyr!'[8] Gellid tybied bod yr alanas feddyliol a adawodd Mr Simon ar ei ôl ym Methel fel yr alanas a chwalodd ddychymyg Gwilym Hiraethog wrth iddo greu *Emmanuel*, ys mynnai Kilsby Jones.

Y mae'n werth nodi yn y cyd-destun hwn mai un o'r portreadau anwylaf o gredadyn pur a luniodd Daniel Owen yw'r portread o James Humphreys yn *Offrymau Neillduaeth*, yr hwn na wyddai beth oedd amheuon am fod 'ei feddwl yn rhy fychan i ganfod anghysondeb, a'i galon yn rhy lawn o gariad i roddi lle i'r posiblrwydd o hono!' 'Yn yr Ysgol Sabbothol,' tra pendronai eraill ynghylch 'hanes y seren a ymddangosodd yn y dwyrain', yr oedd efe 'yn cyflwyno anrhegion o flaen y Mab Bychan, fel ei aur, ei thus, a'i fyrr.'[9] Gellid dweud, wrth gwrs, mai'n sentimental y darluniodd

[7] *Profedigaethau Enoc Huws*, t. 142.

[8] Ibid., t. 295.

[9] Daniel Owen, *Offrymau Neillduaeth; sef Cymeriadau Beiblaidd a Methodistaidd* (Yr Wyddgrug, 1879), t. 122.

Daniel Owen James Humphreys fel hyn ac mai dyn â'i ben yn y tywod ydoedd. Gellid dweud yr un mor bendant mai dyn a welodd y gwahaniaeth rhwng mathau gwahanol o wirionedd oedd Daniel Owen, ond dyn, fel llawer yn yr oes anodd honno, na wyddai ym mha fodd yr oedd hi'n bosibl o hyd i hyrwyddo gwirionedd y Gair. Rhan o ddiben y bennod hon yw dadansoddi'r berthynas rhwng yr hyrwyddiant hwnnw a'r ansicrwydd a'r amheuaeth a oedd ynglŷn ag ef, yng ngwaith y nofelydd o'r Wyddgrug.

Heb os, yr oedd Daniel Owen yn gyfarwydd iawn â gweithiau barddonol prydyddion y dydd, ac yn gwybod yn dda am eu dulliau hir rhyfedd o drafod hanesion beiblaidd neu gwestiynau diwinyddol ac athronyddol astrus, dwys. Y mae darn o ymson Susan Trefor yn ei gwely noson marw'i mam sydd yn grynodeb parodïol mewn rhyddiaith nid yn unig o weithiau yr epigfeirdd gofotgar a drafodasom ym Mhennod 7, ond hefyd o weithiau cwestiynog y Bardd Newydd a ddaeth i fri ar eu hôl. Prin bod eisiau glòs ar y darn:

> Gwan ydw i – a ffansïo. Mor anodd ydi credu na ddeydiff hi byth yr un gair eto! 'Roedd hi yma gynau – heddyw'r prydnawn. Lle mae hi 'rwan? ië, hi, achos 'does dim ond ei chorph yn y *room* nesa – lle mae hi? Yn y byd mawr tragwyddol! Lle mae'r byd tragwyddol? Ydio'n mhell? Ydi hi wedi cyrhaedd yno? Ddaru rhwfun dd'od i'w nol hi, i ddangos y ffordd iddi? neu a ydyw ei hysbryd hi yn crwydro ac wedi dyrysu mewn *space*? Fydd hi'n crwydro, tybed, am filoedd o flynyddoedd cyn d'od o hyd i'r byd tragwyddol? O! na faswn i wedi aros efo hi hyd i'r munyd dywaetha, yn lle myn'd i ysgrifenu at Enoc Huws! Hwyrach y base hi yn deyd wrtho i os oedd Iesu Grist efo hi. Yr oedd hi yn adrodd yr adnod echnos – 'Pan elych trwy y dyfroedd, mi a fyddaf gyda thi.' 'Ddaru O beidio 'i anghofio hi, tybed? Oedd O ddim eisiau bod efo rhwfun arall *just* yr un amser?

Chwarae teg i Susi, yn wahanol i'r beirdd, yr oedd hi pan feddyliai'r meddyliau hyn yn sioc ei phrofedigaeth, mewn galar, ac yn ddigon synhwyrol i ddweud: 'Mor wirion yr ydyw i'n siarad!'[10] Ni ddywedodd Hwfa Môn na Iolo Carnarvon erioed mo hynny mewn print.

Pe rhoiswn Daniel Owen gyda'r beirddion, digiai wrthyf hyd dragwyddoldeb. Os teg dal ei fod yn cytuno ag adroddwr *Enoc Huws*

[10] *Profedigaethau Enoc Huws*, t. 285.

ac â'r cymeriadau hynny y mae'r adroddwr hwnnw yn eu hedmygu, dirmygu beirddion y mae ar y cyfan. Gyda llaw y dywed fod 'un o feinars Coed Madog, yr hwn oedd yn fardd, ac a adnabyddid wrth y ffugenw persain Llew Rhuadwy,' wedi anfon 'dau englyn i'r *County Chronicle* ar farwolaeth Mrs Trefor;' ond y mae yn rhaid iddo gael ychwanegu 'nad oeddynt yn fwy tebyg i englynion nag ydyw buwch i gogwrn.' Y mae barn Dafydd Dafis, y blaenor doeth, amdanynt yn cael lle helaethach. 'Pa nifer o feirdd a anwyd yn feirdd sydd yn Nghymru heddyw?' ebr ef – a'r beirdd Cymraeg yn lleng. 'Gellwch eu cyfrif ar benau eich bysedd. Ond y mae y rhai sydd yn cordeddu rhigymau ac yn gwisgo ffugenwau yn afrifed.'[11]

I amlygu'r agendor anferth oedd rhwng meddwl y beirdd hyn a meddwl Daniel Owen, goddefer imi gymharu ei driniaeth ysgrifol led-homilïaidd ef o un o hanesion rhyfeddaf y Testament Newydd gyda thriniaeth Eben Fardd ohono. Yr hanes yw hanes y ddau ddisgybl, Cleopas a'i gydymaith di-enw, yn myned 'y dydd hwnnw', sef y diwrnod yr atgyfododd Iesu Grist, 'i dref a'i henw Emmäus', a'r 'Iesu ei hun' yn nesáu atynt ac yn mynd gyda hwy. Y mae yn yr hanes fel y'i ceir yn Luc 24:13-31 ddirgelwch ar ben dirgelwch: dirgelwch sylfaenol y bedd gwag; anallu'r ddau ddisgybl i adnabod yr Hwn a ddaeth i gydgerdded gyda hwy; tymer ddigydymdeimlad y Crist wrth iddo ymateb i'w hamheuaeth ynghylch tystiolaeth y gwragedd na chawsant y corff yn y bedd; natur Ei esboniad ar yr Ysgrythurau a soniai 'am dano ei hun'; y modd yr agorwyd llygaid y cydymdeithion i'w iawn adnabod ar ôl iddo eistedd wrth y bwrdd a thorri'r bara; ac yna'n olaf ddirgelwch ei ddiflaniad. A ninnau'n gyfarwydd â dull y beirdd o farddoni ar bwnc fel hyn, nid yw'n syndod cael yng nghywydd "Y Cleopiaid" gan Eben Fardd ymdriniaeth sydd yn estyn y stori feiblaidd drwy roi manylion pendant yn lle awgrymiadau'r gwreiddiol, ac ymdriniaeth lle y mae dirgeledigaethau'r gwreiddiol yn cael eu bwrw o'r neilltu gan esboniadau a chofion a disgrifiadau hanesyddol a diwinyddol nad ydynt yn gweddu o gwbl i'r stori wreiddiol. Lle dywed Luc yn fyr fyr hanes 'y rhai gwragedd o honom ni' yn dweud am y bedd gwag, y mae Eben Fardd yn cymryd degau lawer o gwpledi cywydd i'w ddweud, ond nid yn unig i ddweud hynyna: y mae hefyd

[11]Ibid., tt. 288, 303.

yn cymryd wyth llinell ar hugain i ddifrïo byrbwylldra merched; a'r hyn sy waeth, cymer yr hyfdra i ddisgrifio'r modd y gwacäwyd y bedd, mewn cymhariaeth sâl ac mewn cynghanedd sâl. –

> 'E ddeuai rhyw gref ddaear gryn,
> A'r ardd drodd, un modd a meddwyn!
> Bwhwmman fel gan ryw gur
> Yn neutu calon natur;
> Llafurio â'i holl fawredd
> I eni'r byw, wnai o'r bedd![12]

Yn y gwreiddiol, daw'r Iesu at Cleopas a'i gydymaith 'fel yr oeddynt yn ymddiddan, ac yn ymofyn â'i gilydd' – hynny yw, yn ddiarwybod iddynt, yn llechwraidd braidd; a daw atynt gan gymryd arno na ŵyr am beth y maent yn siarad. Am nad oedd ei synhwyrau Clynogaidd yn ddigon main i ymglywed â gwefr y dyfodiad dramatig hwn, gwell gan y bardd ymarfer *stage-whisper* y theatr, a pheri i Cleopas nid yn unig gyhoeddi dyfodiad y dieithryn i'w gwyddfod ond hefyd ragawgrymu pwy ydyw. Er gwybod o'r bardd pwy ydyw, ni ddylasai adael i Cleopas wybod, ond dyna a wna:

> Ust! mae dyn yn dilyn o d'ol,
> O ryw wedd ddwys dra urddasol;
> Nyni a dawn, nid yw ond ûs,
> Ein siarad anghysurus;
> Efallai y bydd cyfeillach
> Hwn o fwy budd, gwna nef bach,
> Os i mi dwg reswm da
> Am oes wyw y Mesïah.[13]

Yn lle'r tair adnod yn Luc 24:19-21 sy'n brasddisgrifio gyrfa, prawf a chroeshoeliad yr Iesu, ac sy'n nodi'r gobaith 'mai efe oedd yr hwn a waredai Israel,' ceir gan Eben Fardd gant a thrigain o linellau'n adrodd hanes ei yrfa, y siom a gafodd rhai o'i ddilynwyr oblegid Ei amharodrwydd i chwifio 'llummain' Juda yn wyneb y Rhufeiniaid, a'r siom a gafodd eraill am na ddefnyddiodd ei ddoniau goruwchnaturiol i droi'r tu min at y milwyr a'i lladdodd. Manyla'r bardd ar y pynciau hyn er ei fod ymhen dwy ddalen arall yn nodi nad i ddymchwel Cesar

[12] *Gweithiau Barddonol &c. Eben Fardd*, t. 239.
[13] Ibid., tt. 243-244.

y daeth yr Iesu i'r byd, a bod yn rhaid iddo farw. Yma hefyd y mae Eben Fardd yn esbonio yr hyn y mae Luc yn ymatal rhag ei esbonio, sef dehongliad Iesu Grist Ei Hun o'r hyn a ddywedir yn yr Ysgrythur amdano (adnod 27) – mewn truth teipolegol:

Ewch i Eden, a chodwch
Nefol, anniflannol flwch
O ennaint, at wenwyn twyll
Sarphaidd, faleisus orphwyll!
Ennaint barottöa'n Tad
O ragorion gwir gariad,
Per ennaint, er puro anian,
O sawyr tost, rhyswr y tân;
Y byd oedd cyn hyn yn haint,
Lanwodd o arogl ennaint!
Ennaint yw gawn yn natganiad
Y Ddwyfol, foreuol fawr Râd,
Dan y geiriau dyngarol,
Had y wraig, i dd'od ar ol:
Etto nerth yr Had di nam
Dadebrwyd o waed Abra'm,
A manwl ddaeth, mewn ôl ddydd,
Ei lân dwf i lin Dafydd,
Nes yw, yn llawn Fesïah,
Wedi d'od, y Dyn-Duw da;
A'r swydd iddo oedd 'sigo siol
Y sarph oernaws, oruffernol; . . .

Hwn yw'r Sant y cawn wir son
Na ammharai'n nhŷ meirwon,
Na oddefai Duw Ddafydd
Un trais ar ei enaid rhydd,
Na welai 'i gorph gynnelw gwaeth,
Na'i degwch lygredigaeth. –
Hwn yw'r Aaron, er eiriol;
Dyma'r Iawn, a dim ar ol;
A phery'n Arch-offeiriad
Yn y Tŷ ger bron y Tad.[14]

[14]Ibid., tt. 249, 251.

Ar ôl i'r Iesu draethu fel hyn, er ei fod 'etto yn anadnabyddus,' y mae Cleopas yn Ei gyfarch ar ei union fel 'Athraw mawr'. Wele, y mae'n rhagfynegi ei adnabyddiaeth ohono am yr eildro yn y gerdd, ac am yr eildro y mae Eben Fardd yn rhwygo llenni'r dirgeledigaethau sy'n nod amgen y darn gwreiddiol.

Yr hyn a geir yn "Y Cleopiaid" yw ymdriniaeth wybodus – yn yr ystyr fwyaf arwynebol i'r gair hwnnw – o bennod yn y Testament Newydd sy'n ddisgrifiad swrreal o un o'r rhyfeddodau mwyaf annisgrifiadwy a geir yn ei holl ddalennau, rhyfeddod sydd mewn gwirionedd y tu hwnt i wybod arwynebol. Y mae'n gerdd ansensitif a deallusol ddiffygiol.

Ym mha fodd y mae ymdriniaeth Daniel Owen o'r bennod yn wahanol i gerdd Eben Fardd? Yr ymateb syml hollgynhwysol ydyw 'Mewn myfyrdod ac mewn gwyleidd-dra.' Yn hytrach na chanolbwyntio ar y ddau ddisgybl fel Eben Fardd (a efelychodd Luc yn hynny o waith, ond a fradychodd grynoder Luc wrth beri i'r disgyblion draethu eu gwybodaeth yn hir), y mae Daniel Owen yn gosod eu gofid a'u penbleth yn eu cyd-destunau cymdeithasegol, crefyddol a gwleidyddol. Ebr ef:

> Anhawdd ydyw i ni ddeall ystâd teimlad y ddau ddysgybl oeddynt yn myned tuag Emmaus, heb i ni yn gyntaf sylweddoli yn ein meddyliau amgylchiadau cynhyrfus y dyddiau hyny . . .

Wrth drafod yr amgylchiadau cynhyrfus hyn, cyflëir i ni 'y teimlad a'r cyffro oedd yn meddiannu y torfeydd oedd yn llenwi ystrydoedd Jerusalem ar y pryd.'[15] Yr oedd rhai pobl yn disgwyl i wyrth ddigwydd, yr oeddent yn disgwyl i'r Iesu ei 'waredu ei hun o afael ei elynion.' Yr oedd eraill yno 'yn myned i weled dyn yn cael ei ddienyddio.' Ac er y disgwylid i ddynion 'o deimladau uchel a thyner' gadw draw ar amgylchiad felly, daeth cyfeillion gorau Crist i'r ddinas ddydd y croeshoelio, 'a'i berthynasau agosaf, hyd yn oed ei fam ei hun', – hwythau, fel ei ddilynwyr cyffredin, am eu bod yn ymddiried yn ei 'allu anfeidrol' ac yn disgwyl 'y byddent yn dychwelyd adref yn orfoleddus.'[16] Yn hytrach na dieithrio'r profiad a geir ym mhennod

[15] *Offrymau Neillduaeth*, tt. 81, 82.
[16] Ibid., t. 84.

Luc drwy ei chwyddo'n gywydd a ddyry nid y profiad ei hun ond yn hytrach grynodeb o hanes Iesu Grist ar y ddaear a disgrifiad o'r hyn a ddisgwylid oddi wrtho, y mae Daniel Owen yn gwneud ei orau glas i wneud profiad Cleopas a'i gydymaith yn brofiad i'w ddarllenwyr hefyd, trwy lynu hyd y gall at ddigwyddiadau'r 'dydd hwnnw'. Ni fyn estyn na thynhau'r hanes: ni fyn chwarae'i fysedd ar yr acordion hwnnw y byddai'r beirdd epigaidd yn ei agor mor rhwydd yn enw'r awen. Dyna un gwahaniaeth mawr rhwng Daniel Owen ac Eben Fardd, ei barch at y profiad sy'n sail i'w waith.

Yn ail, noder ei barch at y testun sy'n sail i'w waith. Daw Daniel Owen yn ôl o hyd ac o hyd i ddyfynnu o Luc 24; a phan ddaw at yr adnod honno lle y dywedir i'r Iesu esbonio i'r ddau disgybl y pethau a ddywed yr Ysgrythur amdano, er y cymer arno gwyno am na rannwyd 'nerth a dysgleirdeb effeithiol yr esboniad' â'r 'miloedd ar filoedd' a ysai amdano, ac er y dywed yn blaen 'y buasai ei gael yn annhraethol werthfawr', nid cymryd arno wybod beth ydyw a'i gyhoeddi, fel Eben, a wna, ond nodi ei fod yn ddiogel-ofalus 'yn llyfrgell Duw!' Y mae'r gyfrinach yn dal i fod yn gyfrinach. Lle y mae'r Beibl yn fud, y mae Daniel Owen yntau'n fud. Ond yn sgil y mudandod parchus hwnnw, creodd gyfle iddo'i hun drafod arwyddocâd yr atgyfodiad. Wedi'r cyfan, nid geiriau'r Iesu'n agor yr Ysgrythurau yw pennaf pwnc y bennod hon, ond Ei ymddangosiad i'r ddau ddisgybl ar ôl iddo ddod o farw'n fyw. Ar ddiwedd "Y Cleopiaid," dymuniad yr adroddwr gan Eben Fardd yw dilyn y ddau ddisgybl i mewn i Jerusalem a gwrando arnynt yn cyhoeddi'r newyddion da wrth eu cyfeillion a'u cydnabod:

> O na chawn eich dilyn chwi!
> Can llinell cawn eu llenwi
> Ag auraidd sylwedd Cwrdd Salem,
> Parai ail gân, mewn perl a gem.[17]

Ei ddymuniad, mewn geiriau eraill, yw parhau â'r hanes, estyn y stori. Y mae diddordeb Daniel Owen yn hytrach yn ystyr y stori, yn natur ac ym mhwysigrwydd cyfnewidiadau a ddigwyddodd yn ysbryd a meddwl y disgyblion ar ôl iddynt glywed y newyddion a'i ddirnad:

---

[17] *Gweithiau Barddonol, &c. Eben Fardd*, t. 253.

> Os parodd ei farwolaeth iddynt feddwl llai o hono, dyrchafwyd ef yn annhraethol yn eu meddwl yn ngoleuni ei adgyfodiad. Yr adgyfodiad oedd yr allwedd a agorodd iddynt holl ddirgelwch ei fywyd. Yr hyn oedd iddynt o'r blaen yn ddammeg anesboniadwy, a ddehonglwyd yn awr mewn goleuni tanbaid. Ac nid rhyfedd fod yr apostolion yn gosod y fath bwys ar ddilysrwydd ei adgyfodiad. Oblegid "os Crist ni chyfodwyd, ofer yn wir yw ein pregeth ni ac ofer hefyd yw eich ffydd chwithau."[18]

ii. Ei gymeriadau a'r Beibl

Buasai'n dda gennyf faentumio mai'r hyn sy'n nodweddu agwedd Daniel Owen at y Beibl yw ei synnwyr cyffredin. Os ymddangosodd yn Gymraeg yn ystod y bedwaredd ganrif ar bymtheg gyfrol grefyddol gallach a mwy synhwyrol nag *Offrymau Neillduaeth*, nis gwelais. Ond pwy a fyn fod crefydd yn synhwyrol? A beth bynnag, rhyw ymadrodd llaw-fer yw dweud bod gan rywun synnwyr cyffredin. Defnyddiwn ef i ganmol gŵr neu wraig yr ydym yn cytuno â'i safbwynt, i grynhoi pwyll a doethineb a gwastadrwydd amcan ac weithiau gymedroldeb. Defnyddiaf i ef yn awr yn achos Daniel Owen am ei fod yn ddisgrifiad teg ohono mewn cymhariaeth ag anghyffredinedd synnwyr y beirdd o'r Beibl; ond hefyd am fod i'w agwedd at y Beibl ddwy wedd ymddangosiadol wrthgyferbyniol, sef parch deallus at yr hyn a geir ynddo, ac, yn ogystal, y gwrthrychedd hwnnw a gysylltwn â golwg feirniadol y can mlynedd diwethaf hyn tuag ato. Y mae'n deall sut y mae'r Beibl yn gweithio o ran ei feddwl a'i fynegiant; y mae'n gwybod ac yn gwerthfawrogi beth a dâl y Beibl i'r rhai hynny a lŷn wrtho ac a lwyr ymddirieda ynddo; ond y mae hefyd yn fodlon defnyddio'r Beibl fel gwrthrych i'w archwilio, i fanteisio'n artistig arno, ac i'w anwybyddu. Yn ei nofelau y mae'r Beibl yn symbol o seciwlareiddiad sicr y gymdeithas oedd ohoni yn ogystal ag yn Air y Bywyd.

Clywaf rai yn gofyn 'Tybed?' Ym mha fodd yn y byd y gellir honni bod y Beibl yn symbol o seciwlariaeth yn *Rhys Lewis*, *Enoc Huws* a *Gwen Tomos*? Onid nofelau twf a datblygiad Methodistiaeth ydynt? – dwy ohonynt, ta beth. Onid seicoleg y seiat sy'n eu cynysgaeddu?

---

[18] *Offrymau Neillduaeth*, t. 93.

Onid yw mamau tra chrefyddol tri adroddwr y tair stori wedi'u llwyr drwytho yn yr Ysgrythurau? Y mae ymlyniad Mari Lewis wrthynt a'i gwybodaeth awdurdodol ohonynt mor ddiarhebol fel na raid ailadrodd ei champau fel dadleuydd ysgrythurol na chanmol ei chof fel adroddwraig adnodau. Dyna'r ddadl hir gyda Mr Brown y Person lle y dywed ef 'Chi yn gwbod llawer o'r Sgrythyr, Mrs. Lewis' yn ganmoliaethus. Dyna'r dadleuon gyda Bob wedyn, lle y dywed Mari wrth ei mab 'Paid ti a meddwl, os wyt yn dallt policits, dy fod di yn dallt dy Feibl yn well na dy fam.'[19] Nid enwir adroddwr *Profedigaethau Enoc Huws*, ni chyfeiria ato'i hun nac at ei deulu'n aml, ond unwaith wrth gyfeirio ato'i hun ac yntau 'yn wael gan y *slow fever*', y mae'n disgrifio'i fam oddeutu deg o'r gloch ar nos Sul yn darllen 'ei Beibl iddi hi ei hun.'[20] A'r unig ddarlun cofiadwy sydd gennym o fam Rheinallt yn *Gwen Tomos* yw'r darlun ohoni newydd gael trawiad, a'r 'Beibl mawr yn agored' o'i blaen 'a'r spectol fawr arno'.[21] Gosodwyd digwyddiadau *Gwen Tomos* mewn cyfnod cynt na *Rhys Lewis* ac *Enoc Huws*, ond y mae tebygrwydd y tair mam i'w gilydd yn ddigon i beri inni feddwl mai llunio fersiynau o'i fam ei hun a ddarfu Daniel Owen ym mhob achos, y fam a fawrygai, fel y proffwydi, bobl y genhedlaeth gynt yn fwy na'r genhedlaeth hon, a hynny'n rhannol am fod y Beibl 'ar bene'u bysedd. A lle medri di gael eu hecwal nhw y dyddie hyn?'[22]

Y mae eraill hefyd y pwysleisir eu hymlyniad wrth y Gair – Dafydd Dafis yn bennaf un, y blaenor hwnnw yn *Enoc Huws* a oedd yn '[dd]yn yr un llyfr,' yr hwn a gymerai'r Beibl 'yn brif astudiaeth ei fywyd,' ac i'r hwn yr oedd y 'Beibl ei hun' yr 'esboniad penaf ar y Beibl' – cymal disgrifiadol sy'n dystiolaeth ardderchog o finiogrwydd meddwl Daniel Owen yn yr oes uwchfeirniadol oedd ohoni.[23] Brawd iddo yn y ffydd yw Benjamin Prys *Y Dreflan*. Amdano ef y dywedodd ei wraig ddisyml: 'os aiff darllen y Bibl â rhwfun i'r nefoedd, mi aiff â hwnna'.[24] O blith y genhedlaeth iau, yr unig un a ddaw at y Beibl o'r newydd yw Susan Trefor. Ar ôl i'w thad gyfaddef ei fod yn fethiant ac

[19]Daniel Owen, *Huangofiant Rhys Lewis, Gweinidog Bethel* (Wrecsam [1885]), t. 63.

[20]*Enoc Huws*, t. 131.

[21]*Gwen Tomos*, t. 45.

[22]*Rhys Lewis*, t. 62.

[23]*Enoc Huws*, tt. 128, 290

[24]*Daniel Owen, Y Dreflan: Ei Phobl a'i Phethau* (Wrecsam, [1881]), t. 55.

yn fethdalwr, caiff Susi dröedigaeth foesol, tröedigaeth a bair iddi feddwl am bethau trosti hi ei hun yn hytrach na derbyn pethau fel y'u cyflwynid iddi; ac y mae'n amlwg mai carn ei myfyrdod yw'r Gair.[25] Y meddyliwr dwysaf a berthyn i'r genhedlaeth iau, er nad y meddyliwr mwyaf treiddgar (Wil Bryan yw hwnnw), yw Bob Lewis, gŵr ifanc a ddatganodd iddo gael ei fagu yn hollol anwybodus 'o bobpeth oddigerth o bethau'r Bibl'. Fe gofir iddo ef gael ei dorri allan o'r seiat am roi cot haeddiannol i Robyn y Sowldiwr, ac iddo wedyn gael ei garcharu, ar gam, am ymosod ar Mr Strangle. Ar ôl dod adref o'r carchar, ni ofynnodd am gael ailymuno â'r seiat. At hynny, 'gwrthododd ailymgymeryd â'i ddosbarth yn yr Ysgol Sul.' At hynny hefyd, addefa Rhys fod 'un cyfnewidiad arall ynddo, sef na byddai yn awr yn darllen y Bibl yn ein gwyddfod.' –

> Parodd hyn ofid mawr i fy mam, gan yr ofnai hi am amser nad oedd efe yn ei ddarllen o gwbl.

Wele, y mae ei ddarllen yn symbol o ryw sancteiddrwydd, o ymdrech yn yr ysbryd, ac y mae ymwrthod ag ef yn drallod. Ond deil Bob i'w ddarllen:

> Yn gyffredin eisteddai Bob i fyny am rai oriau wedi i fy mam a minnau fyned i'r gwely; ond gofalai fy mam wedi i'r ddyfais gynnyg ei hun i'w meddwl, am osod y Bibl bob nos mewn sefyllfa neillduol ar y bwrdd yn ymyl y ffenestr, fel y gallai hi wybod i sicrwydd bore drannoeth a oedd Bob wedi bod yn ymwneyd rhywbeth âg ef. Cymaint cysur a gaffai hi wrth ganfod yn y bore fod y Bibl wedi ei symud, fel yr aeth yn arferiad ganddi wybod bob nos safle fanwl y Bibl ar y bwrdd.[26]

Ond na feddylied neb fod holl ddarllenwyr y Gair yn perthyn i wir deulu'r Ffydd.

Petai hynny'n wir, fe debygid bod cymeriadau anysgrythurgar y nofelau yn perthyn i'r byd. Ond nid yw mor syml â hynny, o bell bell ffordd. Gwir ei wala fod materoldeb Hugh Bryan, tad Wil, yn cael ei adlewyrchu yn y ffaith na '[f]ydd o byth yn edrach ar y Beibl ond am

[25]*Enoc Huws*, t.103: Ebe Susi: '"A deyd fy meddwl yn onest wrthoch chi, mam, 'does dim mwy o debygrwydd rhwng y grefydd a ddysgwyd i mi â chrefydd y Beibl, nag sydd rhwng Beelzebub a Gabriel."' Cf. tt. 216-17, lle dywed Richard Trefor mai hoff lyfr ei ferch, a gafodd gyfnewidiad 'calon a chyflwr,' yw y Beibl.

[26]*Rhys Lewis*, tt. 182-83.

rw ddau fynyd ar y Sul cyn mynd i'r ysgol' (chwedl y mab), a bod 'y Beibl gafodd o yn bresant pan briododd o . . . gystal â newydd rŵan'. Gwir hefyd fod dihidrwydd sylfaenol ansensitif y Parchedig Obediah Simon yn cael ei adlewyrchu yn ei ddull digydwybod o rydd-ddehongli'r Ysgrythur yn unol â'i chwant.[27] Eithr buan y deuir yn Daniel Owen wyneb yn wyneb â graddau o gymhlethdod gyda golwg ar hyn o bwnc.

Dyna'r radd isaf, sef honno a gynrychiolir gan Nansi'r Nant, gradd y rhai y tybiwn eu bod yn baganaidd ond sydd mewn gwirionedd yn gyfarwydd â'r Gair. Er cymaint o werthu a fu ar Feiblau yn y bedwaredd ganrif ar bymtheg, nid aeth llawer o gopïau i'r anheddau gwaelaf yn strydoedd tlodion y Dreflan, ond ceir copi ym mwthyn y wyddones Nansi, – copi, y mae'n wir, â llawer o 'secreds' ynddo fo, cyfrinachau nas datgelir ond yr arweinir ni i feddwl mai fformiwlâu cudd Nansi at drwytho llysiau a phethau cyffelyb ydynt, pethau a'n tywys yn ôl i oes pan oedd crefydd a dewindabaeth yn chwiorydd. Fel arfer yn *Gwen Tomos*, ar ochr Gwen y mae'r adroddwr Rheinallt. Ond caiff Nansi'r gorau arni yn yr ymddiddan arbennig hwn – ac y mae'r adroddwr am i ni wybod hynny:

> "'Newch ch'i ddarllen y Beibl, Nansi, os gwna i ro'i un i ch'i?" gofynai Gwen.
>
> "Oes gynat ti Feibl gwahanol i Meibl i?" ebe Nansi.
>
> "O, a mae gynoch ch'i Feibl ynte?" gofynai Gwen.
>
> "Oes, a mi fydda yn darllen llawer arno," ebe Nansi.
>
> "Pa ranau o'r Beibl sydd fwyaf hoff gynoch ch'i, Nansi?" gofynai Gwen.
>
> "Mi ddeyda i ti," ebe Nansi; "llyfrau Samwel a'r Brenhinoedd, a rhai o'r Salmau lle mae Dafydd yn melldithio ei elynion. Dyn iawn oedd Dafydd, a roedd o yn medrud ei rho'i hi i'w elynion dros eu holl gorph. Mi f'aswn yn leicio dase yna rwfun o'i sort o rwan. Fydda i'n hidio dim am y Testament Newydd, – dydio ddim at y nhâst i."[28]

Yn nes ymlaen yn y nofel, a Gwen y tro hwn fel petai'n rhy weddeiddlwys i ystyried bod cosbedigaethau corfforol egr yn rhan o arfogaeth yr Arglwydd, sef pan haera Nansi na chymer y briodas a

[27] Ibid., t. 259, *Enoc Huws,* t. 212.

[28] *Gwen Tomos*, tt. 174. 140-1.

drefnwyd rhwng Ernest Griffith a merch y Plas Ucha 'byth le' – 'achos dydi'r llipryn hwnw ddim ond yn ei haros hi,' y wyddones a gaiff y llaw uchaf unwaith yn rhagor:

> "O Nansi! Nansi! mae'n ddrwg gen i'ch clywed chi yn dal i siarad fel yna, yn hen wraig fel yr ydych chi ar fin y bedd, ac yn wir yr ydach chi yn edrach yn wael hefyd. Meddyliwch, Nansi, mae siarad fel yna yn beth annuwiol iawn," ebe Gwen.
>
> "Taw a dy lol," ebe Nansi, "geneth gall fel ti, sydd yn Fethodi, ac yn cymyd arnat ddal[l]t dy Feibil! On'd oes yna ddigon o bethe fel yna yn yr Hen Destament. Y Brenin Mawr, wyddost, sydd yn dechre talu iddyn nhw yn y byd yma dipyn *on account* nes y can nhw eu cyflog yn llawn am eu drygioni a'u creulondeb at y tlawd . . ."[29]

Dringwn radd, at Wil Bryan, y creadur bydol-ddoeth hwnnw sydd o leiaf yn cymryd arno na hidia ffeuen am grefydd, yn rhannol am na pharcha grefyddwyr ac am y gwêl drwy bob rhagrith a hoced. Ac yn wir, pan lefara Wil, fel y gwna'n llifeiriol dro ar ôl tro yn *Rhys Lewis*, cymariaethau o'r byd sydd ganddo, o fasnach a'r cae criced a'r rheilffordd, ie, ac o fioleg ('cofia fod yn *true to nature*').[30] Bioleg – a syniadau Charles Darwin am esblygiad yn enwedig – oedd ail fwgan mawr crefyddwyr y dydd hwnnw. Noder bod Cymraeg Wil yn llawn o Saesnegebau na chodasai neb cwbl ffyddlon i William Morgan mohonynt. Y mae'r cyffesiad gwych a ganlyn yn grynhoad ardderchog o'i araith ac o'i hunanadnabyddiaeth:

> Be ydw i wedi neyd? Lot o bethe bychain: dysgu *comic songs* yn lle dysgu'r Beibl [a'r] 'Fforddwr, myn'd at y *billiard table* yn gan' amlach nag at fwrdd yr Arglwydd, gneyd *sport* am ben pawb a phobpeth, a gneyd *parodies* o *hymns* Williams Pantycelyn.[31]

Eto i gyd, y mae Wil Bryan yn adnabod ei Feibl. Y mae'n gallu trafod ei gyflwr ei hun yn nhermau'r Beibl (gweler hanner gwaelod y tudalen lle digwydd y dyfyniad diwethaf); ac mewn darn hir ym Mhennod XXXII traetha gyngor i Rhys ar 'gyltifatio *cheek*' sy'n barodi ar bregeth o ran y defnydd o bennau sydd ynddo, o ran ei

[29]Ibid., tt. 234-35

[30]*Rhys Lewis*, tt. 260-61, er enghraifft.

[31]Ibid., t. 317.

ddarluniadau, ac, yn ogystal, er yr aml amodi sydd ynddo, o ran cyfeiriadaeth ysgrythurol. Dyma flas ar y darn danteithiol hwnnw:

> Fydd dy dalent a dy wybodaeth di yn werth dim heb *cheek*. Mae'r Beibl yn rhoi enghreifftiau i ni o hyn, os ydw i yn cofio yn dda. Mi wna i gyfadde nad ydw i ddim yn *authority* ar y Beibl, ac os ydw i yn camgymeryd, hwyrach y gwnai di nghorectio i. Ydi o ddim yn cael ei admittio gan ddysgedigion fod Ioan yn glyfrach dyn na Pheder? ond pwy oedd y meistar? pwy oedd ar y blaen hefo pob peth? Ac ar ol iddo wneyd y tro sâl hwnw *just* meddwl am 'i *cheek* o yn 'u cyfarfod misol cynta nhw yn stepio ymlaen i bregethu, a phawb yn gwbod be oedd o wedi wneyd! Dyna'r *cheek* tosta glywes i rioed sôn am dano, mi gymra fy llŵ. Bydase Ioan wedi gwneyd tro mor *shabby*, mi fase gyno fo ormod o gywilydd i ddyweyd gair byth – a drycha di ffasiwn golled fase hyny. Dyna'r wraig o Samaria hefyd yn dŵad at Iesu Grist i ofyn iddo fendio 'i bachgen hi (mi wyddwn mai at y wraig o Ganaan y cyfeiriai Wil) – chymre hi mo'i hateb, ac am fod gyni *cheek* mi gafodd 'i neges.[32]

Petai Mari Lewis wedi cael byw i glywed y cyngor hwn, dwrdiasai lencyn y QP yn llymach nag erioed, am ei fod yn meiddio gwneud sylwadau mor haerllug, am ei fod yn trafod y Gair Sanctaidd mor ddibarch, mor hyf.[33] Daniel Owen a bair iddo wneud hynny, wrth gwrs: ef yw awdur agwedd Wil at y Beibl. A rhaid i ni beidio â cholli golwg ar y rheswm (neu'r rhesymau) oedd ganddo tros roi i Wil yr agwedd honno. Os dangosodd dysg y bedwaredd ganrif ar bymtheg rywbeth, dangosodd nad eiddo'r Cristionogion yn unig oedd y Beibl. Yr oedd, yn hytrach, yn wrthrych astudiaeth i dipyn o bawb. Ac y mae ironi mawr yn y ffaith iddo gael ei drin yn astudiaethol 'amheus' fel hyn yn yr union gyfnod pan oedd addysg yr Ysgol Sul, ac i raddau llai addysg yr Ysgolion Cenedlaethol a Brytanaidd, wedi rhoddi i'r werin a'r miloedd y moddion i'w ddarllen trostynt eu hunain, a chyflawni yn hwyr yn y dydd un o ddyheadau sylfaenol y Diwygaid Protestannaidd. Â'i ffraethineb gwreiddiol y mae Wil yn ei ddarllen, yn annifrif, yn anghrefyddaidd, ond nid yn annoeth. O'i gymharu â'r

[32] Ibid., tt. 297-98.

[33] Ibid., t. 230: 'Yr wyf yn cofio y fynyd hon am ddywediad o eiddo fy mam, sef fod defnyddio geiriau y Beibl mewn ysgafnder yn peri iddynt golli eu mîn at yr hyn y bwriadwyd hwynt.'

cymeriad nesaf y mae'n rhaid i ni ei drafod, y mae defnydd personol ac nid gorbarchus Wil o'r Beibl yn bur ddiniwed.

Y Capten Trefor yw hwnnw, y rhagrithiol a'r gwyrdröedig ei ddefnydd o'r Beibl. Yr ydym wedi symud gradd arall. Yn y Capten y mae'r byd, y cnawd a'r diafol fel petaent wedi dysgu iaith yr Iôr mor berffaith fel na ddeallodd neb ond Mari Lewis, ceidwad ceidwadol y Gair, ba mor erchyll-effeithiol y twyll. Gydag Enoc Huws, gydag Obediah Simon, a chyda Sarah'i wraig y nos honno pan gyfaddefa wrthi ddyfnderoedd ei ddyledion ariannol, llefara'r Capten Trefor fel y Llyfr. ''Roedd yn biti gen i glywed o mor edifeiriol,' meddai Sarah Trefor wrth Susi drannoeth, 'a 'roedd ganddo 'Sgrythyr ar bobpeth.' '. . . yr oedd yr Ysgrythyrau ar benau ei fysedd', meddai adroddwr *Enoc Huws* yn gynnar yn y nofel. Ond yr un mor gynnar, dywed ei bod yn 'gofus' ganddo glywed mam Rhys Lewis yn dweud 'fod y Beibl ar bene'i fysedd o,' ond y buasai'n well ganddi 'glywed fod tipyn o hono yn'i galon o.'[34] Gan hynny, gŵyr y darllenydd o'r dechrau bron mai ffugbeth yw ei ffyddlondeb i'r Gair, ffalsedd y mae iddo ei werth symbolaidd uwchlaw'r gwerth sydd iddo fel allwedd i gymeriad y dyn ei hunan. Onid awgrymu y mae Daniel Owen nad yw ymlyniad wrth lythyren y Beibl ynddo'i hun o ddim elw? Fel y maentumiais yn gynharach yn y bennod hon, wrth drafod cymeriadaeth lenyddol y mae bob amser yn beryglus i haeru bod rhyw gymeriad neu'i gilydd – pa mor gydymdeimladol neu anghydymdeimladol bynnag y bo'r cyflwyniad ohono – yn cynrychioli barn yr awdur ar wahanol bynciau. Tecach dweud bod cymeriad, yn ogystal â bod yn gymeriad, yn agwedd ar feddwl, yn llond ei groen ac yn gofiadwy ac hefyd yn syniad ar waith. Y mae'r Capten Trefor yn ysgrythurgi mewn cymdeithas gapelaidd sydd, er gwaethaf presenoldeb Dafydd Dafis ynddi, yn graddol golli'i hen ymlyniad didwyll wrth y Gair. Obediah Simon sy'n ei phulpud. Ac, oblegid Eos Prydain, y mae'i phobl ifainc yn mynd i'r cwrdd â llyfrau'r tonic sol-ffa o dan eu ceseiliau yn hytrach na'u Beiblau. A yw'n ormod gweld yn y Capten yr ochr dywyll i ymddiriedaeth ysgrythurol y llythrenolwyr hynny na fynnent am funud gydnabod bod cyfnewidiadau cymhleth dysg yr oes oedd ohoni yn rhwym o danseilio'u ffydd – ymddiriedaeth a oedd, o raid, yn

[34] *Enoc Huws*, tt. 97, 28.

arwynebol a diamddiffyn? Yn baradocsaidd, yr hwn sy'n llefaru fel y Llyfr a ddengys egluraf ba mor ddiddylanwad y gall y Llyfr hwnnw fod. Sugnodd ei faeth, ond â gwefus y Philistiad.

Ond nid ydym eto wedi dod i ben â dadansoddi agweddau cymeriadau Daniel Owen at y Beibl. Gan gyfaddef am y trydydd tro ei bod hi'n anodd onid yn amhosibl penderfynu ai ef ei hun ynteu adroddwr y nofel (pwy bynnag yw'r *persona* hwnnw) a'u piau, yr wyf yn dymuno edrych ar ddarnau o bedair pennod gymharol gyfagos yn *Rhys Lewis*. Yn y penodau hyn symudwn yn gyflym o'r amser pan yw Mari Lewis yn galaru ar ôl Bob i adeg yn fuan ar ôl ei marwolaeth hi, ac yna i'r cyfnod pan yw Rhys yng ngofal Abel Hughes.

Yn y darn cyntaf o'r pedwar, y mae Rhys yn myfyrio ar ymateb ei fam i farwolaeth Bob, ac yn myfyrio yn arbennig ar y modd y rhaffodd hi ymadroddion o'r Ysgrythur ynghyd i fynegi ac atgyfnerthu ei chred fod y Bob hwnnw a ddadleuodd â hi ac a roes ddirfawr boen iddi pan ddiarddelwyd ef o'r seiat, yn awr yn y nefoedd. Ebr Rhys:

> Wel, nid oes genyf finnau heddyw ond hyderu fod crediniaeth fy mam yn gywir. Pe darllenai ambell i ŵr dysgedig yr hyn yr wyf yn myned i'w ddyweyd, diammheu y chwarddai am fy mhen. Chwardded ef. Ond yr wyf fi yn credu fod pobl dduwiol, gan nad pa mor annysgedig ydynt, yn meddu rhyw ganfyddiaeth ysbrydol, ac yn derbyn, er hwyrach yn anymwybodol, ryw frysbellebrau o'r byd tragwyddol na chaniateir i'r dyn anianol, ac na ddeallid ganddo pe caniateid hwynt iddo. Gwn yn eithaf da nad ydyw fy nghrediniaeth yn cydweddu a dysgeidiaeth rhai o wyr galluog yr oes (oleu) hon – oes ag y mae rhai ynddi yn edrych ar grefyddwyr fel pobl hen ffasiwn, ac ar y Beibl fel llyfr bach digon diniwed, ac yn lled addaw i ni y bydd iddynt yn bur fuan, drwy eu darganfyddiadau gwyddonol, alluogi yr hogyn yn yr ysgol i ysgrifenu ar ei lechen, rhwng brecwast a chinio, holl gyfrinion natur – dirgelion bodolaeth, a dyheuadau enaid anfarwol![35]

Fe dybid nad oes eisiau gwneud unrhyw sylw ar symlrwydd ymddangosiadol y datganiad hwn. Ond nid yw mor syml ag yr ymddengys, yn enwedig o'i ystyried mewn perthynas â'r trydydd o'r darnau y cyfeiriais atynt yn awr. Cofier mai Rhys yn ei fan a fawryga

[35]*Rhys Lewis*, t. 198.

grefydd pobl dduwiol yn y dyfyniad diwethaf, Rhys Lewis gweinidog Bethel y mae ganddo'r hyder ffydd i ganmol y Beibl am ei werth *vis-a-vis* yr hyn y gallai gwyddoniaeth, a ystyrid fel gwrtheb, ei gynhyrchu, ac i'w gydnabod fel cynheilydd ffydd y bobl dduwiol gynt.

Y mae'r trydydd darn – dof yn ôl at yr ail – yn digwydd yn y bennod "Dyddiau Tywyllwch," lle disgrifia Rhys y calongaledwch a ddaeth iddo'n llanc yn fuan ar ôl marw'i fam, y calongaledwch a'r ysbryd beirniadol a droes ei wyneb yn erbyn popeth a edmygasai gynt, ac a barodd iddo syrthio i 'sefyllfa ddiwaith, bendrymaidd, a phruddglwyfus.' Pan oedd yn y sefyllfa honno y ceisiodd 'y diafol' sibrwd wrtho 'mai ynfydrwydd oedd crefydd, mai casgliad o chwedlau oedd y Beibl, ac mai diffyg treuliad oedd yr achos o fy holl drueni.' Diafol cyfoes oedd hwn, yn ceisio argyhoeddi Rhys ymhlith pethau eraill mai 'llyfr bach digon diniwed' (a defnyddio geiriau'r dyfyniad uchod) oedd y Beibl. Ond ni lwyddodd, achos fe gofiodd Rhys mewn da bryd am fuchedd ei fam, 'ei huniondeb, ei ffydd, ei llawenydd yn yr Ysbryd Glân,' &c. – 'ac ni allai y diafol na holl anffyddwyr y byd fy symud oddiwrth hyny.'[36] O leiaf, dyna a ddywed Rhys, dyna a ddywed Daniel Owen, dyna a *ddywed* adroddwr y nofel.

O ran ei dymer, o ran y pwyslais yn ei gwestiynau, o ran ei oslef (pethau anodd iawn eu disgrifio heb dechneg iaith yr hen retoregwyr), y mae'r trydydd darn y dywedais gynnau y down i ato yn awgrymu *na* rannai Rhys ymlyniad tyn, cwbl ddiwyro Mari at y Beibl. Yn y bennod "Marwnad Ryddiaethol" y digwydd, pennod goffa'r fam, sydd, yn naturiol, yn bennod foliannus, ond sydd hefyd hwnt ac yma'n garedig-gellweirus ac yn annwyl-amheuol mewn ffordd na fyddai Rhys wedi meiddio'i mabwysiadu ym myw Mari. Y mae Rhys yma'n cyfarch ei fam ymadawedig:

> . . . y llyfr y cartrefit ti ynddo ac y gloddestai dy feddwl arno, oedd y Beibl. Ni byddit byth yn blino ei ddarllen ac yn sôn am ei wirioneddau. Credwyf na ddarfu i ti erioed ammheu am eilaid ei fod yn Ddwyfol, a'i fod yn wir air Duw. Cofus genyf, os dygwyddai i Bob ddim ond awgrymu yn gynnil fod tipyn o gamgymeriad yn nghyfieithiad ambell adnod, y gyrai hyny dy eiddigedd yn wenfflam. Er mor hoff oeddit o'r Parch. –, oni ddarfu i ti hanner digio wrtho pan ddywedodd efe ar

[36]Ibid., t. 235.

> bregeth fod eisieu newid ychydig ar eiriad ryw adnod? ac oni ddywedaist di am dano ar ol hyny wrth Abel Hughes dy fod yn ofni fod llawer o ddysg yn ei yru yn ynfyd? Gwn mai y rheswm penaf nad oeddit yn rhyw orhoff o'r "*stiwdants*" ydoedd ddarfod i un o honynt ryw dro ddyweyd fod ei destun yn well yn Saesoneg nag yn Gymraeg; ac yr wyf yn cofio i ti ddyweyd yn boethlyd nad oedd genyt amynedd i wrando ar brentisiaid o bregethwyr yn ceisio newid gair Duw; Dy anwybodaeth a barai i ti siarad felly; ond dichon i ti gael *credit* yn y nefoedd hyd yn nôd am hyny; oblegid dy zel dros y Beibl, a'th gariad at bob adnod a gair ynddo, a barai i ti fod mor eiddigeddus. A pha ryfedd? Onid y Beibl *fel y mae* a fu ffynnonell dy holl gysuron? Onid ei addewidion *fel y maent* air a llythyren a'th gynnaliodd ymhob profedigaeth a thrallod? Pe llwyddasai rhywun i siglo gronyn ar dy ffydd yn ei ysbrydoliaeth llythyrenol, darfuasai am danat! Yr oeddit wedi gosod dy ymddiried mor llwyr yn ei wirioneddau, ac yn eu garu mor fawr, fel y gallaf yn hawdd gredu yr hyn a ddywedai Thomas Bartley am danat, sef dy fod y fynyd olaf cyn marw yn edrych drwy dy yspectol ar dy Feibl a'i ddail rhyddion fel pe buasit yn anfoddlawn ei adael, ac fel pe buasit yn awyddus am ei gymeryd gyda thi![37]

Glynai Mari wrth y Beibl am na wyddai ddim amgen. Eto i gyd, gwyddai'r mab. A dyna paham y gallai ef gellwair mor garedig am ddiffygion deallusol y fam yr oedd cylch ei bywyd mor fychan a'i ffordd mor gul.

Yn y paragraff uchod, y mae ei agwedd at y Beibl ynghlwm wrth ei gariad at y to a aeth heibio, ac at ei fam yn enwedig; y mae wedi'i mynegi weithiau'n gellweirus, weithiau'n ddwys, ac weithiau – pan sonia am y Beibl mewn perthynas â phobl nad oes ganddo barch mawr tuag atynt – yn chwyrn. Am hynny, ni ellir dweud yn syml fod y *persona* hwn neu Daniel Owen yn credu'r peth yma ac yn anghredu'r peth acw. Daeth ei galon i sibrwd melys eiriau wrth ei ben, a gwrandawodd ei ben arnynt.

Ond fe ellir dweud iddo brofi yr holl brofiadau meddwl a chalon hynny a nodweddai'r oes y trigai ynddi, sef gofid beirniadol ynghylch gwerth y Beibl, amheuaeth barhaol ynghylch ei ysbrydoliaeth lythrennol, consỳrn ynghylch y safle a roddid iddo yn yr eglwysi, a natur ymddiriedaeth y ffyddloniaid ynddo. Gyda golwg ar hyn oll, y

---

[37]Ibid., t. 210.

mae'n bryd i ni symud at y pedwerydd a'r olaf o'r darnau y bwriedir edrych arnynt, darn a welir ym Mhennod XXVIII. Teitl y bennod honno yw "Y Meistr a'r Gwas." Rhys, yr hwn a aeth yn brentis siopwr, yw'r gwas; a'i feistr yw'r awdurdodol Abel Hughes, y dylem fod wedi'i enwi a'i ddosbarthu gyda Mari Lewis, Dafydd Dafis a Benjamin Prys, fel un o geidwaid di-sigl yr Ysgrythur, ymhell cyn hyn – ond y penderfynwyd ei gadw'n ôl am fod yr hyn sydd ganddo i'w ddweud yn y darn hwn o *Rhys Lewis* yn fwy anoddyfn na dim y gellid ei ddisgwyl gan un o'r tri arall, ac yn fwy anoddyfn na dim yr arweiniwyd y darllenydd i'w ddisgwyl gan Abel ei hun hefyd. Yn wir, y mae Abel yma'n cyfaddef bod 'y cynghorion a roir bob dydd i bawb' yn y cyflwr o anobaith ac anghrediniaeth y cafodd Rhys ei hun ynddo bellach 'yn ddiystyr', ac felly'n ddi-werth.[38] Cwestiwn i'w ofyn wrth lunio hanes crefydd yng Nghymru yw 'Paham felly eu rhoddi?' Wrth lunio beirniadaeth ar agwedd Daniel Owen at y Beibl, rhaid mynd heibio i'r cwestiwn hwnnw at y cwestiynau mwy personol y dywed Abel Hughes wrth Rhys iddo'u gofyn iddo'i hun pan ymgodymai ef ag ystyr ffydd. Ddarllenydd, os mynni adroddiad ardderchog Abel ar y mater hwnnw yn ei gyflawnder, darllen tt. 245-51 y nofel, tudalennau cystal â dim a ysgrifennodd John Bunyan a Williams Pantycelyn yn eu portreadau hwy o bechaduriaid ymdrechus – darllen hyd at y cyffesiad hwn: 'Tu allan i'r grediniaeth ddyfod Iesu Grist yn y cnawd,' ebr Abel Hughes, 'nid oes ond dystawrwydd y bedd i mi ymhob man; nid oes atebiad croew i un cwestiwn o eiddo fy enaid aflonydd. Ond y mae bywyd, dysgeidiaeth, marwolaeth, iawn, ac adgyfodiad ein Gwaredwr yn rhoi yr enaid ar ei ddiffeians i ofyn cwestiwn nad ellir ei ateb.'[39]

Ni ellir cilio oddi wrth y ffaith mai canrif y cwestiwn oedd canrif Daniel Owen. Y marc cwestiwn oedd y nod ar dalcen yr amheuwr. Ac ym mha le y ceid yr amheuwr? Wel, 'nid ymhlith y dosbarth anllythrenog, anwybodus' ond 'ymhlith y dosbarth darllengar, myfyrgar', sef ymhlith y rhai y bu eu darllen a'u myfyrio 'yn deffro y galon i'w hanghen, ac i ddechre gofyn cwestiynau iddi hi ei hun', ys dywed Abel Hughes eto.[40] Gynt yn y nofel, er ei fod yn ffigur pwysig

---

[38]Ibid., tt. 248-49.

[39]Ibid., t. 248.

[40]Ibid., t. 248-9.

yn y capel ac yn y cyfarfod plant, ffigur ymylol oedd Abel mewn gwirionedd, mor ymylol ac mor gapelaidd-ystrydebol fel na feddyliai'r darllenydd fod ganddo glem am fodolaeth amheuwyr, heb sôn am ddealltwriaeth eneidegol o'u gofalon. Ym Mhennod XXVIII y mae nid yn unig yn ei osod ei hun yn gydymdeimladol ar yr un gwastad ymofyngar â hwynt, y mae hefyd yn defnyddio'r gwahaniaeth rhwng amheuwr a chredadun i dystio i werth y Beibl – tystiolaeth sydd, o ran ei modernrwydd, o ran ei dirnadaeth o rym mytholeg ac ymadrodd i roi sicrwydd trefn i ddychymyg dyn, yn codi Abel Hughes i dir deallusol uchel nad oedd hyd yn oed ar fap Mari Lewis a Dafydd Dafis a Benjamin Prys. Efallai bod Daniel Owen wrth lunio'r rhan hon o'r nofel wedi rhoi i'r hen ŵr y ddirnadaeth a enillasai ef ei hun wrth fyfyrio ar anfanteision ysbrydol ysgolheictod y dydd. Ar y llaw arall, efallai iddo fwriadu o'r cychwyn roi geiriau mor bwrpasol yng ngenau Abel Hughes, gan feddwl yr enillai iddynt *imprimatur* y stiward seiat. Pa reswm bynnag oedd gan Daniel Owen dros ddarguddio gwreiddioldeb meddwl Abel Hughes tan y bennod hon, ynddi y mae'n datgelu syniad am werth y Beibl sydd, fel yr awgrymais eisoes, yn rhyfeddol am ei gyfoesedd, ei anuniongrededd, ei graffter seicolegol, a'i ddealltwriaeth o bwrpas sylfaenol llên. Y darn hwn yw *tour de force* Abel Hughes. Darllenwch ef ar ei hyd:

> Mae darllen a myfyrio yn deffro y galon i'w hanghen, ac i ddechre gofyn cwestiynau iddi hi ei hun, ac unwaith y dechreua hi gwestiyno, mae ganddi ddigon o waith. Mae yr ammheuwr yn dal i ofyn cwestiynau iddo ef ei hun, ac heb gael atebiad i un o'i gwestiynau mawr. Yn y dechre y cwestiynau ydyw ei bethau mawr, ond yn y diwedd ei anallu i'w hateb ydyw ei beth mawr. O dipyn i beth y mae yn ymfoddloni, ac weithiau yn ymorchestu yn ei anwybodaeth. Gan mai at ei galon a'i ddeall ei hun y mae yn appelio, y mae yn gorfod symio i fyny ei gredo i ddau air – *Nis gwn*. Dydw i ddim yn cymeryd arnaf fy mod yn athronydd, ond yr wyf yn sicr fod genyf enaid a chalon aflonydd sydd yn gofyn cwestiynau yn barhaus. Wel, os nad allaf gyrhaedd tir uwch a gwell credo nag sydd yn gynnwysedig yn y Nis gwn, y truenusaf ydwyf o'r holl greaduriaid! Buasai yn well i mi fod yn elephant, neu yn asyn, neu yn fwnci nag yn ddyn. Pe bawn yn sicr yn fy meddwl mai yr eithaf y gallwn ei gyrhaeddyd drwy chwilio a myfyrio ydyw *nis gwn*, mi dynwn fy het i bob asyn a ganfyddwn, ac a ddywedwn wrtho, Gwyn dy fyd! Ond diolch i Dduw! y mae genym ni

> ddadguddiad. I mi y mae dwy ffaith amlwg. Un ydyw, fod calon dyn ar ol iddi ddeffro yn gofyn cwestiynau yn barhaus. Y llall ydyw mai profiad y dynion clyfraf fu yn y byd erioed ydyw mai yr unig ateb sydd gan y galon i'w chwestiynau ei hun ydyw, Nis gwn. Yn awr, os ydyw y Beibl yn ateb cwestiynau dyfnion a mwyaf dyrys fy nghalon – os ydyw yn gallu esbonio i mi fy modolaeth, fy nhrueni, a fy nyfodol – os ydyw yn gallu fy nghyfeirio at Un fedr dawelu anesmwythder fy enaid – yna mi gredaf fod y llyfr hwn wedi dyfod oddiwrth Dduw. Os nid felly y mae, yna paham na chynnyrchid ei gyffelyb, ïe, ei well? Ond yr wyf yn rhoddi hér i unrhyw ddyn, i unrhyw genedl, ïe, i oreuon pob cenedl dan y nef gyda'u gilydd, i gynnyrchu rhywbeth tebyg iddo, heb fod yn ddyledus i'r Beibl ei hun am y drychfeddwl ac am y defnyddiau.[41]

Sylwer yn arbennig ar y pwynt olaf, sef fod Abel Hughes yn barod i gydnabod y geill *nad* o Dduw y daeth y Beibl. A bwrw nad yw o'r nef, meddai, digon ei fod yn ddigymar ddefnyddiol fel *codex* i ymdaith yr enaid.

iii. '. . . yn ddyledus i'r Beibl ei hun'

Mi hoffwn yn awr droi at wedd arall ar ddefnydd Daniel Owen o'r Beibl – ei fenthyciadau a'i gyfeiriadau. Yr unig ffordd i wneud cyfiawnder â'r pwnc, yn enwedig â'r dyledion beiblaidd yn *Rhys Lewis* ac *Enoc Huws*, fyddai paratoi argraffiadau rhyngddalennol ohonynt, llunio sylwadau llawn gyferbyn â phob tudalen lle digwydd dyfyniad o'r Beibl neu gyfeiriad ato, ac yna roi trefn ac iawn ddosbarth ar bob un ohonynt. (Y mae natur homilïol penodau II-VII Rhan Gyntaf *Offrymau Neillduaeth* yn golygu y ceir sylwadaeth nid annhebyg i hyn yno eisoes.)

Ei ddyled gyntaf i'r Beibl yw dyled pob nofelydd i'r awduron beiblaidd hynny a greodd naratif i drosglwyddo mathau arbennig o wybodaeth, gwybodaeth foesol a phrofiadol ac ysbrydol yn ogystal â gwybodaeth hanesyddol – yr union fathau o wybodaeth na ellid nofelau hebddynt.[42] Wrth ddefnyddio naratif fel hyn, y mae'r nofelydd yn cymryd arno hollwybodolrwydd. Ni wn a wyddai Daniel Owen y gellid olrhain y dechneg hon yn ôl i'r Ysgrythurau ai peidio, ond yn y

[41]Ibid., t. 249.

[42]Robert Alter, *The Act of Biblical Narrative* (Llundain, 1981), t. 157.

paragraff nid anenwog hwnnw yn Rhagymadrodd *Enoc Huws* lle trafoda'i hollwybodolrwydd awdurol, ar ôl apelio ar ei ddarllenydd i dderbyn pob peth a adroddir ganddo 'fel ffeithiau diamheuol' – er enghraifft, 'meddyliau hwn neu arall pan ar ei ben ei hun', – y mae'n cyfarch y darllenydd mewn brawddeg sydd, o ran ieithwedd ac arddull, mor debyg i frawddeg o un o epistolau'r Testament Newydd ag y gallai dim fod. 'Anwyl ddarllenydd,' ebr ef, 'y dirgelwch hwn sydd fawr; na flina, ymarfer ychydig ffydd, a rhoddaf finau fy ngair nad adroddaf ddim nad allaf sefyll ato, os bydd raid.'[43] A yw'n ormod maentumio, tybed, i Daniel Owen fabwysiadu'r dôn hon i gyfiawnhau techneg y nofel am iddo ddeall mai dyna un o dechnegau'r Beibl ei hun? – a'i fod, wrth wneud hynny, yn parodïo'r Beibl?

Y Beibl a roddodd iddo hefyd rai o'r cyflyrau a'r amgylchiadau y gosododd ei gymeriadau ynddynt. Cyflwr byw Mari Lewis, er enghraifft. Fel y dywed Wil Bryan wrthi un tro, y mae ei hamgylchiadau yn debyg iawn i amgylchiadau Job mewn rhai ystyriaethau – ef yn cael gwraig ddrwg, hithau'n cael gŵr drwg, a'r ddau ohonynt yn 'sticio at [eu] *colours* yn *first-class*'. Job yn colli'i blant, Mari yn gweld carcharu Bob. 'On'd oedd y pregethwr yn deyd am Job mai'i drio fo oedd y Brenin mawr?' ebe Wil wrthi; 'a felly mae o hefo chithe, dim ond *just* dangos ffasiwn stwff sy ynoch chi.'[44] Yr oedd y ddau yn ddau baragon o fath, yn dioddef yn anhaeddiannol. Unwaith y gwelwn y tebygrwydd rhyngddynt, y mae'n anodd anghofio amdano; ond nid yw Daniel Owen yn ei orbwysleisio. Y mae'r Capten Trefor yntau'n cyfeirio ato'i hun yn yr un gwynt â Job (a Jacob a Dafydd), fel un a brofodd amgylchiadau anodd. Eithr yn *Enoc Huws* un o'r mân gymeriadau a ystyrir yn wir Job-debyg, sef Mr Denman, a fu'n ffyddlon i Richard Trefor drwy bob anghaffael, er bod ei wraig, fel gwraig Job, wedi 'ei boenydio gyda'i hedliwiadau am ei ffolineb' yn y cyfeiriad hwnnw ers blynyddoedd.[45] Unwaith yn rhagor, gwelwn Daniel Owen yn parodïo'r Beibl.

Gan mor ganolog a gwerthfawr yw'r Beibl i fywydau ei hoff gymeriadau, ni all y parodïo hwn fod yn ffrwyth amharch wyneb-agored. Ac eto, y mae'n anodd osgoi'r casgliad na fyn Daniel Owen

---

[43] *Enoc Huws*, t. 9.

[44] *Rhys Lewis*, tt. 175-76.

[45] *Enoc Huws*, tt. 86, 239-40.

i'w ddarllenwyr feddwl am y cyflyrau beiblaidd fel pethau i'w parchu a'u mawrygu doed a ddelo. Cymerer y golygfeydd sy'n disgrifio'r gwely angau. Y mae elfen o *ars moriendi* y Pabyddion, a fabwysiadwyd gan y Protestaniaid, yn y golygfeydd hynny, ond gellir olrhain eu dechreuad hwy hefyd i'r Beibl – i ddyrchafiad Elias, er enghraifft, i apêl y Lleidr Da at Grist ar Galfaria, ac i'r holl drafod amhendant ar y nefoedd a geir yn y Testament Newydd, – sef i'r ymdrech i gysylltu'r bywyd marwol hwn â rhyw fywyd arall anfarwol y mae'n hawl arno yn dibynnu ar ras neu farn neu gyfuniad goruwchnaturiol o'r ddau.[46]

Tair golygfa wely-angau hir a geir gan Daniel Owen. Y gyntaf yw'r olygfa wrth wely angau Seth, mab diniwed Thomas a Barbara Bartley, yr hwn, fel y cofia'r cyfarwydd, a ddywedai ei fod yn mynd 'i ffwrdd ymhell, ymhell, i gapel mawr Iesu Grist.' Wrth nodi hyn, y mae adroddwr y nofel yn dweud mai dyna 'ydoedd drychfeddwl Seth, druan, am y nefoedd, – "capel mawr Iesu Grist."'[47] Ond y mae cystal drychfeddwl bob tamaid â'i ddrychfeddwl mwy gwasgarog a phryddestaidd ef. Disgrifia Rhys ef ei hun yn dychwelyd adref o dŷ'r Bartlïaid noson marw Seth, a hithau'n 'noswaith leuad-oleu'. Ac ef, nid y bardd gofotgar Golyddan, biau dweud:

> Dychymygwn fod y lloer yn edrych yn ddyfal arnaf, ac fod y sêr yn amneidio yn ddibaid. Po fwyaf yr edrychwn arnynt, mwyaf oll y tybiwn eu bod hwythau yn edrych arnaf finnau. Gofynwn i mi fy hun a oedd Seth wedi myned heibio iddynt, neu ar ei ffordd tuag atynt yr oedd efe; pa faint o amser a gymerai iddo fyned i'r nefoedd, ac a fyddai wedi cyrhaeddyd yno cyn i mi gyrhaeddyd gartref, a llu o ofynion cyffelyb.

Y mae'n noson bwysig yn hanes Rhys am mai'r noson honno y daeth 'rhywbeth' i'w feddwl 'mai pregethwr oeddwn i fod.'[48] Noder na ddywedodd y Beibl wrth y darpar-bregethwr ddim mwy nag wrth Seth sut lun oedd ar y nefoedd. Yr ail olygfa wely-angau yw honno lle disgrifir marw Bob – lle ceir gwared â Bob, mewn ffordd, oherwydd yr oedd yn anodd iawn i'r nofelydd ei gadw'n fyw *a* pheri iddo

[46]Elizabeth Jay, *The Religion of the Heart [:] Anglican Evangelicalism and the Nineteenth-Century Novel* (Rhydychen, 1979), t. 154.

[47]*Rhys Lewis*, t. 89.

[48]Ibid., t. 91.

ddatblygu ei wrthwynebiad i'r seiat. Gwir bod Bob, ar ôl traethu'n ysgubol boenus am dywyllwch y fagddu fawr a'r tawelwch diymateb sy'n ganlyniad gweddi, yn cael dweud â'i anadl olaf, '. . . mam, . . . mae y goleuni o'r diwedd wedi dyfod', – ond sylwer mai brawddeg glo y bennod aruthr honno yw hon:

> Y funud nesaf yr oedd Bob wedi gadael ar ei ol yr holl ofnau a'r tywyllwch i mi ac eraill.[49]

Yma, nid gobaith sicr y Lleidr Da a gawn, ond amheuaeth lle dylai llawenydd fod. Fel petai'r Gristionogaeth, er yn addawol, eto'n brin.

Yn y drydedd olygfa wely-angau a ddarlunia Daniel Owen, "Yr Ymweliad Olaf a Benjamin Prys" yn *Y Dreflan*, cyflwynir geiriau olaf yr ymadawedig ar ffurf hawl ac ateb catecismaidd, Mr Pugh ffyddlon yn holi a Benjamin Prys dduwiol yn ateb yn iaith y seiat, iaith Paul. Ond yn y sgwrs olaf un a gafodd ar y ddaear, Benjamin Prys ei hun a hola Becca'i wraig, nid ynghylch myfyrdod y meddwl nac uchdwr profiad, ond ynghylch talu'r melinydd. –

> Rywbryd rhwng tri a phedwar yn y bore gofynodd yn sydyn, "Becca, ddaru ch'i dalu am y blawd?" "Do, Benjamin," ebe hithau. "Purion," ebe ef, "mae popeth wedi ei dalu yrŵan – mae y ddyled fawr wedi ei thalu er ys blynyddau;" a gogwyddodd ei ben, a bu farw.[50]

Ni wn i baham, ond y mae Daniel Owen yma eto fel petai wedi amhuro un o athrawiaethau mawr y Beibl fel y'i ceir ym mhenodau'r Epistol at y Rhufeiniaid, drwy ei chymysgu â thaledigaeth fach, faterol. Ai ceisio dangos annigonolrwydd iaith y Gair y mae? Ai pwysleisio dibyniaeth y credadun yn ei awr gyfyngaf ar drosiadau trysorfa ddaearol? Dichon na welir yma ddim rhagor na Daniel Owen yn dangos ei anfodlonrwydd ar arfer y bedwaredd ganrif ar bymtheg – mewn cylchgrawn a chofiant a nofel – yn patrymu proses marwolaeth yn unol â chonfensiynau cyfforddus yr Efengyleiddwyr. Pa amcan bynnag oedd ganddo, da iawn ganddo ansancteiddio sentiment.

Ond weithiau y mae'n cyfrannu at y sentiment y myn wedyn ei ansancteiddio. Cymerer ei ymdriniaeth â'r Saboth. 'Cofia y dydd Sabath, i'w sancteiddio ef,' meddir yn Ecsodus 20:8. Ac eilwaith,

[49] Ibid., t. 193.

[50] *Y Dreflan*, t. 195. Gw. hefyd Jay, op. cit., t. 157.

31:13, 'Diau y cedwch fy Sabathau,' ebe'r Arglwydd, 'canys arwydd yw rhyngof fi a chwithau, trwy eich cenedlaethau; i wybod mai myfi yw yr Arglwydd, sydd yn eich sancteiddio.' Er bod cadw'r Saboth yn bwnc llosg yn Lloegr er yr unfed ganrif ar bymtheg, ac yng Nghymru er dyddiau Stephen Hughes onid ynghynt, y mae'n llenyddiaeth yn dangos mai yn y bedwaredd ganrif ar bymtheg y daethpwyd i'w fawrygu yng Nghymru fel athrawiaeth, a'r Saboth ei hun fel sefydliad.[51] Y mae'r beirdd Victorianaidd am y gorau yn canu clodydd y Saboth Cymreig, 'y Sabbath tirion' chwedl Siôn Wyn o Eifion. Nid hwyrach i'r canu hwn gyrraedd ei anterth yng Nghystadleuaeth y Bryddest yn Eisteddfod Genedlaethol 1888 pan enillodd Elfed y goron am "Y Saboth yn Nghymru," cyfres o ganiadau ar wahanol agweddau Cymreig a thragwyddol ar y pwnc. Y 'Saboth yn y Wlad' yw'r Saboth mwyaf bendigedig:

> Mor llawn o sanctaidd asbri,
> I wella'r enaid claf,
> Yw boreu Sul mewn gwledig fro
> Ynghanol mwynder haf!
> Mae'r ddaear fel yn gwybod
> Mai dyma ddydd ei Duw:
> Mae rhyw sancteiddrwydd ar bob man
> Yn nefoleiddio'i lliw.[52]

Bron na ddywedid bod y darn paragraff canlynol o bumed bennod *Y Dreflan* yn amrywiad rhyddiaith ar bennill diweddarach Elfed:

> Mae yn debyg mai ychydig o argraff y mae diwrnod braf a hafaidd yn ei wneyd ar feddwl dyn. Mae diwrnodau felly yn bethau mor gyffredin yn nhymmor yr haf, fel nad ydyw yr argraff a wnant ond arwynebol iawn. Ond pe yr elai dyn i sugno ei gof, a cheisio galw yn ol ryw ddiwrnodiau nodedig o hyfryd a balmaidd, oni chysylltai efe hwynt â'r dydd Sabboth? Pa un ai dychymyg plentynaidd ai ffaith ydyw hyn, fod y Sabboth yn meddu ar fwy o dynerwch a swyn na holl ddyddiau yr wythnos, nis gwn; ond y mae yr argraff ar fy meddwl er yn blentyn fod

[51] Patrick Collinson, "The Beginnings of English Sabbatarianism," yn C. W. Dugmore a Charles Duggan (goln.), *Studies in Church History I* (Llundain a Chaeredin, 1964), t. 216. Henry Lewis (gol.), *Hen Gyflwyniadau* (Caerdydd, 1948), t. 38.

[52] *Gwaith Barddonol Sion Wyn o Eifion yng nghyd a Chofiant o Fywyd yr Awdur* (Bangor, 1910), t. 158. *Caniadau Elfed*, (Caerdydd, [1909]), t. 211.

natur, ar y dydd hwnw, fel y bydd dynion yn gyffredin, yn ceisio ymdrwsio tipyn mwy nag ar un diwrnod arall.[53]

Os trowch i'r tudalennau hynny yn *Enoc Huws* lle cyflwynir Thomas Bartley i ni, yr hwn na 'chymerasai lawer a gweithio ar y Sabboth', fe'i cawn y dydd sanctaidd nid yn myfyrio ar y gwirioneddau oesol ond yn 'sefyll â'i bibell yn ei safn i wylied y mochyn yn bwyta, ac i gyfrif pa bryd y byddai yn barod i'r gyllell', &c. Ac felly 'bob Sabboth'.[54] Er i'r Eglwys Gristionogol osod bri ar y Sul fel dydd ein hailgreadigaeth yn atgyfodiad yr Arglwydd Iesu Grist ac nid ar y Saboth Iddewig, y mae chwithdod doniol yn yr olygfa hon lle gosodir y crydd o Gymro diniwed i ystyried y budd a gaiff o anifail a oedd yn aflan ym meddwl yr hen genedl! Yn ei ffordd ei hun, holi y mae Daniel Owen 'Beth sydd o'i le ar ddefnyddio'r Saboth i gyfrif bendithion dealladwy?' – holi ynghylch un o'r shibolethau a roddodd yr Ysgrythur i'w gymdeithas.

Fel y dywedais gynnau, y mae cymhlethdod amlwg yn ei agwedd at y Beibl ac yn ei ddefnydd ohono, fel yn ei agwedd at grefydd gyfundrefnol Methodistiaeth y dydd, – edmygedd dwfn ohono yn gymysg â rhyw gymaint o feirniadaeth nid di-wawd o'r mawrbarch difeddwl a roddai pobl iddo. Adlewyrchiad ydyw o'r aflonyddwch deallus a deallusol hwnnw sydd, i mi, yn un o nodweddion godidocaf y ddawn greadigol a adwaenwn wrth yr enw Daniel Owen.

Gwelir yr edmygedd nid di-wawd hwn ar waith yn y defnydd a wna'r nofelydd o gyfeiriadau ysgrythurol. Os cymerwn (unwaith yn rhagor) mai'r un un yw Daniel Owen ac adroddwr *Rhys Lewis*, rhaid i ni dderbyn ei air iddo er yn gynnar ymgydnabod â hanesion a chymeriadau a digwyddiadau'r Beibl i'r fath raddau nes dyfod ohonynt yn rhan ohono: '[yr] oedd hanesyddiaeth ysgrythyrol . . . yn cael ei ddyferu i'n meddyliau megys heb yn wybod i ni'.[55] Ac yr oedd yn diferu i'r meddwl yn ei briod idiom. Nid yw'n ddim syndod fod yr awdur yn llwytho'i lyfrau, *Rhys Lewis* ac *Enoc Huws* yn enwedig, â chyfeiriadau beiblaidd, enwau personol, enwau llefydd, adnodau cyfain.[56] 'Byddai fy mam,' ebe Rhys, 'yn gyffredin yn siarad mewn

[53]*Y Dreflan*, t. 27.

[54]*Enoc Huws*, t. 83.

[55]*Rhys Lewis*, t. 25

[56]Fe'i ceir yn *Y Dreflan* hefyd, e.e. tt. 25, 51, 77, 78, 90, 99, 111, &c. ac yn *Gwen Tomos* (ond nid i'r un graddau), e.e. tt. 15, 19, 279.

ieithwedd ysgrythyrol.'[57] Yn wir, yn yr ystyr ddyfnaf un, dyna'r unig iaith a feddai ei fam. Dyna'r unig iaith a feddai i fynegi ei meddwl am y byd a'i bethau am y rheswm syml mai o safbwynt rhywun a gymerodd y Beibl yn llusern ei ffordd y gwelodd y byd hwnnw. Ac wrth reswm y mae'n ieithwedd gyfoethog, ynddi hi ei hun, hynny yw, yn ailadroddiad Mari o gymalau gwychion yr Esgob William Morgan, ac, yn bwysicach na hynny, o ran y ddawn hen a feddai Mari i gysylltu rhannau'r Beibl â'i gilydd, yn gymariaethol, yn gytrasol, yn gydweddol-brofiadol, ac yn deipolegol. Er symled y wraig, am ei bod yn adnabod ei Beibl, y mae'n adnabod y dehongliad cydgysylltiadol ohono hefyd.

Er amled y cyfeiriadau ysgrythurol yn ymddiddanion Mari Lewis (ac eraill), nid oes enghraifft well o'i defnydd dyfnddysg a phwrpasol hi o'r Beibl na'r llythyr a arddywedodd hi wrth Rhys heb 'ymgynghori gymaint ag unwaith â'r Gair' (chwedl y mab), ac a anfonwyd wedyn at Bob yn y carchar. Y mae'n agor mewn iaith bob dydd, a bron na theimlir mai i ffwrdd yn gweithio y mae Bob:

> Yr ydw i'n sgrifenu hyn o leinia atat ti gan obeithio dy fod yn iach fel yr ydan ninne.

Ni fedd Mari'r ddawn i fân siarad; yn wir, ni fedd yr iaith i fân siarad, fel y dengys y 'bethma' a geir yn ail frawddeg y llythyr:

> Yr ydw i yn teimlo yn gymysglyd ac yn bethma iawn, a mi wn mai felly rwyt tithe.

Ond yna, heb betruso rhagor, y mae'n ymollwng i ddefnyddio'r unig iaith a rydd iddi huotledd, iaith y Beibl yn ei rannau, yn unedig er yn wasgaredig, dyfyniadau ohono a chyfeiriadau ato:

> Mae fy ymadrodd heddyw yn chwerw – Job y drydedd bennod ar hugen a'r ail adnod. Ond pwy a ddywed y bydd dim heb i'r Arglwydd ei orchymyn – Galarnad y drydedd bennod a'r eilfed adnod ar bymtheg ar hugen. Mi wn o'r gore y byddi di yn trwblo dy feddwl am danom ni fel y byddwn ninne am danat tithe; ond yr ydw i yn gobeithio y gwyddost di i ble i droi, fel yr oeddet ti yn deyd y gwyddwn i pan oeddet ti'n gadel y tŷ nos Sadwrn. A galw arnaf fi yn nydd trallod, mi a'th waredaf,

[57] *Rhys Lewis*, t. 32; cf. t. 59.

> a thi a'm gogoneddi – y ddegfed Salm a deugain a'r bymthegfed adnod. Os nad ydw i'n twyllo fy hun yn fawr, yr ydw i'n meddwl y mod i wedi cael cyflawniad o'r addewid ene heddyw. Anwyl fachgen, mae gen i ofn garw i ti roi dy galon i lawr a cholli dy iechyd, am i ti gael dy roi yn *jail* ar gam. Hwyrach y bydd o yn rhw swcwr i ti gofio am y rhai hyny y mae y sgrythyr yn son am danyn nhw gafodd eu rhoi yn y carchar ar gam fel tithe, ac y darfu i'r Arglwydd ddangos ar ol hyny nad oeddan nhw ddim wedi haeddu bod yno. Os cei di hamdden tro i'r mane canlynol, – Genesis y bedwaredd bennod ar bymtheg ar hugen. Actau y bummed bennod, a'r wythfed, a'r unfed bennod ar bymtheg. A chofia hefyd mai o garchar ac o farn y cymerwyd EF. Y drydedd bennod ar ddeg a deugan o Esaiah a'r wythfed adnod.

Gallai Mari gyfeirio at y penodau a'r adnodau hyn gan wybod bod Bob fel hyhi yn hollol gyfarwydd â'i Feibl, ac yn deall arwyddocâd lleol a pherthynol y troadau-ymadrodd a chynnwys y crybwylliadau:

> Annwyl fachgen, mae'r gwynt yn gry' a'r tòne yn codi; ond os down i trwy hyny i waeddi ar y Meistar i'n cadw, pobpeth yn dda. Darllen yr wythfed o Luc, a'r wythfed o'r Rhiwfeiniaid. Os caiff Morris Hughes a tithe fod hefoch gilydd, fydde fo harm yn y byd i ch'i roi tiwn ambell dro, fel y daru i Paul a Silas gynt, a wn i am yr un pennill gwell i chi' nag un Ann Griffis. –
>
> 'Mae bod yn fyw yn fawr ryfeddod,
> Mewn ffwrneisiau sydd mor boeth.'
>
> Mi wyddost sut y mae o'n gorphen, a phwy ŵyr na chewch ch'i hwyl wrth ganu am y Gŵr á'r wyntyll yn ei law?[58]

Yr oedd gan Mari Lewis, fel pregethwyr yr oesoedd, ragdybiaeth feirniadol arbennig yn sail i'w ffordd o ddewis adnod yn destun. Yn ymhlyg yn y dewisiad y mae'r rhagdybiaeth mai'r adnod neu'r frawddeg a ddyfynna yw canolbwynt y Beibl i gyd. I ddibenion Mari, fel i ddibenion y pregethwr, gall mai'r adnod neu'r frawddeg nesaf un yw union gyd-destun y dewis ddyfyniad, ond y mae'r un mor debygol o fod mewn rhan hollol wahanol o'r Beibl, bum neu chwe chan tudalen oddi wrtho. Yn ddelfrydol, y mae pob brawddeg yn allwedd i'r Beibl cyfan.[59] Wrth sôn fel hyn am adeiledd y Beibl, perthynas ei

[58]Ibid., tt. 130-131. Cf. tt. 99-100, 113, 115, 129, 144-45, 163, 187, 207.
[59]Northrop Frye, *The Great Code,* t. 208.

rannau a dibyniaeth corff y gwaith ar addasrwydd y gewyn lleiaf ohono, ni allaf beidio â chyfeirio at un peth hynod a ddywedodd Rhys am ei fam wrth fyfyrio ar ei marwolaeth ym Mhennod XXIV. Trafod hunanfeddiant ei fam ar ôl y brofedigaeth enbyd o golli Bob y mae, a dyma a ddywed:

> yr oedd ganddi hi ryw nerth ysbrydol, cuddiedig i syrthio yn ol arno, yr hwn a'i galluogai i edrych ar y dygwyddiad mwyaf alaethus fel adnod anghenrheidiol yn mhennod ei bywyd, heb yr hon y buasai ystyr a chysylltiad y testyn yn aneglur.[60]

Y mae'r dweud hwn yn ddweud rhyfeddol – yn rhyfeddol am ei fod yn awgrymu bod Mari Lewis, ym marn ei mab, wedi'i chynysgaeddu â grym gweledigaethol y Beibl i'r fath raddau fel na allai synied am ei bywyd ac eithrio yn y termau a oedd ganddi i ddirnad y Beibl, fel proses y mae pob profiad a phrofedigaeth ynddo yn gyd-destunol ddiystyr ar ei ben ei hun, ac eithrio fel rhan o gyfanwaith yn goleuo'r cyfan. Hen hen syniad; ond cymhwysiad Daniel Owen ohono yn loyw newydd.

Mesur arall o loywder a newydd-deb dawn Daniel Owen yw bod gofyn i'w feirniaid, ar ôl ei nodi, symud oddi wrth ystyriaeth ysgrythurol mor angerddol â hon, a'i ddangos yn digrifhau'r Beibl. A hithau'n siarad iaith y Gair, yr oedd Mari Lewis yn aml yn llefaru mewn delweddau, yn dweud ei bod hi, er enghraifft, rhwng 'yr Euroclydon yma a'r Euroclydon arall' (gweler Actau 27:14), ond bod 'y Llywodraethwr mawr' wedi gweld yn dda ddangos iddi 'gilfach a glan' (27:39).[61] Gall y fath lafaredigaeth arwain at *(a)* annealltwriaeth ar ran yr annysgedig, ac yn ogystal at *(b)* ymateb ysmala gan rywun clyfar – a gall y ddeubeth droi'r Ysgrythur yn sbort. Ym Mhennod XVIII *Rhys Lewis* ceir esiampl ysblennydd o *(a)*: Mari yn gafael ar bob cyfle i fwrw'r gwirioneddau adref i glopa Thomas a Barbara Bartley gyda 'hen ordd fawr yr Ysgrythur' ys dywed Rhys, a'r ddau ddiniwed yn methu'n deg â deall ei delweddiaith ac yn sôn am asiffeta fel moddion gwellhad pan fyn Mari nad oes dim a all godi'r cystuddiedig 'ond y triagl o Gilead, ac eli o Galfaria.'[62] Gallwn ni

[60] *Rhys Lewis*, t. 196.
[61] Ibid., t. 187
[62] bid., tt. 139, 137.

chwerthin; ond ni chwarddai Mari. Gyda golwg ar *(b)*, y pen ymatebwr ysmala, wrth gwrs, yw Wil Bryan, yr hwn, fel y gwelsom o'r blaen, sy'n hen ddigon hyddysg yn ei Feibl i wybod ystyr ymadroddion Mari, ond a fyn eu camddeall er mwyn ei chythruddo – ie, ac hefyd er mwyn i Daniel Owen gael gwneud y pwynt hwn, sef na thâl yr ieithwedd hon onid yw'r gymdeithas gyfan nid yn gymaint yn ei medru ond yn ei chyfrif yn ystyrlon. Fe gofiwch, efallai, fel y dywed Mari wrth Wil am 'ladd yr hen ddyn' ac yntau'n cymryd arno mai 'y gaffer acw' a feddyliai:

> "Nage, Wil, nid dy dad ydw i'n feddwl, ond yr hen ddyn sydd yn dy galon di."
>
> "Hen ddyn yn 'y nghalon i? Does yna'r un hen ddyn yn 'y nghalon i, mi gymra fy llŵ."
>
> "Oes y mae, Wil bach, ac mi gei wybod hyny ryw ddiwrnod."
>
> "Wel, pryd yr aeth o i nghalon i, Mary Lewis?" gofynai Wil. "Rhaid fod o yn un bychan iawn, llai na Tom Thym!"
>
> "'Rodd o yn dy galon di cyn dy eni, ac y mae yn fwy na'r cawr Goliath," ebe fy mam; "ac os na chymeri di gareg lefn o afon iechydwriaeth, a'i suddo hi yn ei dalcen o, mae o yn sicr o dori dy ben â'i gledde."
>
> "Sut y medra' i," ebe Wil, "yru careg i'w ben o os ydi o yn 'y nghalon i? a sut y medr o dori 'mhen i â'i gledde?"
>
> "Mi wyddost am bwy yr ydw i'n sôn, Wil," ebe fy mam; "yr hen ddyn pechod ydw i yn 'i feddwl."
>
> "O! mi rydw i'n ych dallt chi 'rwan. Pam na siaradwch chi'n blaen, Mary Lewis? . . ."[63]

Yr ateb i gwestiwn olaf Wil yw *am na fedrai hi ddim*, – sy'n codi cwestiwn arall, sef a oedd Mari Lewis o gwbl wedi meddwl mai sefyll dros syniadau a daliadau ac athrawiaethau yr oedd y troellau a ddefnyddiai mor ffri, ynteu a feddyliai eu bod oll yn oll, nid yn arwyddion eithr yn foddau cyflawn ynddynt eu hunain? Ond nid af ar ôl y mater hwnnw. Yma, digon yw dweud bod Daniel Owen, wrth roi iddi'r fath gyfoeth traddodiadol o ymadroddion iachus, ar yr un pryd wedi codi amheuaeth ynghylch natur eu defnydd a natur y derbyniad a allai fod iddynt.

---

[63]Ibid., t. 100.

Yn gyffredinol, y mae'r drafodaeth hon, gobeithio, yn dangos pa mor gymhleth oedd defnydd Daniel Owen o'r Beibl fel symbol ac fel ffynhonnell iaith. Ond dengys hefyd ba mor effro yr oedd ef, mewn oes pan uchel-berchid y Beibl gan ei gydgrefyddwyr lluosog, i'r perygl (pleserus yn aml) o adael i'r Gair siarad drostynt a mynegi meddyliau nad oedd yn ystyrlon i eraill yn eu mysg. Os aeth y beirdd i ddychmygu dychmygion a oedd y tu hwnt i ddarluniau'r Ysgrythur yn rhannol er mwyn mawrygu'r Ysgrythur, cadwodd Daniel Owen yn ffyddlon at ei gynnwys a'i eiriad, ond ar yr un pryd cododd beth amheuaeth ynghylch ei awdurdod. Ond am ei addaster, ei addaster fel mynegeilyfr bywyd, nid oedd ganddo ddim amheuaeth. Eithr sicrwydd awdur ar ei hald yn hwyluso deall dynion o'u rhawd oedd y sicrwydd hwnnw, nid sicrwydd ffydd o raid. Sicrwydd dyn yr oedd y diffiniad llenyddol o brofiad wedi dod yn bwysicach iddo na'r diffiniad diwinyddol. Wedi'r cyfan, y pin ysgrifennu nid y pulpud oedd hoff a phriod arf Daniel Owen.

Mynegai